SUBLUTETIA

Le Dernier Secret de maître Houdin

À Éléonore,
l'extra-terrestre extra.

Eric Senabre

SUBLUTETIA

Le Dernier Secret de maître Houdin

Didier Jeunesse

1

Le serpent de métal

Personne ne savait quand cela avait bien pu commencer.

À l'aube déjà, le Génie de la Liberté, perché sur la colonne de la Bastille, paraissait sautiller pour échapper au flot de voitures qui, minute après minute, se répandait dans la moindre rue.
Au fond, c'était comme s'*il* avait toujours été là, gigantesque et tentaculaire. De mémoire de Parisiens, c'était l'embouteillage le plus colossal que la ville ait connu depuis des décennies.

« C'était bien le jour... » songea Nathan en ouvrant les volets de sa chambre. Quelques étages plus bas, la chaussée de la rue La Fayette ressemblait à un grand serpent amorphe. Le jeune garçon se pencha un peu plus loin sur le rebord et plissa les yeux. Aussi loin qu'il pouvait regarder, les anneaux du serpent se déployaient avec paresse. Ce fut, paradoxalement, le silence de ce spectacle qui frappa Nathan : au vrombissement habituel des moteurs, aux pétarades des motos et scooters avait succédé un calme pesant. La rue n'avait jamais été aussi pleine, et pourtant jamais aussi peu bruyante. À l'horizon, dans le ciel, il remarqua une sarabande d'hélicoptères, sans doute affairés à déterminer l'origine de ce chaos.

Nathan s'étira en se mettant sur la pointe des pieds puis, après avoir cherché deux minutes son chausson gauche, il ouvrit la porte de sa chambre et se dirigea d'un pas traînant vers le salon, où devait l'attendre son petit déjeuner. Ce matin-là, son plateau d'ordinaire si bien préparé – avec une pomme verte lisse et brillante dans le coin supérieur gauche, le bol de céréales soigneusement aligné avec la petite assiette de pain grillé – était lui aussi en proie à un certain désordre : tout y avait été posé à la va-vite, du lait et des céréales avaient jailli hors du bol, et même la pomme faisait grise mine. Nathan savait que ces indices ne trompaient pas.
Vingt secondes plus tard, à peine, son intuition se vérifia. Sa mère venait d'apparaître dans le salon, qu'elle traversa au pas de course en faisant des moulinets avec les bras ; dans son sillage, tout se mettait à frémir comme avant un tremblement de terre. Les sourcils froncés, elle se figea un instant sur place, puis reprit sa course agitée à travers l'appartement. La bouche pleine de céréales, Nathan rentra la tête dans les épaules : il savait qu'il était déconseillé de demander ou dire quoi que ce soit, même un simple « bonjour ». Comme un promeneur surpris par l'orage, il attendit donc patiemment de voir où la foudre allait tomber. L'éclair s'abattit alors qu'il

buvait son jus d'orange. Sa mère se planta devant lui, de l'autre côté de la table, une main sur une hanche et l'autre décrivant des courbes incompréhensibles dans les airs.

« Tu as vu ? Non mais tu as vu ? demanda-t-elle dans un hoquet d'agitation.

– L'embouteillage ? osa timidement Nathan.

– Comment veux-tu... J'ai rendez-vous à l'autre bout de Paris, moi ! Comment je vais faire ? »

Nathan s'apprêta à répondre, mais ses premiers mots furent noyés dans le bruit du poste de radio que sa mère venait d'allumer d'un geste sec.

Des experts bafouillaient des explications maladroites devant le micro des journalistes, mais rien de très convaincant ne fut avancé. Un reporter perdu au milieu des voitures redoutait que la situation ne s'envenime rapidement, d'autant qu'on prévoyait une véritable canicule. En attendant, on parlait déjà de centaines de kilomètres de bouchons.

La main posée sur le poste, la mère de Nathan écoutait cette messe lugubre sans rien dire, en tapant du pied.

Nathan profita d'une publicité pour glisser un mot :

« Maman... pourquoi tu ne prends pas les transports en commun ? Ils ne sont pas en grève, si ? »

Elle parut outrée de la proposition.

« Les transports en commun ? Non mais tu plaisantes ou quoi ? Tu imagines le monde qu'il va y avoir dedans ? Avec cette chaleur qu'on annonce, là ? J'ai un rendez-vous important, je ne veux pas arriver toute chiffonnée ! »

Nathan fit la moue.

«Mais… Je suppose que ton rendez-vous aura le même problème que toi, non ?»

Ce n'était de toute évidence pas une remarque appropriée, et le ton de sa mère gravit un nouvel échelon dans l'exaspération.

«Écoute, occupe-toi de tes affaires, tu veux ? Mets-toi bien dans la tête que la vie d'un adulte, c'est un peu plus compliqué que celle d'un collégien, d'accord ? Si je te dis que je ne peux pas prendre le métro, c'est que j…»

Elle s'arrêta en plein milieu de sa phrase et se frappa le front.

«En parlant de métro… Ton père! C'est aujourd'hui que tu dois voir ton père, c'est ça ?

– Oui, répondit doucement Nathan. À dix heures trente, en fait.

– Évidemment! Il faut toujours qu'il choisisse les pires moments, lui. Franchement, il y avait d'autres jours, hein…»

Nathan eut du mal à dissimuler son agacement.

«Comme s'il avait fait exprès! Tu le savais, toi, qu'il y aurait un embouteillage géant, aujourd'hui ?

– Oh, ça va! tonna-t-elle. Rien n'est jamais simple avec lui, tu as remarqué, quand même ? Il vient, il disparaît, il revient… Parfois, je me dis que…

– Que quoi ?» demanda Nathan d'une voix où se mêlaient tristesse et colère.

Sa mère perçut le trouble et prit deux bouffées d'air, bruyamment, avant de répondre.

« Peu importe. Bref. N'empêche qu'il ne faudra pas compter sur moi pour t'accompagner.

– Bon, eh bien, j'irai à pied, soupira Nathan. Je peux marcher, je ne vais pas fondre. Et j'aurai Keren pour me tenir compagnie. »

La mère de Nathan leva un sourcil.

« Keren ? Pourquoi tu vois ton père avec Keren ? Qu'est-ce que c'est que cette histoire, encore ? Ton père et toi, vous vous voyez tous les trente-six du mois, depuis qu'il est revenu. Tu ne peux pas avoir un moment seul avec lui ? Keren, tu la vois presque tous les jours !

– C'est papa qui a voulu que Keren vienne. Et ce n'est pas ma faute si je le vois tous les trente-six du mois », protesta Nathan.

Il porta son bol à ses lèvres, tout en murmurant :

« Ni la sienne, d'ailleurs. »

La mère de Nathan entendit parfaitement cette dernière phrase, à laquelle, embarrassée, elle ne sut quoi répondre. Un peu radoucie, elle attrapa son sac à main et les clés de sa voiture, puis s'approcha de Nathan, qu'elle embrassa sur le front.

« Bon, écoute, mon grand : je vais y aller, on verra bien. Tu vas t'en sortir ? »

Nathan se força à sourire.

« Mais oui, bien sûr, maman. Je t'ai dit : ce n'est pas loin du tout. Mais je ne comprends pas pourquoi toi, tu veux prendre ta voiture. Tu vas…

– Ça me regarde, ça ! Je sais ce que je fais », le coupa-t-elle, le visage de nouveau crispé.

Dans le poste de radio, le présentateur avait momentanément cessé de parler de l'embouteillage du siècle. Il évoquait cette fois un incompréhensible cambriolage perpétré
dans l'hôtel particulier d'un grand diamantaire parisien, la
veille, en pleine journée. Il s'agissait du dixième cambriolage de ce type depuis le début de l'année. Après une page
de publicité, l'affaire fut close : l'embouteillage accaparait
de nouveau les ondes.
« Nathan ! Cette fois, je dois vraiment y aller. Je file, je file ! »
vociféra sa mère.
Nathan se retrouva seul devant la table du petit déjeuner.
Il avala les dernières bouchées, plongé dans ses pensées et
le silence de l'appartement.

Nathan pouvait difficilement s'empêcher de songer aux
curieux événements qui avaient jalonné les douze derniers
mois de sa vie. Tout aurait été bien plus simple si son
incroyable aventure de l'été précédent n'avait été que le
fruit de son imagination ; si Sublutetia n'était qu'un rêve.
Juste après son départ de la cité souterraine, alors qu'il
attendait un métro pour enfin rentrer chez lui, Nathan
avait eu la surprise de voir entrer en quai Martha, la vieille
motrice Sprague-Thomson qui les avait conduits, Keren
et lui, jusqu'aux portes de Sublutetia. Et aux commandes,
il y avait son père, souriant et désinvolte, comme si son
absence s'était chiffrée en heures et non en années. Passée
la liesse des retrouvailles, l'heure des questions, du doute et
parfois de la colère était arrivée. La mère de Nathan avait
purement et simplement refusé de revoir son ancien mari.

Et à vrai dire, lui-même n'avait pas cherché à réintégrer la famille. S'il avait admis avoir été, pour un temps, un citoyen de Sublutetia, jamais il n'était revenu de manière détaillée sur cette période de sa vie. Il semblait à Nathan qu'il subsistait une zone obscure dans le récit de son père, un trou noir qui s'étendait sur une période d'un an, au bas mot. Qu'avait-il pu se passer durant tout ce temps ? Et pourquoi son père n'était-il pas intervenu plus vite pour leur porter secours, quand Keren et lui étaient traqués par les Sublutetiens et toute une armée de singes ? Même sa vie actuelle à la surface présentait des aspects bien mystérieux.

Nathan n'avait pas vraiment osé demander des explications à son père. Apprendre la vérité l'effrayait autant que le silence lui pesait. Il s'était donc accommodé des quelques vagues éclaircissements que son père avait consenti à lui fournir.

Les mois passant, l'aventure sublutetienne avait fini par revêtir moins d'importance pour Nathan : le retour à la réalité, la reprise des cours avaient contribué à reléguer ces souvenirs héroïques dans un coin de son esprit.

Nathan soupira devant son plateau vide et alla se préparer, traînassant, au rendez-vous qui approchait à grands pas.

« Le sort en est jeté ! » pensa-t-il.

Il ignorait encore à quel point.

2

L'œuf

Keren fit son plus beau sourire au serveur qui, pour la troisième fois, venait leur demander ce qu'ils désiraient consommer.

«Rien pour le moment, merci, nous attendons quelqu'un», répéta-t-elle poliment. Il tourna les talons en la fusillant du regard, et se remit à faire la roue entre les tables.

Les deux amis s'étaient retrouvés devant l'entrée du grand magasin Le Printemps, boulevard Haussmann, une demi-heure plus tôt. C'était au dernier étage, dans le café surmonté de la somptueuse coupole du maître verrier Brière, que le père de Nathan avait fixé le rendez-vous. Et comme à son habitude, il était en retard.

«Déjà une demi-heure qu'on attend, fit Nathan, excédé.

– Avec ces embouteillages, rien d'étonnant, non ?

– Il arriverait à être en retard même s'il habitait au rayon chapeaux, tu sais. »

Keren n'insista pas et, pour tuer le temps, se lança dans l'observation de la coupole.

«Ce que c'est beau, quand même, dit-elle rêveusement.

– Et avec ce soleil, c'est encore mieux, acquiesça Nathan.

– Oui, j'adore. Dommage que… »

Elle jeta un coup d'œil furtif aux tarifs des consommations et termina sa phrase :

« … dommage qu'on ne puisse pas y venir très souvent, quoi.

– Oui, répondit Nathan en tordant la bouche. Enfin, je me dis quand même que papa aurait pu choisir un autre endroit. Tout ce monde, tout ce bruit… Ça ne va pas être facile pour parler.

– C'est sûr. Dis-moi, Nathan… Est-ce que tu sais, hum… pourquoi il voulait que je sois là ? Tu m'as dit qu'il avait insisté.

– Oh, oui, il a insisté. Tiens, regarde. »

Nathan sortit de sa poche de pantalon un papier roulé très fin, qu'il tendit à son amie. Keren s'en saisit et le déroula d'un air dubitatif.

« Bizarre, ton papier. On dirait qu'il vient d'un…

– Il *vient* d'un pneumatique, oui, la coupa-t-il. C'est le plus souvent comme ça que papa communique avec moi. Comme les gens de Sublutetia. »

Keren eut l'air intriguée.

« Mais je ne comprends pas… il est arrivé où ? Pas chez toi, si ? Tu ne m'en avais jamais parlé !

– Eh bien, commença Nathan d'un air gêné, il existe beaucoup de points d'arrivée de pneumatiques à la surface. Papa m'en a indiqué un tout près de chez moi. Il faut juste que je passe un porche, et là, dans une courette, il y a une fontaine qui ne marche plus, en forme de triton. J'attends qu'il n'y ait personne, j'appuie sur l'œil du triton, et hop, il

y a une petite trappe qui s'ouvre. Avec mes pneumatiques
à l'intérieur.

– Il doit quand même y avoir plus simple pour te contac-
ter. Le téléphone, l'e-mail… Ton père aime le mystère.

– Oui. Moi, j'en ai un peu assez, du mystère. »

Keren sourit avec compassion. Mais une voix exaspérée
fit éclater ce charmant instant comme une bulle de savon.
« Jeunes gens, avez-vous fait votre choix ? Il faut
commander, ou alors, laissez la place aux autres clients. »
Cette fois, le serveur acariâtre avait décidé d'en découdre.
Un bredouillis s'éleva de concert de la bouche des enfants.
« Un jus d'orange, une limonade et une eau minérale, s'il
vous plaît », lança une voix bourrue, derrière le serveur.
Celui-ci sursauta, nota la commande d'un air pincé, et
s'en alla.

Un homme de grande taille s'attabla aux côtés de Keren
et Nathan.

« Hello, mon fils, dit l'homme calmement.

– Salut, papa, répondit Nathan sans grand enthousiasme.

– Ça va, Keren ? » demanda le père de Nathan en adressant
un petit clin d'œil à l'intéressée.

Elle répondit d'un hochement de tête et d'une petite moue
complice.

Tous les trois demeurèrent quelques secondes sans parler.
Nathan nota que les cheveux gris de son père avaient
gagné un peu de terrain au sein de son épaisse tignasse
depuis leur dernière entrevue. Quant à son allure générale, elle se révélait anormalement négligée. La veste était
froissée, de toute évidence portée depuis trop longtemps ;

une barbe de cinq jours lui durcissait les traits ; des cernes sombres et profonds témoignaient d'un grand manque de sommeil. Seuls ses yeux clairs, toujours en mouvement, avaient gardé leur vivacité.

Le père de Nathan inspira bruyamment, puis, les mains jointes et serrées comme s'il voulait les empêcher de trembler, il toussota et commença à parler.

« Mes enfants... J'ai voulu vous voir tous les deux, aujourd'hui, parce que j'ai un grand service à vous demander. Vous êtes en réalité les deux seules personnes en qui je peux avoir confiance. »

Keren et Nathan l'écoutaient sans rien dire.

« Pour commencer, je vous dois une explication. Si je ne suis pas venu vous aider, quand vous étiez à Sublutetia, c'est... parce que je n'avais plus le droit de m'y montrer.

– Comment ça ? s'étonna Nathan.

– En un mot comme en cent... j'ai été banni de Sublutetia. »

Nathan s'étrangla.

« Banni ? Ça veut bien dire, euh... exclu ? Ils t'ont chassé ?

– Oui. Mon "procès" a duré plus d'un an. Quand vous êtes arrivés à Sublutetia, la sentence était déjà prononcée. Je n'avais plus le droit de vivre dans la cité.

– Mais qu'est-ce que tu as fait, au juste, papa ? »

Le père de Nathan passa la main sur son visage, et sembla chercher un moment comment il pouvait reculer. Mais ce n'était plus possible.

« J'ai commis un crime. »

Les enfants sursautèrent puis s'immobilisèrent, les yeux fixes.

«Ça n'en serait peut-être pas un ici, mais en bas les règles sont différentes. Je n'ai tué personne, si c'est ça qui vous inquiète.»

Nathan fronça un sourcil, et son père coupa court:

«Non, Nathan, je ne peux pas en parler. Pas maintenant. Et ce n'est pas le problème, d'ailleurs. La vérité, c'est que me sachant banni, j'ai... pris quelque chose, avant de partir.»

Nathan se frappa le front avec consternation.

«Tu as *pris* quelque chose? Tu veux dire "volé", c'est ça? Qu'est-ce qu'il y a à voler en bas? Un singe?»

Le père de Nathan sourit et secoua la tête.

«Le plus simple est encore que je vous montre...»

Il ouvrit sa besace et en sortit le plus étrange objet que Keren et Nathan aient jamais vu. Au premier coup d'œil, on aurait dit un très gros œuf de poule, métallique. La coquille était constituée de minces anneaux de métal cuivré, enchâssés les uns dans les autres et délicatement incurvés. Une chaînette aux maillons délicats et serrés pendait à l'extrémité supérieure.

Keren et Nathan, comme hypnotisés, ne pouvaient détacher leur regard de cet objet, où de nouveaux détails semblaient naître à chaque battement de cil.

Le père de Nathan mit brutalement fin à l'enchantement. Il tira une étoffe noire de sa poche et la posa sur l'œuf, qu'il rapprocha de lui. Avant que les enfants n'aient pu poser la moindre question, il annonça solennellement:

«Ce n'est pas cet œuf que j'ai volé. C'est ce qu'il y a dedans. Et cette... chose peut briser l'équilibre entre

Sublutetia et la surface. Je ne peux pas vous dire de quoi il s'agit, pour votre sécurité à tous les deux. »

Nathan protesta :

« Il va quand même falloir que tu nous en dises *un peu plus*, papa, si tu veux qu'on t'aide !

– Écoute… Quand j'ai été banni, j'ai voulu emporter quelque chose à la surface qui m'aurait permis de me faire un peu d'argent. Pour pouvoir commencer une nouvelle vie, tu comprends ? J'ai trouvé un acheteur sans aucun problème. Mais j'ai vite compris que mon butin était tombé entre de très mauvaises mains. Alors, j'ai tâché de le récupérer.

– En somme, demanda Nathan, tu l'as volé une *deuxième* fois ? C'est bien ce que tu essaies de nous dire ?

– Oui, répondit son père d'un air à la fois embarrassé et fier. Le souci, c'est que quand je l'ai, hum… récupéré, mon butin était enfermé dans cet œuf. Et je n'ai pour le moment pas réussi à l'ouvrir.

– Vous voulez dire qu'au fond vous ignorez si votre bidule est bien dans cet œuf ? fit Keren, intriguée.

– J'en suis sûr, Keren, aucun doute. Et pour une bonne raison. »

Il pencha la tête en arrière et ajouta :

« Si l'œuf était vide… personne n'aurait essayé de me tuer. »

Cette dernière affirmation jeta un froid. Il reprit :

« À deux reprises, déjà. En pleine rue. Des gars bizarres, armés, qui m'ont donné l'impression d'apparaître de nulle part. J'ai pu leur échapper chaque fois, mais je ne serai peut-être pas toujours aussi chanceux.

– Qui sont ces gens ? interrogea Keren.

– Je ne sais pas qui ils sont, mais ils travaillent sans aucun doute pour le compte de la personne à qui l'œuf et son contenu devaient revenir au final. Depuis… ça n'a vraiment pas été facile, croyez-moi.

– Ça n'a été facile pour personne, tu sais», rétorqua Nathan avec sécheresse.

Keren s'empourpra et détourna pudiquement le visage. Puis, sentant un silence pesant s'installer, elle annonça : «Monsieur, je ne comprends pas quelque chose. Vous dites que ce que vous avez vol… euh, pris à Sublutetia est dangereux s'il tombe entre de mauvaises mains. Alors pourquoi ne pas le jeter ? Pourquoi le garder avec vous ? Ça ne m'a pas l'air bien gros ! Si vous le jetez dans la Seine, ça sera réglé, non ?

– J'y ai pensé. Mais le contenu de l'œuf pourrait aussi être utilisé à bon escient. Je ne crois pas qu'il doive se perdre. C'est là où vous devrez m'aider.»

Nathan et Keren attendirent la suite. Comme elle ne venait pas, Nathan lança, sur un ton inquiet : «Continue…

– J'ai entendu parler de quelqu'un qui peut nous aider. Il s'appelle l'Escalopier. On ne peut pas l'approcher directement, mais je sais qui peut nous conduire à lui. Enfin, *vous* conduire à lui. Parce que pour moi, désormais, c'est bien trop dangereux. J'ai pris de gros risques en venant ici.

– Papa, soupira Nathan. Tu ne veux vraiment pas nous dire ce qu'il y a dans l'œuf ?

– Non, je ne préfère pas, répondit son père en secouant la tête. Moins vous en savez, mieux c'est.»

Keren examina l'œuf de plus près et y remarqua une très fine inscription. On y lisait : «Jean Eugène Robert-Houdin. Au Prieuré, 1870».

«Robert-Houdin, dit tout haut Keren, étonnée. Qui est-ce ?

– C'était un grand... Hum, pas le temps de vous raconter, j'en ai peur. Écoutez, les enfants, prenez ça.»

Le père de Nathan tira de sa poche deux tickets portant les mots «Musée Grévin».

«Je ne comprends pas, papa. Qu'est-ce qu'on est supposé faire ?

– Prenez les tickets, allez au musée, et une fois à l'intérieur demandez à voir un certain Carlosbach. Il pourra vous aider. Enfin... c'est ce qu'on m'a dit. Montrez-lui l'œuf. Moi, je ne peux plus y aller : je suis trop exposé.»

Avant que Nathan ait pu émettre la moindre protestation, son père se pencha au-dessus de la table et lui passa la chaînette de l'œuf autour du cou.

«Mmm, rentre-le sous ton tee-shirt, Nathan. C'est trop voyant, là.»

Nathan s'exécuta sans conviction et, constatant la bosse ainsi formée, ne put s'empêcher de dire :

«Oui, ça va être beaucoup moins voyant dessous, pas de doute...»

Son père reprit un air grave.

«Les enfants... Je sais que je n'ai pas répondu à toutes vos questions, mais... il faut que vous m'aidiez. Je vous assure qu'il y a quelque chose de très important en jeu. C'est une course contre la montre. Et puis, vous allez visiter le musée Grévin, en même temps ! C'est un endroit génial.

– Je n'y suis jamais allée, tiens !» dit Keren avec enthousiasme.

Nathan demeura silencieux.

«Nathan ?» demanda son père.

Le garçon secoua la tête et, tout en faisant mine de se lever, annonça :

«Non. Papa, non. Ce n'est pas possible.

– Comment ? Tu ne veux pas m'aider ?»

Nathan leva les yeux au ciel.

«Papa, tu ne donnes pas de nouvelles pendant des semaines, puis tu apparais d'un coup pour raconter une histoire à dormir debout. Et je devrais partir comme ça, bille en tête ?»

Le regard du père de Nathan s'embua. Il baissa la tête vers son verre, qu'il tapota du bout des doigts. Nathan, pendant ce temps, avait retiré la chaîne de son cou, et posé l'œuf sur la table.

«Tu ne me donnes jamais le choix, papa. Jamais.

– Nathan, ton père ne...» commença Keren. Mais elle s'interrompit.

Le père de Nathan regarda de nouveau son fils et, dans un soupir, déclara :

«Ce que tu as grandi... Un vrai sage. Et tu ne tiens pas ça de moi. Je suis désolé, vraiment. J'ai une fois encore été très maladroit. Bon...»

Il ramassa l'œuf, se leva et adressa un petit signe aux enfants.

«Je vais me débrouiller. Je n'ai pas le choix. A… amusez-vous bien. À bientôt ! Enfin, peut-être…»

Il tourna les talons et avança d'un pas lent en direction des escaliers.

Keren soupira et dit à son ami :

«Tu le laisses partir comme ça ?

– C'est un comédien, fit Nathan en haussant les épaules. Il n'attend qu'une chose : que je lui coure après.

– Eh bien, fais-le, alors ! Comme ça, vous serez quittes.

– Quittes ? s'étonna Nathan. Avec quoi ? Avec qui ?

– Avec vous-mêmes, gros malin. Tu meurs d'envie de l'aider, non ? Je te connais. Tu lui as tenu tête : bravo ! Tu lui as prouvé que tu avais du caractère, tout ça… Maintenant, passe à la "phase 2", non ? Ça serait mieux que de t'en vouloir à vie.

– Oh, ce que tu m'énerves, grommela Nathan.

– Je t'énerve, hein ?

– Oui. À avoir tout le temps raison pour ces trucs-là. C'est bon, c'est bon, j'y vais. Ah, mais regarde-le, comme il prend son temps. Il se doute tellement que je vais l…

– On a compris, file !»

Nathan rejoignit son père en quelques enjambées. Keren les observa discuter un moment ; puis ils revinrent tous les deux près d'elle.

«… mais je veux qu'après, tu t'expliques sur tout ce que tu ne m'as pas encore dit ! était en train de protester Nathan.

– C'est promis, répondit son père en levant les mains en signe d'armistice. Je peux compter sur vous, alors ?

— Mouais, grogna Nathan en tendant la main pour récupérer l'œuf.

— Merci, les enfants, merci ! » s'exclama son père, les larmes aux yeux.

Il se leva et les étreignit brièvement alors que Nathan passait la chaîne autour de son cou.

« Vous faites là quelque chose de très important, les enfants. Vous vous en rendrez bientôt compte. Quant à moi, je suis resté trop longtemps ici. Je dois partir avant qu'on ne vous voie avec moi. Je file. Merci encore. J'entrerai en contact avec vous. Allez, bon musée ! »

Quelques instants plus tard, la longue silhouette s'était perdue dans la foule du magasin.

Keren chercha à accrocher le regard de son ami, qui flottait entre deux mondes. Finalement, Nathan sortit de sa torpeur.

« Qu'est-ce que c'est encore que toute cette histoire, Keren ? Je suis désolé que tu sois embarquée là-dedans. Mon père, je crois qu'il est devenu… »

Keren posa un doigt sur les lèvres de son ami.

« Chut ! Ne dis rien, allons au musée et profitons de la journée. C'est les vacances, après tout, on fait ce qu'on veut. Ça sera peut-être rigolo.

— Oui, il faut espérer. Bon…

— Désirez-vous autre chose ? » demanda une voix excédée, derrière leur dos.

Le serveur bougon était de retour. Les enfants surent alors qu'il était temps de partir vers le musée Grévin.

Journal de Frédéric Weiss
Première partie

Blois, le 8 octobre 1869

Plus que quelques heures. C'est à peine si j'ose y croire.

Moi, le modeste Frédéric Weiss, je suis sur le point d'entrer au service de Jean Eugène Robert-Houdin, le plus grand magicien que le monde ait jamais connu.

Ce moment, je l'attends depuis mon enfance ; je n'avais en effet que sept ans quand le récit de ses exploits m'est parvenu. Le gouvernement français venait de faire appel à lui pour impressionner les marabouts algériens et étouffer dans l'œuf une révolution. Comment un homme seul était-il capable d'un tel prodige ? J'ai alors voulu tout savoir de lui. Mon père, qui était un de ses fervents admirateurs, m'apprit qu'en plus d'être un prestidigitateur de génie, il était l'inventeur d'automates fabuleux ; que c'était autant un homme de sciences qu'un artiste.
Depuis lors, je n'ai eu de cesse de reproduire les *escamotages* de M. Robert-Houdin, dont je découvrais les

prodiges dans diverses revues. Mon père, ingénieur de son état, m'a transmis quelques rudiments de physique et de mécanique qui m'ont été fort utiles. Aujourd'hui, à vingt ans tout juste, je pense sans fausse modestie ne pas être dénué d'habileté. Mais comparé à M. Robert-Houdin, je ne suis rien de plus qu'un novice.

À la mort de mon père, ma famille s'est retrouvée en grande difficulté financière. Désespéré, j'ai écrit une longue lettre à M. Robert-Houdin, dans laquelle je lui racontai le drame qui venait de frapper ma famille et les difficultés que ma mère et moi traversions ; surtout, j'insistai sur ma passion pour l'art de l'illusion. Je ne manquai pas non plus de lui faire part de mes talents en matière de mécanique, et sollicitai de sa part un emploi en tant qu'apprenti. Sa réponse ne s'est guère fait attendre. Il y a trois semaines, j'ai reçu une lettre où il me proposait de venir le rencontrer dans sa demeure du Prieuré. Mon récit l'avait de toute évidence touché.

M'y voilà presque.

J'ai fait bonne route depuis Orléans jusqu'à la gare de Blois. Je n'ai rencontré que des personnes prévenantes dans le wagon, qui se sont inquiétées qu'un jeune garçon d'apparence aussi frêle que moi portât un si lourd fardeau. Je ne suis pas à proprement parler un avorton, pourtant. J'ai l'habitude des travaux de force, et si je peux paraître fragile à certains, c'est parce qu'en plus d'être d'une taille très ordinaire j'ai hérité de mon père son physique tout en sécheresse.

Tout ce qui m'appartient encore, après que ma mère eut vendu la plupart de nos biens, tient dans cette toile rapiécée. J'ai dépensé mes derniers sous dans l'achat du costume et des chaussures que je porte aujourd'hui. Je l'ai voulu suffisamment élégant pour provoquer une bonne première impression lorsque mon futur maître – du moins, j'espère qu'il le deviendra – m'accueillera, et assez solide pour n'être point trop abîmé pendant la route qu'il me reste à parcourir. La demeure du Maître, à Saint-Gervais-la-Forêt, n'est pas bien loin de Blois. Toutefois, la pluie guette et les sentiers sont paraît-il boueux et difficiles.

Je me restaure en ce moment même dans une auberge, non loin du château, en relisant le mot que M. Robert-Houdin m'avait adressé avant mon départ :

… Présentez-vous à M. Lefebure, le patron de l'auberge, et dites-lui que vous êtes Frédéric, mon invité. Buvez et mangez ce que vous voudrez, il vous faudra prendre force et vigueur. Je suis bien désolé de ne pouvoir vous envoyer une voiture afin de vous conduire jusqu'au Prieuré, mais cela n'aurait guère été commode par cette saison. J'attends avec la plus vive impatience votre arrivée.
Faites bonne route et que Dieu vous garde,

Jean Eugène Robert-Houdin.

Je ne m'attendais pas, avant de prendre la route, à ce que le nom de Robert-Houdin m'ouvrît tant de portes dans les environs.

Mon cœur s'emballe quand je songe à la rencontre que je m'apprête à faire, et à tous les mystères que le Prieuré me dévoilera peut-être! Me voilà rassasié et reposé : il est temps de reprendre la route.

3

Carlosbach

Keren et Nathan remontaient patiemment le boulevard Haussmann, alors que le soleil intensifiait son offensive. Depuis la chaussée, on n'entendait plus qu'un ronronnement ininterrompu, pas même ponctué d'un coup de klaxon. Le cortège de voitures stagnait désespérément ; feux rouges et feux verts n'avaient plus aucune incidence sur la circulation.

Les deux compagnons n'avaient pratiquement pas échangé un mot depuis leur départ du Printemps. Ce fut Keren qui brisa le silence :

« Nathan ?

– Oui ? répondit le garçon d'un ton fuyant.

– Ça va ?

– Mais oui, pourquoi ça n'irait pas ?

– Oh, ne fais pas le malin. Tu sais très bien pourquoi.

– Bah… Je vois mon père tous les trente-six du mois, et là, tout à coup, il nous précipite dans je ne sais quelle histoire à dormir debout. La vie est belle, que veux-tu que je te dise ? »

Keren eut une mine désolée et posa une main sur l'épaule de son ami.

«Hé, Nathan. Ça va aller, je suis sûre. Vous aurez une vraie explication après.»

Il haussa les épaules.

«Mais oui. Comme d'habitude, quoi.»

Keren retira sa main, l'air toujours aussi embarrassé. Après avoir scruté les alentours, Nathan s'écria :

«Ah, je pense qu'on ne doit plus être loin ! C'est après ce carrefour, il me semble.

– Je suis pressée de voir ça ! rétorqua Keren. Je n'y suis jamais allée.

– Moi si, mais ça fait longtemps, déclara pensivement Nathan. Enfin, j'espère qu'on va vite trouver ce Carlosbach. Cela aurait été bien que mon père nous donne un peu plus d'informations… mais il ne savait peut-être rien de plus, au fond. Ah, nous y voilà !»

Un peu plus haut, sur leur gauche, s'ouvrait la gueule béante du passage Jouffroy, l'une des quelques galeries à l'ancienne que Paris possédait encore. Le lieu continuait à baigner dans l'atmosphère typique du milieu du XIX\ e siècle. Un marchand de maisons de poupée faisait face à une boutique de cannes ; plus loin s'alignaient des étagères de bouquinistes, des bijouteries exotiques, un salon de thé à la vitrine chargée de pâtisseries rares et appétissantes, la façade d'un hôtel désuet… Le calme y régnait à longueur d'année. À côté de l'entrée du passage, celle du musée Grévin serait presque passée inaperçue, tout étroite et sombre qu'elle était.

Les deux enfants progressèrent dans l'allée réservée aux clients munis de billet. À chaque pas qu'ils faisaient, le son de la rue perdait en intensité. Au milieu du couloir, on ne l'entendait déjà plus ; Keren et Nathan eurent l'impression qu'ils changeaient d'univers.

Une fois les deux enfants parvenus au guichet, Nathan tendit les billets à la personne du contrôle, qui les lui rendit en souriant. Sentant le garçon hésiter, elle lui demanda :

« Vous pouvez entrer, maintenant. Vous vouliez savoir autre chose, jeune homme ?

– Euh, oui… répondit timidement Nathan. Je me demandais si, hum… si vous connaissiez un M. Carlosbach. »

La femme leva un sourcil.

« Carlosbach ? Non, ça ne me dit rien. Cette personne travaille ici ?

– Je ne sais pas, avoua Nathan, tout penaud. C'est compliqué à vous expliquer. Je dois parler à cette personne, c'est, euh… un ami de mon père !

– Je vois, dit-elle, alors qu'elle ne voyait en réalité absolument rien. Le mieux est peut-être de demander à l'intérieur ? Si c'est quelqu'un qui travaille au musée, on finira bien par vous renseigner.

– Merci, madame, répondit Nathan, embarrassé.

– Mais vous n'avez pas un registre, un truc du genre ? » s'enquit Keren en se juchant sur la pointe des pieds, le nez collé sur la vitre de séparation.

Nathan la tira par le bras et ils suivirent alors un nouveau couloir en évitant les quelques touristes hésitants, jusqu'au moment où ils parvinrent, émerveillés, à la salle qui marquait le début de la visite. Un grand escalier se dressait devant eux, gardé par deux statues de danseuses. En haut des marches, une préposée, l'air ravi, annonça qu'un spectacle allait avoir lieu. Décidée, Keren se dirigea vers elle et demanda :

« Pardon, mademoiselle. Est-ce que vous connaissez un M. Carlosbach ? Qui travaillerait ici… »

La jeune femme eut l'air étonnée, mais se reprit bien vite :

« Pardon ? Carlosbach ? Non les enfants, je ne connais pas ce monsieur mais dépêchez-vous d'entrer, le spectacle va commencer !

Les enfants se retrouvèrent dans une pièce presque totalement obscure, où de nombreux visiteurs s'étaient déjà amassés sans que l'on puisse les distinguer réellement.

« Où on est ? murmura Keren. Et pourquoi ?

– C'est le Palais des mirages ! » répondit quelqu'un près d'elle, sans qu'elle puisse l'identifier.

Le Palais des mirages n'usurpait pas son nom. La pièce comportait six murs, chacun recouvert d'un immense miroir ; cet agencement apportait une dimension vertigineuse au jeu des reflets, faisant jaillir des galeries imaginaires, longues à perte de vue, où que l'on dirigeât le regard. Sous un chapiteau garni de torsades et de formes enchevêtrées trônait, à chaque angle, une sculpture évoquant un temple hindou.

Soudain, la lumière tamisée s'éteignit complètement. Alors que musique et sons remplissaient petit à petit la pièce, un ingénieux système d'éclairage se mit à donner vie à toute la scène. Le décor changea comme par magie. Les décorations indiennes avaient cédé la place, en quelques clignements d'yeux, à un paysage tropical. Au-dessus du public, une toile peinte en ciel s'était déployée comme un gigantesque parapluie : des papillons y voletaient paisiblement.

« Comment c'est possible ? demanda Keren, serrée contre son ami.

– Je ne sais pas, répondit Nathan à voix basse. Il doit y avoir... je ne sais pas, une espèce de mécanisme.

– Oh, tu crois ? répondit Keren sur un ton ironique. J'aurais plutôt pensé que des petits lutins avaient changé le décor pendant qu'on était dans le noir.

– Chut ! » tonna une voix à côté d'eux.

Keren et Nathan rougirent et ne dirent plus un mot.

Un orage gronda, des bruits d'animaux apeurés lui firent écho. Étoiles et lune perçaient à présent la voûte nocturne. Puis, une nouvelle fois, la pièce fut envahie par les ténèbres. Quant la lumière revint, des danseuses exotiques aux costumes chatoyants posaient désormais langoureusement sur leur piédestal, tout autour des spectateurs, entre des colonnes de marbre.

Le public était subjugué.

C'est alors que Keren se raidit. Accroupie et accrochée à l'une des colonnes, il y avait une silhouette. Une silhouette d'homme, surgie en apparence de nulle part, car la seconde précédente, Keren aurait juré qu'elle ne s'y trouvait pas. L'individu, entièrement vêtu de noir et portant un chapeau aux bords étroits, scrutait le public. Tout à coup, son regard croisa celui de Keren. L'échange ne fut pas plus long qu'un battement de cils. Mais pendant ce bref instant, l'homme se refléta sur tous les murs du Palais, démultipliant sa présence menaçante comme dans un kaléidoscope. Il parut lui décocher un sourire et porta une main à son chapeau. Un clignement d'yeux plus tard, il avait disparu.

Le ciel regagna sa place, au creux du plafond; la musique cessa et les lumières devinrent plus vives. Le Palais des mirages retrouva le calme, jusqu'à la prochaine salve de visiteurs. Keren et Nathan suivirent docilement la guide qui indiquait la sortie. Ils dépassèrent un magicien de cire dont seule la tête émergeait d'un mur, enfermée dans un cube de verre. Keren n'y tenait plus et demanda:
« Nathan… Tu l'as vu, pas vrai ?
– Vu quoi ?
– Qui, plutôt. L'homme au chapeau. Accroché à l'une des colonnes. Dis-moi que tu l'as vu!»
Nathan secoua la tête.
« Non, je n'ai rien vu du tout. C'était… un mirage, je suppose!»
Keren n'apprécia guère la plaisanterie.
« Non, je suis sérieuse, Nathan! Il y avait ce type qui… avait l'air de chercher quelqu'un! Et je crois bien que ce quelqu'un, c'est nous! Dès qu'il m'a vue, il a disparu.
– Hum… fit Nathan perplexe. Apparemment, tous les visiteurs *doivent* passer par le Palais des mirages. Donc…
– … si quelqu'un guettait une personne en particulier, tout en voulant rester discret…

– … il aurait tout intérêt à se poster dans le Palais des mirages ! Et en hauteur, de préférence. »
Les enfants blêmirent. Nathan porta instinctivement la main à l'œuf métallique qui pendait à son cou.
« Tu crois que les gens qui en ont après mon père nous attendent quelque part ici ? demanda-t-il en essayant de paraître calme.
– Je ne sais pas, mais ça ne serait pas la chose la plus bizarre qui nous soit arrivée.
– Pas faux. Bon, alors mettons-nous sérieusement à chercher ce Carlosbach… Je ne pensais pas que ça se compliquerait aussi vite. »

Les deux enfants ne tardèrent pas à contempler ce qui avait fait la renommée du musée : les fameuses statues. La première salle regroupait un certain nombre de célébrités du monde du spectacle. Là, un chanteur célèbre ; ici, une actrice ou une star du petit écran ; plus loin, un sportif. Malgré leurs inquiétudes et le poids de leur mission, Keren et Nathan s'en trouvèrent fascinés. Bien sûr, il y avait la ressemblance, souvent troublante dans le soin apporté aux détails. Mais avant tout, il y avait cette illusion de vie qui relevait presque de la sorcellerie. De la cire, du verre, des colorants : comment, à partir de ces matériaux vulgaires, les sculpteurs avaient-ils pu donner naissance à ces doubles presque parfaits ? Keren et Nathan s'attendaient presque à surprendre une respiration, ou l'esquisse d'un mouvement.

Ils poursuivirent leur déambulation émerveillée pendant quelques minutes, ponctuant chaque découverte d'une exclamation ou d'un doigt tendu, plus excités, sans doute, que s'ils avaient été confrontés aux modèles vivants de ces statues. Et puis, alors que ce monde figé commençait à leur devenir familier, ils se rappelèrent pourquoi ils étaient là. Ils se remirent à la recherche du mystérieux Carlosbach, en tâchant de moins s'attarder sur les silhouettes qu'ils croisaient.

Finalement, ils parvinrent à un joli théâtre à l'italienne, délicatement décoré. Ils se frayèrent un chemin à travers les rangées de sièges, et avisèrent un guide qui se tenait juste à la sortie de la salle. Nathan trotta vers lui.

« Bonjour, monsieur !

– Bonjour, jeune homme, je peux t'aider ?

– Oui. Est-ce que vous connaissez un certain M. Carlosbach ? »

Le guide se frotta le menton.

« Carlosbach… Bizarre, ce nom me dit quelque chose… Ce n'est pas quelqu'un qui travaille ici, n'est-ce pas ?

– Oh, je suppose que si… répondit Nathan.

– Dans ce cas… Non, désolé, je ne vois pas. »

Nathan eut une pointe d'espoir.

« Attendez, monsieur. Et si ce n'est pas quelqu'un qui travaille au musée ? »

Avant que le guide ait pu rouvrir la bouche, une vague de touristes espagnols déferla du fond de la salle, et le tsunami ibère se mit à assommer le guide de questions. Il jeta un coup d'œil impuissant aux deux enfants, qui

signifiait «revenez plus tard». Nathan hésita un moment,
mais Keren le tira par la manche en lui disant :
«On reviendra… Et puis, quelqu'un d'autre pourra peut-
être nous renseigner.
– Sûrement», répondit Nathan sur un ton peu convaincu.
Les deux enfants reprirent leur visite avec un vague regain
d'espoir. Toutefois, les demandes de renseignements
n'aboutirent à rien : Carlosbach demeurait inconnu au
personnel du musée.
Keren et Nathan dépassèrent une scène illustrant la
vie d'une école pendant la Seconde Guerre mondiale, et
progressèrent jusqu'à une section beaucoup plus gaie, où
des effigies de personnages de bande dessinée avaient été
disposées en arc de cercle.
«Tiens! fit Keren.
– Quoi donc ?»
D'un geste discret, elle indiqua à Nathan un homme coiffé
d'un panama, en costume blanc, qui s'attardait entre les
statues.
«Tu vois cet homme ? reprit Keren. Je l'ai vu dans la rue,
j'en suis sûre !
– Oui, et ? rétorqua Nathan, sceptique.
– Eh bien… C'est bizarre, non ?
– Keren, tu trouves ça bizarre que dans le musée on croise
quelqu'un qui *allait* au musée ?»
Keren soupira et dit pensivement :
«En fait, tu as raison, c'est peut-être normal. Je
deviens parano, avec toutes ces histoires. Bon, c'est
reparti.»

Sur la droite, alors que l'allée effectuait un lacet, une petite cabine abritait ce qui semblait être un spectacle de magie. Une jeune femme aux cheveux bruns coupés à la garçonne était en train de retourner des cartes à jouer disposées devant elle. Trois enfants se hissaient sur la pointe des pieds pour voir celles-ci, et poussaient des petits cris d'admiration.

« J'adore les tours de magie ! Surtout le *close-up* ! s'enthousiasma Keren.

– Le quoi ?

– Le *close-up* ! Tu sais, les tours de magie qu'on fait juste sous tes yeux, avec des cartes, des pièces de monnaie... Allons voir !

– Pourquoi pas », fit Nathan en haussant les épaules.

Les trois enfants précédemment installés devant la prestidigitatrice leur cédèrent leur place, émerveillés et abasourdis.

« Bonjour, les enfants, dit la magicienne sur un ton enjoué. Est-ce que vous savez ce qu'est la télépathie ?

– Mmm, oui, répondit Nathan. C'est le fait de pouvoir lire dans les pensées de quelqu'un, c'est ça ?

– Exactement, fit la magicienne avec un grand sourire. Eh bien, c'est précisément ce que je vais faire. Honneur aux filles, non ? *Signorina*, si vous voulez bien couper le jeu... » Keren, tout en remarquant l'accent italien de la jeune femme, ne se fit pas prier et disposa le jeu qu'elle lui tendait en deux piles. La magicienne s'apprêtait à donner de nouvelles instructions, quand Nathan, ne pouvant attendre, lança :

«Madame, vous connaissez un M.Carlosbach ?»
La jeune femme s'interrompit en plein geste, et son beau
sourire s'estompa.
«Carlosbach ? Non… répondit-elle en hésitant. Enfin… si,
mais… qu'est-ce que vous lui voulez ?
– On ne sait pas, madame. C'est peut-être un ami de mon
père. Il a dit qu'il pourrait sûrement nous aider. Nous
mener à… Keren, tu te rappelles le nom ?
– Je ne sais plus, attends… pourquoi je pense à un filet de
dinde ?
– Ah oui ! L'Escalopier ! s'exclama Nathan. C'est le
nom qu'il a dit ! Ce Carlosbach pourrait nous mener à
l'Escalopier !»
La jeune magicienne changea de couleur. D'une voix
blanche, elle demanda :
«Les enfants, je ne sais pas qui est votre père, mais pour
vous avoir donné ces noms, il faut qu'il ait eu une très
bonne raison.»
Keren donna un petit coup de coude à Nathan et, d'un
hochement de tête, désigna la chaîne que son ami portait
autour du cou.
«Montre-lui, Nathan.
– Tu crois ? hésita celui-ci.
– Quoi ? intervint la jeune femme. Me montrer quoi ?
– Allez ! insista Keren.
– Bon, bon…»
Très lentement, avec autant de précautions que s'il s'était
agi d'un œuf véritable, Nathan hissa l'étrange objet
hors de son tee-shirt, ôta la chaîne, et le posa devant la

magicienne. Celle-ci étouffa un cri de stupeur et recula. L'objet ne présentait ni éclat particulier ni caractéristique spectaculaire : mais, de toute évidence, la prestidigitatrice en savait long à son sujet. Ils demeurèrent tous trois plusieurs longues secondes à contempler l'objet, sans rien dire, jusqu'à ce qu'une voix flûtée s'élève de derrière les enfants. «Madame ! Je peux voir le tour avec l'œuf ? » s'enquit une petite fille rousse.

La magicienne fronça les sourcils, et déclara fermement : « Les tours de magie, c'est fini pour aujourd'hui ! »

Elle empoigna l'œuf et le glissa dans une poche de son pantalon. Elle sortit alors de sa cabine, se plaça entre Nathan et Keren, qu'elle entraîna avec elle.

« Je n'ai pas le choix, je vous emmène voir Carlosbach, dit-elle. Mais c'est vous qui aurez insisté… »

Ils s'éloignèrent à grands pas de la cabine de magie, trop troublés pour remarquer un vieil homme tout vêtu de noir, le dos courbé, qui se détacha alors d'un angle sombre. Après s'être assuré que personne ne faisait attention à lui, il se redressa et tourna deux fois sur lui-même ; c'était à présent un homme d'âge mûr, les tempes grisonnantes, à l'allure dynamique. Il sourit et, tout en gardant ses distances, se mit à suivre Keren, Nathan et la magicienne.

Journal de Frédéric Weiss
Deuxième partie

Saint-Gervais, au Prieuré, le 12 octobre 1869

J'imagine qu'il est temps pour moi de donner de plus amples détails sur les quelques jours que je viens de passer à Saint-Gervais-la-Forêt en compagnie du Maître et, surtout, sur la manière dont s'est déroulée notre rencontre.

Après avoir laissé l'auberge derrière moi, je pris la route, tout requinqué et excité.

Une fois parvenu à Saint-Gervais, je n'eus guère à chercher mon chemin : la demeure de M. Robert-Houdin est connue de tous, et le premier passant venu fut à même de me renseigner. « Vous y allez pour la première fois ? » me demanda-t-il avec un sourire entendu. Comme j'acquiesçai, il précisa : « Alors préparez-vous à être surpris, mon jeune monsieur, très surpris. » Je n'en attendais pas moins.

Bientôt, après avoir emprunté un petit chemin communal, je me trouvai proche d'une imposante enceinte. J'étais arrivé.

Je m'approchai d'une belle porte blanche sur laquelle se trouvait une plaque en cuivre indiquant le nom « Robert-Houdin ». Je souris intérieurement. Sous la plaque, je vis

un marteau doré au-dessous duquel était peint le mot
«Frappez». Tout en m'exécutant vigoureusement, et par
trois fois, je remarquai, au bout d'une allée sinueuse, la
silhouette d'une grande bâtisse. Il devait bien y avoir
cent mètres jusqu'à elle, et je ne comprenais pas comment
mes coups, si énergiques fussent-ils, avaient la moindre
chance d'être entendus. Pourtant, quelques secondes
à peine s'écoulèrent avant qu'une chose extraordinaire
ne se produisît : j'entendis un cliquetis, et la plaque de
cuivre indiquant le nom de mon hôte disparut [1]. À sa
place se trouvait un bel émail indiquant : «ENTREZ!»
en gros caractères. J'obéis, hésitant. Après quelques pas,
je m'apprêtai à refermer la porte : quelle ne fut pas ma
surprise de constater qu'un mécanisme s'en était chargé
à ma place !

Je progressai dans l'allée jusqu'à la demeure du Maître.
C'est lui-même qui m'accueillit : il se tenait debout, les
mains dans le dos, habillé simplement, un sourire attendri
sur les lèvres. Ses cheveux étaient plus blancs que ce que
j'imaginais, mais il avait la stature d'un homme en parfaite santé, et vigoureux.

Il me tendit la main sans hésitation.

«Bonjour, jeune homme, me dit-il sans cesser de sourire. Je
suis Jean Eugène Robert-Houdin, le modeste propriétaire
de ces lieux. J'espère que vous avez fait bonne route. Vous

---

1. En 1869, l'électricité n'avait pas réellement d'applications domestiques et, de fait,
les sonneries électriques n'existaient pas. Elles étaient au mieux mécaniques, mais
impliquaient que la sonnette (en général un cordon) soit directement reliée à une cloche
ou un tympan. On comprend donc les interrogations de Frédéric.

JOURNAL DE FRÉDÉRIC WEISS

devez être bien las. Rentrez vite à l'intérieur, un bon feu de cheminée nous y attend. Êtes-vous assez âgé pour boire de l'alcool ? Au diable : un peu d'eau-de-vie n'a jamais tué personne ! Suivez-moi, je vous en prie. »

Je ne sus que dire et le suivis, en lui rendant son sourire.

« Votre lettre m'a beaucoup touché, savez-vous ? Je pense que nous ne devrions pas attendre avant d'évoquer les conditions de votre séjour au Prieuré.

– Bien, Maître, répondis-je sans y penser.

– "Maître" ? s'amusa-t-il. Je ne suis généralement guère cérémonieux, mais pourquoi pas, après tout ! »

Nous pénétrâmes dans une grande pièce chauffée par une immense cheminée. J'eus le regard immédiatement attiré par des objets métalliques aux formes étranges, disposés au hasard de la pièce : des affiches de spectacles, des trophées variés... Je tâchai de rester discret, mais le Maître ne perdait pas le moindre de mes mouvements.

Une femme aux cheveux gris se leva d'un fauteuil dont le dossier me faisait face. Très affable elle aussi, elle s'approcha de son mari et attendit qu'il nous présentât.

« Très chère, dit solennellement le Maître, je vous présente le jeune Frédéric Weiss, qui désire entrer à notre service. Nous allons discuter de cela devant une liqueur. Frédéric, voici Marguerite, mon épouse. »

Peu habitué aux usages du monde, je ne sus quels gestes étaient de circonstance. Mme Houdin perçut mon embarras et se contenta de me dire : « Enchantée, Frédéric. Asseyez-vous sur ce fauteuil. Mon mari et vous avez à parler. »

J'obéis. Le Maître s'approcha de moi, un flacon à la main.

«J'y songe, s'exclama-t-il, il nous faut des verres! Qu'à cela ne tienne...»

Sa main droite opéra un mouvement dont je ne pus déceler l'amorce. Un instant plus tard, deux petits verres à liqueur y apparurent. J'ouvris de grands yeux.

«Pardonnez ma fantaisie, Frédéric, mais c'est de cela que j'aimerais discuter avec vous.»

J'écoutai sans mot dire.

«Il y a peu, j'ai dû me passer des services de la personne qui s'occupait de Franchette. Franchette est notre jument, une jeune fille adorable et douce! L'individu, j'ai fini par le découvrir, avait pour habitude de voler l'avoine pour la revendre en ville. Quel culot, n'est-ce pas?

– Oui, vraiment, répondis-je indigné.

– Heureux de voir que vous êtes doué de la parole, mon ami! dit le Maître en éclatant de rire. Bien, reprenons. Depuis, j'ai trouvé un remplaçant à ce coquin. Un remplaçant bien plus sûr, bien plus déférent, et toujours disponible.»

Le Maître ménageait ses effets, et j'attendis patiemment qu'il en dise davantage.

«Ce remplaçant est une invention de mon cru, mû par la fée Électricité. Une sorte d'automate, si vous préférez. En appuyant sur un simple bouton situé à l'intérieur de cette demeure, je peux verser l'avoine de Franchette sans que quiconque n'ait à se rendre à l'écurie.»

Les yeux du Maître étincelaient d'enthousiasme.

«Mieux encore, mon ami: la porte de l'écurie se verrouille automatiquement, et le demeure tant que Franchette n'a pas fini son repas. Impossible, de fait, de dérober l'avoine une fois que celle-ci est versée. »

Il prit alors un air plus sérieux.

« Pourquoi est-ce que je vous parle de tout cela, Frédéric ? C'est très simple. D'une part, je n'ai plus réellement besoin d'aide pour les travaux de la maison. Pour ce qui est du jardin, notre cher Jean, que vous croiserez bientôt, se charge de tout. Et pour le reste, d'autres inventions semblables à celle que je viens de vous décrire se substituent avantageusement à quelque individu que ce soit. Je ne manquerai pas de vous présenter à elles ! »

Il fit une pause, puis reprit : « Et d'autre part... la conséquence directe de tout cela est que l'art de la magie ne m'occupe plus guère. Je lui suis redevable à jamais, car c'est à lui que je dois ma renommée, mon succès, et mon confort matériel. »

Je fis un effort pour ne pas laisser transparaître ma déception – en vain : le Maître lisait en moi comme dans un livre ouvert.

« Ne soyez pas déçu, jeune Frédéric. Ce que je voulais vous dire, c'est que l'essentiel de mon temps et de mes recherches est maintenant consacré à mes inventions. Après avoir diverti le monde entier, je pense qu'il est temps de lui être utile. Mes travaux portent sur la mécanique, l'électricité, la physique, ou encore l'optique. Et c'est à ce titre que j'ai besoin de vous. »

J'écoutais.

« Dans votre lettre, vous me disiez vouloir devenir mon apprenti, mais j'ai cru déceler... »

Il hésita.

«J'ai cru déceler que cela n'était peut-être pour vous qu'un moyen de nous approcher, moi et les secrets de la magie…»

Je rougis.

«Vous m'avez dit être un mécanicien habile? Fort bien! J'ai moi-même débuté dans la vie en tant qu'horloger. Je suis désormais âgé, et si je pense encore avoir… les "doigts prestes", si vous me pardonnez cette petite astuce[2], quatre mains expertes plutôt que deux ne seront pas de trop. Bien sûr…»

Il me versa un peu d'eau-de-vie et se servit à son tour.

«Bien sûr, si vous y tenez, je vous enseignerai *aussi* mes tours. Mais vous devez bien comprendre que cela ne constituera pas l'essentiel de nos échanges. Si vous êtes prêt à me seconder dans mes recherches, alors je puis d'ores et déjà vous amener à votre chambre, et vous considérer comme l'un des membres de la famille. Dans le cas contraire, si vous n'êtes venu ici que pour devenir, à votre tour, un illusionniste… je crains qu'il ne vous faille renoncer à vos projets.»

Il s'installa au creux de son fauteuil et m'observa tout en portant son verre à ses lèvres. Ses yeux avaient beau respirer la bonté, ils n'en exprimaient pas moins une force intérieure et une autorité telles que mes pensées s'en trouvèrent toutes troublées. Et puis, tout à coup,

---

2. Le mot «prestidigitateur» signifie précisément «celui qui a les doigts prestes (agiles)».

je parlai sans même comprendre d'où venaient mes mots :

«Je serais très heureux de vous assister dans vos travaux, monsieur Robert-Houdin. Vous ne le regretterez pas.

– À la bonne heure! s'exclama le Maître, qui se retint presque d'applaudir. Vous m'en voyez ravi, Frédéric. Finissez tranquillement votre verre, et laissez-moi vous montrer votre chambre et régler avec vous quelques menues questions d'intendance. Ce soir, reposez-vous autant qu'il le faudra. Mais dès demain, nous aurons fort à faire !»

Mon rêve se réalisait donc : j'étais entré au service du grand Jean Eugène Robert-Houdin.

J'avalai d'un trait mon verre d'eau-de-vie.

4

La porte et le X

Nathan et Keren avaient bien du mal à se caler sur les foulées de la prestidigitatrice, qui s'était lancée comme un missile à travers les allées du musée Grévin. Keren était pratiquement contrainte de sautiller et Nathan donnait l'impression d'enjamber un cours d'eau à chaque pas.

« Au fait, comment s'appellent-ils, les deux *folletti* [1] ? demanda la magicienne sans même se retourner.

– Keren, répondit la fillette, le souffle court.

– Nathan, dit le garçon avec tellement de conviction qu'il se fit sursauter lui-même.

– Keren et Nathan... répéta la magicienne comme si elle venait de comprendre quelque chose. Voyez-vous ça... »

La petite troupe pénétra dans une salle circulaire, au milieu de laquelle trônait un cheval tout caparaçonné de noir, le regard creux, semblant bondir des entrailles de l'enfer et monté par un cavalier fantomatique. La statue représentait les fléaux qui avaient ravagé le Moyen Âge, et marquait le début de la section historique du musée.

---

1. *Folletti* : « farfadets » en italien.

«Je m'appelle Cornelia. Cornelia Fulcanelli. Enchantée, les *folletti*», dit la magicienne.

Elle marqua une pause, puis reprit :

«Je vous préviens, on a un petit problème. Carlosbach nous attend dans un endroit dont je n'ai pas la clé. Et il va falloir que je la prenne, cette clé. Je vais perdre mon travail en même temps. *Uffa ! È la vita…* Vous pensez que vous pouvez m'aider ?

– Bien sûr, répondit Nathan sans hésitation.

– *Bene.* Vous voyez le monsieur, là-bas ? Habillé en noir, avec le talkie-walkie ?

– Oui, dirent en chœur Nathan et Keren.

– C'est lui qui a la clé. Allez le voir et demandez-lui où se trouve la scène représentant le meurtre de Marat. J'ai juste besoin que vous lui parliez deux ou trois secondes. Vous allez y arriver ?

– On a vu pire, soupira Nathan.

– Je sais, acquiesça Cornelia avec un sourire énigmatique. Allez ! Dépêchez-vous avant qu'il ne tourne la tête par ici.»

Keren et Nathan se dirigèrent tout droit vers l'employé, qui semblait pour l'heure préoccupé par une chose indéfinie, située à hauteur du plafond.

«Monsieur ?» s'enquit Keren.

L'employé du musée s'arracha à sa contemplation et baissa la tête vers les enfants.

«Oui ?

– Excusez-nous, on est perdu. On cherche le meurtre du marais, déclara benoîtement Keren.

– Pardon ? Le quoi ? s'étonna l'employé. Le meurtre du quoi ?

– Du marais !» insista Keren.

Nathan posa une main sur la bouche de son amie et corrigea :

«Le meurtre de Marat, monsieur. C'est cela qu'on cherche.

– Ha ha ! ricana amicalement le préposé. Je comprends mieux. C'est vrai qu'il était par ici à une époque où… Hum…»

Il toisa du regard les deux enfants.

«À une époque où vous n'étiez pas nés, ou du moins pas bien grands. Mais peu importe. Il se trouve au début du parcours historique, il a été déplacé. Bon, alors c'est pas compliqué…»

Alors que le sympathique préposé se lançait dans une explication, Cornelia passa à sa hauteur sans qu'il la remarquât. Elle marqua un imperceptible temps d'arrêt, puis lança :

«*Ciao*, Philippe !

– Hein ? Oh, salut, Cornelia, répondit-il. Tiens, tu n'es pas…»

Mais la jeune femme poursuivit son chemin en faisant mine de ne rien avoir entendu.

Un peu interloqué, le dénommé Philippe reprit ses explications. Une fois renseignés, Nathan et Keren pressèrent le pas et rejoignirent Cornelia, qui les attendait un peu plus loin, l'air satisfait.

«Merci, les enfants, c'était parfait. Quelle habileté, Keren !

– Quoi ? Pourquoi ? l'interrogea la fillette.

– Eh bien, d'avoir récupéré les clés aussi facilement ! répondit la magicienne avec une moue admirative.

– Les clés ? Mais je n'ai pas... »

Cornelia posa un doigt sur la poche de la robe de Keren.

« Mais si, Keren, regarde dans cette poche. »

Keren s'exécuta, et à sa plus grande surprise en sortit un trousseau de clés.

« Comment vous avez... s'étouffa Nathan.

– N'oubliez pas qui je suis, jeunes gens ! répondit malicieusement la jeune femme.

– C'est-à-dire que... bredouilla Nathan, l'air ennuyé. On ne sait pas trop qui vous êtes, justement. »

Cornelia acquiesça en fronçant un sourcil.

« *È vero*. Vous ne savez rien de moi, et j'en sais un peu plus sur vous. Mais il va falloir me faire confiance, vous n'avez pas trop le choix. Il y a de fortes chances pour que vous ayez été suivis. Je vous expliquerai tout quand on sera... dessous ! »

À ce simple mot, Nathan et Keren devinrent blancs comme la neige. Cornelia sourit et ajouta d'un air entendu :

« Ne vous inquiétez pas, on ne va pas *si* profond. Allez, dépêchons-nous. »

Keren et Nathan reprirent leur course derrière Cornelia, qui jetait des petits coups d'œil inquisiteurs à chaque tournant. Bientôt, ils parvinrent à la boutique du musée. Cornelia marqua un petit temps d'arrêt. Après s'être assurée que personne ne regardait dans sa direction, elle avança vers une double porte qu'elle se dépêcha d'ouvrir, et fit signe aux enfants de la rejoindre. Ils sortirent de l'espace réservés aux visiteurs, traversèrent plusieurs pièces et arrivèrent devant une porte, qui aurait pu être celle d'un placard à balais, tant elle était insignifiante.

Une implacable impression de déjà-vu s'empara de Keren et Nathan. Malgré la banalité de la salle, avec ses murs blancs décatis, ils se sentirent à la lisière d'un nouveau monde secret, comme un an plus tôt en s'égarant dans le métro.

Cornelia choisit une clé sans hésitation et la glissa dans la serrure.

De l'autre côté, le béton avait cédé la place à la pierre brute. La petite troupe descendit un escalier qui menait à un couloir étroit, éclairé par une simple ampoule à la lumière jaunâtre. Une odeur de terre humide flottait dans l'air. Cornelia accéléra le mouvement, et bientôt le couloir s'assombrit, jusqu'à devenir totalement obscur. Nathan et Keren se serrèrent l'un contre l'autre et tâchèrent de localiser Cornelia en écoutant ses pas. Une flamme déchira alors les ténèbres, suivie d'une âcre odeur de soufre. Les enfants découvrirent avec stupeur que la flamme dansait dans la paume gauche de Cornelia, qui les regardait avec un air amusé.

« V… vous avez des pouvoirs ! » s'exclama Keren, le souffle court.

Cornelia ricana.

« Des pouvoirs, *si*. Ha ha ! La magie n'existe pas, Keren. »

La jeune femme fit un pas en avant, invita Keren et Nathan à l'imiter et ajouta :

« Ce qui existe, c'est l'entraînement et le travail. C'est tout ! Allez, on y est presque. »

Quelques mètres plus loin, après deux virages, le couloir était de nouveau éclairé. Cornelia souffla dans le creux de sa main, et la flamme s'évanouit.

– Carlosbach nous attend, venez ! », commanda-t-elle.

Keren et Nathan mirent quelques instants à s'adapter à la luminosité. Ils se trouvaient désormais dans une galerie percée de vieilles portes en bois, d'allures disparates, souvent lourdement cadenassées.

Cornelia se retourna vers Nathan et Keren, et lança :

« Les enfants, devant nous, ce sont les caves du passage Jouffroy. Nous sommes juste en dessous ! Regardez. »

Elle montra du doigt un petit soupirail, percé à même la voûte et qui laissait apparaître un maigre rai de lumière, lequel disparaissait quand un promeneur de la galerie posait le pied sur la grille.

« Il n'y a pas que les caves du musée Grévin, ici, poursuivit-elle. Toutes les boutiques du passage ont une cave à cet endroit. Mais parfois les nouveaux propriétaires ne le savent même pas. Il y a beaucoup de choses à l'abandon, en fait. »

Elle toussa et, tout en continuant sa marche, ajouta :

« Je suppose que je vous dois quelques éclaircissements. Bon, par où commencer... Par moi, sans doute. Je suis magicienne, enfin prestidigitatrice, comme vous l'avez vu. C'est mon métier. Mais je fais aussi partie d'une… comment diriez-vous cela en français ? D'une *société* ?

– Une société… *secrète* ? demanda Nathan, soupçonneux, le sourcil levé.

– Secrète, un peu, *si*. Mais nous n'avons rien à voir avec l'occulte, la sorcellerie ou l'ésotérisme. Au contraire. Nous avons pris pour nom "le Songe éveillé". »

Les enfants étaient captivés.

« Notre société a deux objectifs. Le premier, c'est d'explorer, pour le bien de l'humanité, des pistes que la science "officielle" a laissé de côté. Nous ne prétendons pas faire d'aussi belles choses que les grands chercheurs dans les laboratoires, bien sûr ; nous ne le saurions pas. Non, nous voulons simplement mettre des talents originaux en commun. Comme l'avait fait notre maître à tous, Jean Eugène Robert-Houdin. »

C'était la deuxième fois dans la journée que Keren et Nathan entendaient prononcer ce nom. Le jeune garçon réclama, cette fois, plus d'explications :

« Vous allez nous dire qui c'est, à la fin ? Mon père en a parlé tout à l'heure, mais comme d'habitude il est parti avant d'avoir dit quoi que ce soit. »

Cornelia parut chercher son inspiration, puis se lança :

« C'était un grand illusionniste. Le plus grand de tous. C'est lui qui a créé la magie moderne, telle qu'on la pratique désormais dans le monde du spectacle. Bien sûr, il y a eu d'autres magiciens très doués depuis, avec des tours plus impressionnants, mais… M. Robert-Houdin reste notre père spirituel à tous. »

Enthousiaste, Cornelia se mit à parler plus vite, son accent italien reprenant ses droits.

« Mais il était bien plus qu'un artiste ! C'était un passionné de sciences, qui avait compris avant tout le monde les possibilités de l'électricité ! Il passait sa vie à concevoir des inventions de toutes sortes.

– Oh, comme quoi ? demanda Keren.

– Eh bien, par exemple, quand tu prends un taxi ou que tu vas te faire examiner les yeux chez l'ophtalmo… tu peux remercier Robert-Houdin ! »

Keren accueillit cette nouvelle avec perplexité. Cornelia, tout en continuant à marcher d'un bon pas, poursuivit :

« Il n'y avait pas de limite à son génie. Électricité, mécanique, optique… Il a tout essayé ! Et les membres du Songe éveillé cherchent à poursuivre son œuvre. Nous sommes des, comment dire… Des "artisans de la science" ! "Songe", c'est parce que nous recherchons le rêve, et "éveillé", parce que nous gardons les pieds sur terre malgré tout. »

Nathan et Keren ne savaient guère que penser de toutes ces explications, qu'ils ne comprenaient qu'à moitié.

« Madem… commença Nathan.

– Cornelia.

– Euh, Cornelia… Je ne comprends pas ce que l'on a à voir dans cette histoire. Enfin ce que *mon père* a à voir avec vous. »

Cornelia eut l'air à la fois embarrassée et résignée.

« Bien… Je vous ai dit que le Songe éveillé avait deux objectifs, et je ne vous en ai donné qu'un. Le second… »

Elle s'arrêta sur place, puis reprit :

« Le second, c'est de faire en sorte que les gens comme nous n'utilisent pas leurs aptitudes à mauvais escient. Que nos recherches ne soient pas, *come dire…* dévoyées ? C'est ça, le mot français ?

– Euh, sûrement, lança à la hâte Keren. Mais ça veut dire quoi ? »

Cornelia mit la main devant sa bouche et, tout en se penchant vers l'avant, toussa discrètement. Puis elle releva la tête et dit :

« Voilà, petit exemple très simple.

– Exemple de quoi ? » l'interrogea Nathan.

Cornelia ouvrit la main gauche ; à l'intérieur se trouvait un petit porte-monnaie.

« C'est à toi, Nathan, n'est-ce pas ?

– Oui ! s'exclama celui-ci, les yeux ronds comme des soucoupes.

– Je viens de te le prendre. Tu n'as rien vu, rien senti, n'est-ce pas ? C'est quelque chose que je sais faire. Si j'étais malhonnête, je pourrais devenir très riche en volant les gens ! Et c'est ce que certaines personnes font. Nous, nous essayons de les en empêcher : nous faisons en sorte qu'ils ne puissent pas mettre leurs aptitudes au service du crime, ou du mal en règle générale. »

Nathan secoua la tête.

« Je ne comprends toujours pas le rôle de mon père dans toute cette histoire. »

Cornelia, embarrassée, ne répondit rien.

La géographie du lieu devenait complexe. Des couloirs sinueux, souvent mal ou pas éclairés, se déployaient à partir de la travée principale, formant un véritable labyrinthe.

«On cherche quoi ? s'impatienta Nathan, peu rassuré à l'idée de se perdre.

– Un X, répondit simplement Cornelia.

– Et pour mon père ?» insista-t-il.

Cornelia s'approcha d'une porte, qu'elle scruta avec attention. Mais elle s'en éloigna presque immédiatement.

«Au Songe éveillé, dit-elle sans se retourner, nous connaissons l'existence de Sublutetia depuis longtemps, tu sais.»

Nathan sursauta : jamais encore il n'avait entendu ce nom dans la bouche de quelqu'un de la surface.

«Seulement, poursuivit-elle, nous estimons que cela fait partie des choses que nous devons protéger. À vrai dire, aucun de nous ne sait vraiment où se trouve l'entrée… Ni à quoi la ville ressemble. Nous savons seulement qu'elle existe… et pourquoi elle existe encore.»

Le cœur de Nathan battait la chamade.

«Ton père s'est rapproché de mauvaises personnes, Nathan. Et il a beaucoup trop parlé. Il a parlé de toi et de ton amie. Il a parlé de sa vie en dessous. Il a parlé de ce qu'il y a volé. C'est arrivé à de mauvaises oreilles.»

Nathan baissa la tête. Après un silence, Cornelia s'exclama :

«Ah, je crois qu'on approche ! Je ne me rappelais plus que c'était si loin.

– Vous voulez dire que M. Carlosbach habite par ici ?
s'enquit Keren.

– Eh oui, ha ha ! s'esclaffa Cornelia. Un drôle d'endroit,
hein ? »

Mais Nathan ne s'intéressait plus guère à Carlosbach. Plus
vindicatif, les poings serrés, il demanda de nouveau :
« Vous dites que mon père s'est rapproché de mauvaises
personnes ? De qui ? Comment ?

– J'aurais juré que c'était cette porte ! s'emporta Cornelia
avec véhémence. *Uffa...*

– Répondez, je vous en prie », insista Nathan.

Cornelia se retourna vivement et posa les mains sur les
épaules du garçon.

« Tu veux savoir ? Tu veux vraiment savoir ? demanda-
t-elle les sourcils froncés. *Bene !* Tu as entendu parler
de ces cambriolages spectaculaires chez des bijoutiers,
récemment ?

– Ou... oui, je crois. Oui, j'ai entendu quelque chose là-
dessus à la radio, ce matin, répondit Nathan interloqué.

– La personne qui est derrière ces vols, c'est celle à qui
l'œuf devait revenir. Quelqu'un de très dangereux et
de très intelligent. Si cette personne nous retrouve et
s'empare de ce que contient l'œuf, des choses très graves
se produiront. Croyez-moi. »

Les dernières paroles de Cornelia flottèrent comme un
nuage de poussière à l'intérieur de la galerie. Finalement,
ce fut Keren qui osa reprendre la parole en premier :
« Vous savez ce qu'il y a dedans ?

– Je pense que je sais, oui. Et cela expliquerait pourquoi la personne dont je vous parle l'a d'abord cherché dans des bijouteries ou des collections privées. Mais encore faut-il ouvrir l'œuf. Et c'est précisément ce que Carlosbach va nous aider à faire.

– Je ne comprends pas ce qu'est cet œuf exactement ! protesta Nathan. Il ne vient pas de Sublutetia, n'est-ce pas ? Il sort d'où ? »

Toutes ces questions paraissaient lasser Cornelia – ou tout au moins la placer dans une posture inconfortable –, mais de bonne grâce elle répondit :

« L'homme qui a fait affaire avec ton père n'était qu'un intermédiaire, à la solde du criminel dont je viens de vous parler. Il avait sans doute ordre de protéger ce que ton père a volé en l'enfermant dans cet œuf. En attendant que son destinataire final le récupère. »

Nathan se frotta le front.

« Mais votre euh… roi du cambriolage, là, qui est-ce exactement ?

– Mademoiselle Cornelia, intervient Keren, on cherche bien un X ?

– Oui, pourquoi ?

– Il y en a un, là. »

Pratiquement au fond du tunnel, près d'un petit boîtier électrique, une épaisse porte jadis peinte en rouge – et à présent décolorée en de nombreux endroits – portait un énorme X tracé à la peinture noire sur toute sa hauteur.

« Ah, bravo, Keren ! s'écria Cornelia avec enthousiasme. Nous voici arrivés.

– Votre Carlosbach habite ici ? lança Nathan sur un ton dubitatif.

– Précisément, précisément. Bon. Mais ne soyez pas trop surpris. »

La magicienne sortit de sa poche un petit outil métallique, et l'introduisit dans la serrure du cadenas qui maintenait la porte scellée.

« Les vieilles serrures comme ça, dit-elle joyeusement, on peut encore les crocheter à l'ancienne. Les portes modernes du musée, c'est une autre histoire : ça ne marche que dans les films. C'est pour cela que j'avais besoin du trousseau. »

Un cliquetis victorieux résonna dans le tunnel. Cornelia se frappa fièrement le haut de la poitrine et ouvrit la porte au X. Il s'agissait d'un petit local de rangement, totalement plongé dans le noir. Elle soupira et fit quelques pas en avant. Les ombres l'aspirèrent entièrement, et bientôt Keren et Nathan ne purent que l'entendre fureter, déplacer des objets, et aussi se cogner à plusieurs reprises. Et puis, les enfants perçurent un raclement au sol, comme si Cornelia traînait quelque chose de lourd. Petit à petit, sa silhouette reprit forme, alors qu'elle revenait vers la lumière. Mais elle n'était plus toute seule.

Stupéfaits et à demi terrorisés, Keren et Nathan virent alors Cornelia sortir de l'ombre en tenant par l'épaule un homme parfaitement immobile, comme paralysé, les yeux fixes et grands ouverts, revêtu d'un costume rayé à la coupe ancienne, recouvert de poussière.

« Jeunes gens, annonça-t-elle gaiement, je vous présente M. Carlosbach. Ouh là, ce que vous êtes lourd ! »

Sans sourciller, elle posa l'individu contre la porte restée ouverte.

Il ne bougea pas d'un millimètre et demeura en équilibre, raide comme un piquet.

«Au travail, M. Carlosbach», dit Cornelia en lui tapotant la joue.

C'en était trop pour Keren : à la deuxième tape, elle préféra s'évanouir.

Journal de Frédéric Weiss
Troisième partie

Saint-Gervais, au Prieuré, le 28 novembre 1869

Aujourd'hui s'est produit quelque chose d'extraordinaire.

Mes premières semaines auprès du Maître, je le confesse, n'ont pas été aussi exaltantes que je l'avais rêvé. Je n'ai nullement eu à me plaindre de l'accueil qui m'a été fait : M. Robert-Houdin et son épouse sont des personnes d'une grande gentillesse, et je dois dire qu'ils m'ont traité dès le premier jour comme si j'étais leur propre fils. Quant à Jean, le jardinier, c'est un être bourru mais fort aimable, capable à ses heures de faire preuve d'une certaine fantaisie. Toutefois, les tâches qui m'ont été confiées me sont apparues sinon banales, du moins sans grand intérêt ; il s'agissait pour la plupart de travaux d'entretien, portant sur les différents systèmes inventés par le Maître pour simplifier le quotidien des habitants du Prieuré. Quant à l'apprentissage de la prestidigitation, je n'ai eu droit qu'à des promesses. Du reste, même son atelier m'est resté interdit, gardant tout son mystère.

Il y a une semaine, un ami de M. Robert-Houdin est venu lui rendre visite après un long voyage au Moyen-Orient. Je ne sais exactement de quoi ils ont pu parler à cette occasion, mais j'ai cru remarquer, à partir de cette date, un léger changement dans le comportement du Maître ; il m'a semblé moins présent, plus évasif, comme si son esprit vagabondait en permanence. Cette visite, dont je n'ai appris la teneur que plus tard, a de toute évidence accentué son apparente désinvolture à mon égard. Et en réalité j'aurais certainement commencé à prendre ombrage du peu de sérieux dans lequel le Maître tenait mes compétences s'il n'y avait eu les événements d'aujourd'hui. Il est important que je les consigne rapidement en ces pages, pour ne pas en oublier le moindre détail.

Il est bien rare que le Maître se lève après six heures trente, le matin : c'est toujours lui qui vient me réveiller. Pourtant, aujourd'hui, il n'en a rien fait. J'ai veillé tard, hier soir, et me suis éveillé, un peu honteux, aux alentours de dix heures. De mémoire, aucun travail particulier ne m'attendait aujourd'hui, aussi ma panique a-t-elle été de courte durée. Toutefois, il est si inhabituel que le Maître manque à notre petit rituel que je m'inquiétai : lui était-il arrivé quelque chose ? Je courus en hâte au salon, où je trouvai son épouse en pleine lecture. Constatant mon trouble, elle m'assura que son mari s'était levé plus tôt qu'à l'accoutumée, en proie à une insomnie, et qu'il n'avait pas quitté son atelier depuis. J'en fus rassuré, et demandai néanmoins à Mme Robert-Houdin si la cause de cette insomnie n'était pas un problème de santé. Elle sourit et me dit : «À moins que l'inspiration ne soit un problème de santé, non, je ne crois pas.»

Je décidai que l'heure était venue d'en apprendre davantage et, peut-être, de revenir sur les termes de ma collaboration. Je dus me résoudre à braver les différentes interdictions qui m'avaient été faites – le Maître insiste pour ne pas être dérangé lorsqu'il travaille – et me dirigeai vers l'atelier. Une fois parvenu devant la porte, cependant, j'hésitai. Jusqu'à présent, j'avais été un apprenti modèle, obéissant et respectueux : comment M. Robert-Houdin allait-il accueillir cette intrusion ? Je pris une profonde inspiration et approchai mon poing du battant. À cet instant précis, la voix du Maître s'éleva d'un point situé au-dessus de la porte, et plus précisément d'un petit cornet en cuivre que je n'avais encore jamais remarqué.

«Entrez, Frédéric ! entendis-je. Je me demandais quand vous alliez vous décider.»

Interdit, je tournai la poignée, et la porte, mue par un système de vérin, pivota sans que j'aie à la pousser.

Le Maître se tenait debout près de sa table de travail, sur laquelle trônait, sous une toile de jute, un objet de soixante centimètres de haut environ, dont on distinguait la forme sphérique. Un nombre infini d'outils s'étalaient sur une large planche. Après quelques instants, c'est l'atelier tout entier qui m'apparut, en proie à un invraisemblable fatras. Au fond, près de la fenêtre, je remarquai un étrange assemblage de bras articulés et de soufflets, auxquels étaient accrochés un violon, une trompette et une flûte ;

mais ils semblaient être là depuis fort longtemps déjà. Un vrombissement très léger s'élevait d'un enchevêtrement de tuyaux et de cylindres cuivrés, ces derniers tournant sur eux-mêmes comme des toupies. Je ne savais plus où donner de la tête : j'avais l'impression d'avoir pénétré dans un monde différent. Le Maître coupa court à mon observation silencieuse.

« Mais approchez, voyons, Frédéric. N'ayez crainte, et ne me tenez pas rigueur pour ce désordre ! D'ailleurs, il m'arrive de le ranger. » Il toussota et ajouta : « Enfin... une fois par an ! »

Il tira un petit tabouret de sous la table de travail et m'invita à m'y asseoir. J'obtempérai, et il s'assit lui-même en face de moi.

« Frédéric, me dit-il d'un ton moins facétieux et plus solennel qu'à l'accoutumée, je vous prie de m'excuser de n'avoir pas pu vous confier de tâches plus gratifiantes depuis votre arrivée. Vous ne vous en êtes pas plaint, mais je sais que vous en avez pris ombrage. »

Je sentis mes joues devenir rouges, mais le Maître eut la délicatesse de faire comme s'il n'avait rien vu.

« Frédéric, la vérité est que je travaille depuis quelque temps sur quelque chose qui requiert toute mon attention. Et malgré tout le sérieux que vous m'avez inspiré immédiatement, je ne pouvais vous y faire participer sans avoir pris quelques précautions. Tendez la main, mon ami. Paume vers le haut. »

Je m'exécutai. Le Maître approcha sa main droite vers la mienne, les doigts écartés et décrivant de légers mouvements. Sa paume passa à quelques millimètres de la mienne, sans l'effleurer pour autant ; quand il l'eut retirée, une petite clé dorée se trouvait au creux de ma main.

« Mais… comment ! » m'exclamai-je.

Le Maître sourit.

« C'est la base de l'art de l'escamotage, mon jeune ami. Regardez. Je tenais la clé dans ma main, entre l'excroissance de chair formée par la naissance de mon pouce et cette partie charnue sous l'annulaire. Ainsi, j'étais libre de bouger les doigts et de vous faire croire que ma main était vide. Tout est dans la suggestion : si mes doigts bougent, vous êtes persuadé que ma main ne peut rien contenir. Et vos yeux ne cherchent pas à en voir trop. »

Il marqua une pause et reprit :

« Vous essaierez ce soir : il faut beaucoup pratiquer, mais le détournement d'attention est la base de tout. Vous savez, ce petit tour n'est pas grand-chose, mais vous l'enseigner est une marque de confiance à votre égard. Et une manière de m'acquitter de ma promesse, faite à votre arrivée.

– Je vous en remercie, dis-je en baissant les yeux.

– Je vous en prie. En revanche, sachez que cette petite clé va nous servir dès à présent. Frédéric, que pensez-vous de ceci ? »

Il fit alors rouler vers moi un objet métallique à la forme d'œuf. Très ouvragé, il semblait formé de petits anneaux métalliques enchâssés les uns dans les autres. Je le soupesai : il était lourd, mais moins que ce à quoi je m'attendais ; je pus en déduire qu'il était creux.

« J'ai conçu cet œuf de métal, dit M. Robert-Houdin, pour qu'il puisse servir de prison à un objet précieux de petite taille. Et vous tenez la clé dans votre main. Ouvrez, je vous en prie ! »

Je tournai l'œuf en tous sens, mais je ne vis aucune serrure. Je le retournai trois ou quatre fois, en vain. Je reposai finalement l'œuf sur la table, persuadé que le Maître se moquait de moi. Les yeux pétillants, il se saisit de l'œuf et le fit rebondir dans la paume de sa main.

« Frédéric, vous comprendrez que je ne pouvais pas me permettre de créer un réceptacle dont la serrure puisse se forcer aussi facilement, me dit-il calmement. Avant de pouvoir utiliser la clé, il faut encore réussir à faire apparaître la serrure. »

Il se leva et, les mains dans le dos, me dit d'une voix toujours amicale mais plus ferme : « Je sais que vous êtes habile et ingénieux : je vous laisse donc essayer. Si vous réussissez à ouvrir l'œuf dans le temps imparti, je vous montrerai sur quoi je travaille, et qui m'a tiré du lit si tôt aujourd'hui : le contenu de l'œuf y est intimement lié. Sinon, je saurai que le temps n'est pas encore venu. »

Il se dirigea vers l'un des innombrables amas d'objets mécaniques qui jonchaient le sol et en tira une sorte de pendule de table tout à fait ordinaire, qui avait dû jadis être protégée par un dôme en verre, à l'arrière de laquelle il fit jouer une petite gâchette. Il posa la pendule devant moi et dit : « Le temps sera écoulé quand vous entendrez la sonnerie, dans dix minutes. À vous, Frédéric. Faites preuve d'initiative ! Je vous abandonne, et reviendrai quand le carillon retentira. Je l'entendrai à travers la porte. Bon courage avec mon œuf : je sais que vous les préférez à la coque, mais il faudra vous en contenter. »

La porte se referma derrière lui sans un bruit. Je me retrouvai paralysé par l'angoisse d'échouer, seul devant cet objet sans aspérité. Je le repris dans mes mains, désormais tremblantes, et l'examinai sous tous les aspects. Rien ne me laissait penser que l'œuf pût s'ouvrir. Je regardai la petite pendule : déjà deux minutes s'étaient envolées, sans que je n'approche de la solution. Je me mis alors à secouer l'œuf : je sentis que son contenu bougeait légèrement à l'intérieur, mais le mouvement était imperceptible. Quoi qu'il en soit, il était sûr que je ne parviendrais à rien de cette manière.

Trois minutes s'étaient écoulées. Je tentai de faire tenir l'œuf en équilibre : en le posant sur le bout le plus important, il basculait un instant de droite à gauche avant de reprendre une position horizontale.

En proie à la panique, j'attrapai des outils d'horlogerie qui traînaient devant moi, et cherchai à introduire diverses lames à travers les anneaux de métal qui formaient la coque. Mais je sentais que les instruments céderaient avant cette dernière. Je jetai un nouveau regard désespéré à la pendule, dont les aiguilles trottaient à toute allure.

Épuisé et vexé, je mis mon visage entre mes mains et tâchai de ne pas pleurer de rage. Il ne restait plus que deux minutes : j'avais échoué.

C'est alors qu'une idée curieuse me traversa l'esprit. Se pouvait-il que le tour de passe-passe que le Maître venait de m'enseigner eût un rapport avec mon défi présent ? Et si j'avais regardé dans la mauvaise direction ? Mais alors, où chercher… Je m'efforçai de me repasser mentalement le dernier quart d'heure, de me rappeler chaque geste du Maître. Plus qu'une minute : la panique et l'excitation m'empêchaient de réfléchir sereinement. Je revis le Maître se diriger nonchalamment vers un tas d'objets d'où il avait tiré la pendule, qu'il avait ensuite posée devant mes yeux, non sans me conseiller de faire preuve d'initiative. Mais oui : là était sans doute le détournement d'attention. C'était la pendule, apportée avec un faux détachement, qui m'indiquerait à coup sûr la solution. Je la retournai, et commençai par tricher en faisant tourner les aiguilles en sens inverse. Pas trop, bien sûr : je m'accordai simplement deux minutes de répit, en espérant que le Maître ne remarquerait rien. Puis, je l'observai avec le même soin que je l'avais fait pour l'œuf.

Le mécanisme, apparent, ne me semblait pas particulièrement compliqué : j'avais déjà eu à réparer de telles pendules lorsque je travaillais auprès de mon père. De fait, rien n'indiquait un quelconque indice. Je la tournai en tous sens, en examinai avec hâte la surface avec une loupe, mais tout semblait rigoureusement normal. Mon dos se couvrit de sueur : j'avais probablement nourri de faux espoirs. Les mains tremblantes, je retardai la pendule d'une minute encore : mon subterfuge risquait de ne plus être aussi discret. Je laissai le silence de l'atelier reprendre ses droits. C'est de ce silence que me vint la solution, un silence troublé uniquement par le rythme du mécanisme de la pendule. En proie à mon émotion, je n'avais pas remarqué que le tic-tac des secondes était tout sauf régulier. Chaque seconde se divisait en fait en trois cliquetis : deux rapprochés, un plus espacé : *tic-tic... tac! tic-tic... tac!* Là était de toute évidence mon indice. Mais qu'en faire ? Dans un effort de concentration désespéré, je repassai à nouveau en revue les paroles du Maître : « Je sais que vous les préférez à la coque, mais il faudra vous en contenter », m'avait-il dit en partant. Une idée germa dans mon esprit.

Tout en me sentant parfaitement ridicule, je tins l'œuf par son extrémité la plus large, de la main gauche, et approchai un outil coupant du sommet, comme si je voulais ouvrir un véritable œuf à la coque. Puis, en me fiant au rythme de la pendule, je tapotai la coque deux fois, marquai une courte pause, et tapai une troisième fois. Aussitôt, l'extrémité la plus étroite de l'œuf pivota horizontalement dans un cliquetis, laissant apparaître une partie plate ornée d'une serrure. J'introduisis la clé précipitamment, et cette fois l'œuf parut se fendre en deux.

Je n'eus pas le temps d'examiner le contenu : la pendule se mit à sonner dans un vacarme assourdissant qui m'obligea à me boucher les oreilles. La porte de l'atelier s'ouvrit immédiatement ; le Maître, l'air ravi, s'avança jusqu'à moi la main tendue. Je la lui serrai, hébété et épuisé.

« Félicitations, Frédéric ! Vous apprenez plus vite que je ne l'aurais rêvé. »

Il sortit une montre de gousset de sa poche, la consulta et la rangea avec un petit sourire.

« Et en plus, vous n'avez triché que de trois minutes, mon ami. C'est remarquable, vous avez l'esprit fort vif. Je m'incline ! »

Il joignit le geste à la parole.

« Il est maintenant temps de nous occuper d'affaires plus importantes, Frédéric. Je sais désormais que je peux avoir confiance en vos aptitudes. »

Le Maître souleva le voile qui recouvrait le volumineux objet posé sur sa table de travail et que, paniqué par mon défi, je n'avais pas pensé à regarder de plus près.

La suite de la journée fut encore plus riche en émotions ; mais pour l'heure j'ai une crampe à force d'écrire et j'ai grand besoin de repos. Je reprendrai donc mon récit plus tard.

5

L'œil et l'œuf

Keren rouvrit lentement un œil, en espérant que l'inquiétant personnage aurait disparu. Mais non : il était toujours là, raide comme un piquet, le regard fixe, appuyé en équilibre contre le mur de la cave.

« Je suppose qu'il va falloir faire avec… » se dit la jeune fille en renonçant à s'évanouir une seconde fois.

Petit à petit, elle reprit conscience de son environnement. Nathan était agenouillé près d'elle et la secouait doucement, tandis que Cornelia, debout, se grattait la tête en proie à un apparent désarroi. Un peu honteuse, Keren demanda :

« Hum… Je suis comme ça depuis longtemps ?

– Non, répondit Nathan. Une minute, je dirais. Mais comment tu as pu croire qu'…

– Oh, ça va, ça va ! grommela Keren en se relevant. Je suis une fille. Les filles sont supposées faire des choses comme ça.

– Si tu le dis », répondit Nathan sur un ton narquois.

Les deux enfants s'approchèrent de « Carlosbach ».

Comme Keren le comprenait à présent, il s'agissait d'une statue de cire ; un petit homme d'un mètre soixante-cinq environ, le front dégarni, avec un étroit collier de barbe tirant sur le roux. La chaîne d'une montre de gousset luisait timidement entre la poche de son veston et l'une des boutonnières de son gilet. Son poing gauche, fermement serré, reposait avec autorité sur sa hanche, tandis que sa main droite brandissait un instrument métallique que Keren n'identifia pas immédiatement. Mais c'était ses yeux, gris comme l'acier et surmontés de sourcils délicatement dessinés, froncés dans une expression de défi, qui rendaient le mannequin si particulier : ils paraissaient déchirer les ténèbres comme si un feu brillait derrière eux. Depuis combien de temps la statue prenait-elle la poussière au fond de la cave ? Et qu'y faisait-elle ?

Keren s'approcha du mannequin, et avec précaution tâta l'étoffe de son costume, puis sa main gauche, s'attendant malgré elle à ce qu'il prît soudainement vie. Mais, bien sûr, il ne bougea pas d'un pouce.

« C'est incroyable ce qu'il a l'air vrai, finit-elle. Et ces yeux... »

Nathan se hissa sur la pointe des pieds pour les observer de plus près.

« Oui, acquiesça-t-il. On dirait des vrais.

– Ils ont été réalisés par un artisan dont le nom s'est perdu il y a longtemps, expliqua Cornelia. Il aurait mis plus d'un an à les confectionner. »

Nathan leva un sourcil.

« Mais pourquoi se donner tout ce mal ? Qu'est-ce qu'il a de si spécial ? C'était quelqu'un de connu, ce Carlosbach ? »

Cornelia expliqua sur un ton professoral :

« Carlosbach – le vrai, pas le mannequin – était un ami du maître Robert-Houdin. C'était un hypnotiseur. »

Cornelia insista sur le dernier mot, auquel son accent italien donna une couleur délicieuse. Puis, constatant que les enfants étaient pendus à ses lèvres, elle poursuivit :

« Carlosbach se servait de l'hypnose pour soigner ses patients. Par la suite… il a travaillé avec Robert-Houdin sur un projet très particulier.

– Travaillé à quoi ? » demanda Nathan.

Cornelia tordit la bouche en une moue cabotine.

« Robert-Houdin n'en parle nulle part dans son autobiographie. Mais cette statue est la preuve parmi d'autres de leur collaboration. C'est le Maître lui-même qui l'a commandée. »

Cornelia ajusta une mèche de ses cheveux.

« Ce qui est étrange, ajouta-t-elle, c'est que le Maître ne s'intéressait guère aux statues de cire. C'est la seule de ce genre. Une vraie énigme.

– Et comment elle s'est retrouvée ici ? » interrogea Keren.

Cornelia s'adossa contre le mur, à côté du mannequin, sur lequel elle posa son coude.

« La direction du musée Grévin a acquis la statue auprès des héritiers du Maître. Je suppose que c'était pour l'étudier.

– Je ne comprends toujours pas ce qu'elle a de si extraordinaire, moi, maugréa Keren.

– Oh, mais si, protesta Cornelia. Tu l'as dit toi-même tout à l'heure. Ses yeux. Personne n'a jamais réussi à refaire des yeux pareils. Même aujourd'hui. Je suppose que le secret n'a pas été percé. »

Derrière la petite troupe, un cliquetis résonna dans la pénombre. Cornelia, Keren et Nathan tournèrent la tête en direction du bruit, mais ne constatèrent rien de particulier. Toutefois, Nathan observa que Cornelia demeurait sur le qui-vive. Il nota sa crispation, mais préféra poursuivre la conversation.

« Et en quoi cette statue peut nous aider ? Et qu'est-ce qu'elle tient dans la main ? »

L'objet était constitué d'un agencement de tubes coulissants métalliques, de ressorts, et de ce qui ressemblait à plusieurs verres de loupe. À la mine intriguée de Cornelia, Nathan sut qu'elle n'avait pas, elle non plus, la moindre idée de ce à quoi l'étrange instrument pouvait servir. Elle annonça calmement :

« Un apprenti de Robert-Houdin a laissé des Mémoires, devenus célèbres dans nos petits cercles magiques. Il y explique que le Maître avait confié à Carlosbach sa "clémaîtresse". On ne sait pas bien de quoi il s'agit, mais on pense que c'est une sorte de passe-partout universel, qui permet d'ouvrir toutes les serrures conçues par le Maître.

– Y compris... commença Nathan.

– Oui, jeune homme. Y compris celle de l'œuf. »

Keren se frotta le menton.

« Il l'a confiée à Carlosbach ? À la statue, vous voulez dire ? Et elle serait où ? »

Cornelia adressa un clin d'œil à Keren.

« Robert-Houdin était trop malin pour la laisser en évidence. Mais je suis sûre qu'elle est toujours là.

– Mais pourquoi vous ne la fouillez pas ? s'impatienta Keren. Vous n'allez rien trouver en la regardant ! »

Cornelia pointa un doigt autoritaire vers la petite fille et lui dit :

« Tu n'imagines pas tout ce qu'on peut découvrir en observant. En observant *vraiment*. Les gens qui croient observer ne font que regarder. Dans mon métier, l'observation est essentielle ! D'ailleurs… »

Cornelia tourna la tête dans la direction d'où était venu le bruit, quelques instants plus tôt. Ses yeux scrutèrent de nouveau l'obscurité, à la recherche de quelque chose. Un léger voile passa sur son visage. Elle ne prononça pas un mot, mais Nathan comprit qu'elle avait vu ce qu'elle cherchait. Mais quoi que ce fût, elle ne laissa pas son trouble prendre le dessus. Elle frappa des mains énergiquement et annonça :

« Les *folletti*, le temps presse. Il faut absolument que l'on trouve cette clé. »

Hésitants, Keren et Nathan se rapprochèrent du mannequin de cire, sans savoir par où commencer. Tout en soulevant un pan de la veste de Carlosbach, Nathan déclara :

« Je ne comprends pas comment mon père en a entendu parler. C'est ça qui m'étonne le plus.

– Ton père a sans doute les oreilles qui traînent… Il a dû entendre le nom "Carlosbach" et l'endroit où il se trouve sans comprendre de quoi il s'agissait vraiment. Sinon, il vous l'aurait dit. »

« On voit que vous ne le connaissez pas… » pensa Nathan.

Les trois comparses s'affairèrent autour du mannequin. Keren se mit à quatre pattes, une joue posée à
même la terre battue de la cave, pour vérifier que la
clé ne se trouvait pas sous la semelle des chaussures de
Carlosbach. Nathan, lui, débuta une fouille en règle du
costume, tâtant chaque recoin de la doublure. Pendant
ce temps, les doigts agiles de Cornelia effleuraient la
cire poussiéreuse des mains et du visage du mannequin, en quête d'une irrégularité palpable. De temps à
autre, elle envoyait un rapide coup d'œil par-dessus son
épaule, sans interrompre sa fouille et ses observations
pour autant. Mais après quelques minutes, ils durent se
rendre à l'évidence : la clé n'était pas sur la statue de cire.
Cornelia s'assit à même le sol, en tailleur, l'air abattu et
inquiet, le menton posé dans ses mains en coupe. Keren
osa timidement :
« Elle est peut-être… coulée dans la cire ?
– Tu veux faire fondre ce brave monsieur ? Tu as un cha-
lumeau sur toi ? » protesta Nathan.
Cornelia secoua la tête.
« Non, non, non. J'en doute beaucoup. Le Maître n'aurait
pas eu recours à une idée aussi vulgaire. Ce n'est pas son
genre.
– Alors ? s'inquiéta Nathan.
– Alors, je ne sais pas, répondit fermement Cornelia. Soit
la clé a déjà été prise… Soit la solution est si simple qu'elle
nous crève les yeux. »
Debout, imperturbable depuis cent cinquante ans,
poing sur la hanche, Carlosbach lançait son regard sévère

sur la petite troupe. Par un jeu d'ombres, Keren crut discerner sur ses lèvres pâles l'ombre d'un sourire.

Soudain, Nathan s'écria :

« Cornelia ! Vous m'avez dit qu'il s'agissait d'un…
hypnotiseur, c'est ça ?

– *Si*, un hypnotiseur. Pourquoi ?

– Mais il faisait comment ?

– Il faisait comment quoi ?

– Ben, pour hypnotiser ! Je ne sais pas, il… il faisait regarder une spirale aux gens ? Ou bien il faisait des gestes
bizarres, comme au cinéma ? »

Nathan agita le bout de ses doigts en direction de Cornelia,
comme s'il comptait en faire jaillir des éclairs. La magicienne lui lança un regard noir, et Nathan, penaud, mit
les mains dans son dos.

« Non, il ne faisait pas comme ça. Il se servait de son regard.
C'est pour ça que le maître Robert-Houdin a autant insisté
pour que les yeux soient parfaits.

– Ses yeux… répéta Nathan rêveusement. Je me demande
si… »

Il s'approcha de l'instrument métallique que l'effigie
de Carlosbach tenait dans sa main droite, à hauteur de
poitrine. Alors, sans trop y croire, il saisit le poignet de
Carlosbach et le poussa vers le haut.

« Arrête ! Tu vas le casser ! » cria Keren.

Mais le bruit qui suivit n'était pas celui d'un objet qui
se brise : c'était le son satisfaisant d'un mécanisme qui
s'enclenche sans effort. Sous la poussée de Nathan, le
coude du mannequin se plia avec douceur et le bras s'éleva

de quelques centimètres, de sorte que deux des parties en verre de l'instrument se retrouvèrent parfaitement alignées avec son œil droit. Toutefois, aucune clé ne fit son apparition pour autant.

«Comment c'est possible ?» s'étonna Keren.

Cornelia se releva et fit le tour de la statue.

«Le maître Robert-Houdin était un grand créateur d'automates. J'aurais dû penser à ça. Il ne pouvait pas se contenter d'une simple statue de cire. Son Carlosbach est un automate !

– Un automate qui lève le bras, soupira Nathan. Nous voilà bien avancés…

– Il y a forcément une autre astuce, répliqua Cornelia avec un soupçon d'agacement. Je réfléchis… Ce n'est pas un hasard si ces loupes sont maintenant devant ses yeux. J'en suis sûre !»

Nathan se mit sur la pointe des pieds, à hauteur de la main droite de Carlosbach, et tâcha de regarder à travers l'un des verres, sans succès. La déception se lut sur son visage et il fit mine de s'éloigner, quand, tout à coup, il sauta sur place comme un diable à ressort.

«Cornelia ! s'exclama-t-il. De la lumière !

– Quoi ? *Della luce* ? Pourquoi ?

– Faites votre truc, là, Cornelia ! La lumière, les flammes ! Comme tout à l'heure.

– On ne demande pas à un magicien de refaire un tour, protesta Cornelia.

– Non, mais ce n'est pas la question, j'ai besoin de lumière, c'est tout ! Je vais vous expliquer.»

Résignée, Cornelia fouilla rapidement l'une de ses poches, puis frotta ses paumes l'une contre l'autre. Ses doigts ondulèrent gracieusement, et une flamme jaillit à nouveau du creux de sa main. Nathan la tira par le coude et lui demanda :

«Cornelia, tenez la flamme à hauteur de l'instrument bizarre. Plus près. Je crois que j'ai compris. Enfin, je pense...»

Intriguée, la magicienne italienne obéit. La flamme, dans sa paume, était déjà chancelante, mais la lumière qu'elle dégageait se révéla suffisante. Amplifiée en un mince rayon par les lentilles en verre savamment ciselées, la lumière se concentra vers l'œil droit de Carlosbach. Presque instantanément, son œil gauche se mit à luire et à projeter lui-même un faible faisceau lumineux, qui alla se déliter dans la pénombre. Nathan plaça le dos de sa main sur le chemin du faisceau, à une vingtaine de centimètres de l'œil. Keren, qui s'était approchée, put alors y découvrir un dessin, au trait un peu flou mais suffisamment lisible pour que l'on y distingue un poing fermé, avec deux croix situées sur la première phalange de l'index et de l'annulaire.

Cornelia poussa un cri de stupeur.

«Alors ça ! Je n'y aurais jamais pensé ! Un projecteur ! Mais comment tu as compris ça, petit génie ?»

Les oreilles de Nathan rougirent, mais l'obscurité le sauva de l'embarras. Fièrement, il déclara :

«C'est tout à l'heure, quand on visitait le musée. On n'a pas pu s'attarder, mais on voyait une statue habillée comme ce

Carlosbach, avec une espèce de lanterne lumineuse. C'est vraiment un hasard, sinon je n'y aurais jamais pensé.
– Ah oui ! Émile Reynaud et son "théâtre optique". Je suis dans le musée tout le temps, je n'y pensais même plus. Bravo, Nathan. »
Timidement, Keren s'immisça dans l'échange :
« Euh, pardonnez-moi, mais… ça nous avance à quoi, ce dessin ? »
Cornelia leva un sourcil, l'air malicieux. Puis elle s'approcha du poing de Carlosbach, toujours fermement appuyé sur sa hanche, et appuya sans hésitation sur les phalanges indiquées par le dessin ; celles-ci s'enfoncèrent dans la main de cire comme s'il s'était agi de boutons-poussoirs. Aussitôt, une série de déclics et de bruits de ressort se fit entendre, suivi d'un léger vrombissement, durant lequel le poignet gauche de Carlosbach pivota. Quand le mouvement fut terminé et que le poing se retrouva paume vers le ciel, les doigts se déplièrent dans un claquement sec, dévoilant une clé plate, striée de rainures délicates.
Keren, Nathan et Cornelia laissèrent tous trois échapper un soupir soulagé et contemplèrent, émerveillés, la petite lame de métal. Enfin, avec respect, Cornelia s'en saisit et sortit dans le même temps l'œuf de sa poche.
« Bon, dit-elle. Il y a une petite astuce. Mais heureusement je la connais, grâce aux Mémoires de Frédéric Weiss, l'apprenti de Robert-Houdin. »
Elle frappa le côté de l'œuf de trois petits coups espacés irrégulièrement. Le sommet de l'œuf tourna sur un axe,

libérant une serrure. La magicienne prit une profonde inspiration et, cérémonieusement, annonça :

« Les *folletti*… si cet œuf contient ce que je crois, il faudra partir très vite de cet endroit. »

Une fois encore, elle jeta un regard au fond de la galerie. Puis elle enfonça la clé dans la serrure et l'actionna. L'œuf s'ouvrit par le milieu, et Cornelia souleva délicatement la partie supérieure.

À cet instant, une lumière d'une intensité prodigieuse jaillit de l'œuf et emplit tout le couloir. Keren et Nathan se protégèrent instinctivement avec leur bras. Cornelia, aveuglée, lâcha l'œuf, qui tomba à ses pieds sans que la lumière ne faiblisse pour autant.

Il faisait jour sous le musée Grévin.

Journal de Frédéric Weiss
Quatrième partie

Saint-Gervais, au Prieuré, le 29 novembre 1869

Me voilà un peu reposé – bien que passablement excité par ces dernières heures – et prêt à reprendre mon récit. Le fait est que mes déboires avec l'œuf n'étaient que le début de mes surprises. L'objet – ou, plutôt, la machine – que M. Robert-Houdin me dévoila après mon épreuve, et qui semblait occuper la place centrale de ses recherches, m'apparut extraordinaire dès le premier regard. D'un plateau métallique, large comme une grande assiette, s'élevait une forêt de bobines en laiton, de fils en cuivre, d'engrenages et de balanciers. Un espace vide laissé au centre semblait indiquer qu'un élément était manquant. Au sommet de cet assemblage trônaient un instrument semblable à des lunettes ainsi qu'un miroir concave, lequel réfléchissait une version fantasmagorique de l'atelier.

Je n'avais évidemment pas la moindre idée de ce à quoi ce fatras de verre, bois et métal pouvait bien servir.

Le Maître me tira de ma contemplation muette d'un frottement de mains.

« Frédéric, mon ami, me dit-il d'une voix où l'on pouvait lire une certaine émotion, je vous présente le Cogitomètre. »

Je demeurai muet.

« J'ai développé cette machine grâce à mon défunt ami François Carlosbach, le grand magnétiseur. »

J'eus sans doute, à ce moment, l'air passablement étonné.

« Oh, Frédéric, je me doute que vous tenez les magnéti-seurs pour des charlatans. Et vous devez penser : est-ce que le maître de l'illusion a été berné ? Après tout, je vous l'accorde, cela ne serait pas la première fois que tel est pris qui croyait prendre ! Mais, croyez-moi, je sais reconnaître une supercherie ; même si je ne parviens pas à l'expliquer, je la décèle. »

Il toussota, puis reprit :

« M. Carlosbach était donc un magnétiseur, et un hypnoti-seur. Il avait consacré sa vie à soigner les autres grâce à son don. Rien qu'en posant la main sur le bras de quelqu'un, il pouvait l'aider à se sentir mieux.

– Mais, Maître, protestai-je poliment, tout cela n'est-il pas affaire de simple suggestion ? Peut-on vraiment parler d'un don ? »

Le Maître sourit.

« Sans doute avez-vous raison, Frédéric. Mais alors ? Pourriez-vous obtenir le même résultat ?

– Je ne le pense pas, admis-je.

– Du reste, cher ami, ce n'est pas à ce propos que Carlosbach était venu me voir. Vous parliez de suggestion, à l'instant : savez-vous en quoi consiste exactement l'hypnose ?

– Eh bien, répondis-je, j'en connais les principes.

– Bien ! Je ne vais donc pas m'égarer davantage. François Carlosbach pensait qu'en associant sa maîtrise de l'hypnose à ma passion pour les sciences, l'optique tout particulièrement, nous pouvions accomplir quelque chose d'unique. »

Il débordait d'enthousiasme. Ne souhaitant pas le décevoir, je demandai :

« Maître, n'en faites pas un secret. De quoi s'agissait-il ? »

Le Maître eut l'air ravi de ma question.

« J'allais évidemment y venir, mon ami. Le docteur a découvert que dans certaines circonstances, les pensées créées par le cerveau se formaient *réellement* au fond de la rétine, sous forme d'images. Pour simplifier, dans un état particulier, si vous pensez très fort à un éléphant, l'image de cet éléphant apparaîtra, fugitivement, au fond de votre œil. Voyez-vous où je veux en venir ? »

Je ne savais que répondre, et préférai me laisser porter par la suite de ses explications.

« Frédéric... La machine que vous voyez ici, que j'ai appelée le Cogitomètre... permet de *voir* les pensées. »

Je laissai échapper un cri de stupeur.

Le Maître n'en tint pas compte et poursuivit, imperturbable :

« Je sais qu'il s'agit sans aucun doute de la chose la plus incroyable que vous m'ayez entendu dire. Et Dieu sait, pourtant, que depuis quelques semaines vous avez eu des motifs d'étonnement ! Pourtant, je vous l'assure, mes propos ne sont pas de simples bravades. Cet appareil fonctionne. Enfin…»

Il se rembrunit.

«Il y a, Frédéric, un obstacle important à son fonctionnement.»

Il se dirigea vers un secrétaire et en ouvrit le tiroir, d'où il tira une pierre au grain rosâtre. Dans une soucoupe, à côté, des cristaux minuscules brillaient avec l'éclat d'un astre, tandis que d'autres délivraient une faible lumière oscillante, pareille à celle d'une bougie.

«Voyez-vous, Frédéric, m'expliqua-t-il alors, pour que le Cogitomètre fonctionne, il lui faut en quelque sorte une matière première. Et pas n'importe laquelle! La pierre et les cristaux que vous voyez ici m'ont été apportés par cet ami que vous avez vu il y a quelques jours et qui revenait d'Égypte. Regardez, Frédéric, regardez. Ils brillent comme par magie! De la *vraie* magie, j'entends.»

J'admirai, muet, ce spectacle étonnant.

Le Maître reprit:

«Quand ces cristaux sont soumis à une certaine stimulation électrique, ils produisent une lumière toute différente. Moins aveuglante, plus douce, et pourtant d'une portée bien plus importante. Une lumière… prodigieuse, capable de placer quiconque la regarde dans une sorte de transe, proche de l'état d'hypnose. Instantanément.»

Il guetta une réaction de ma part, mais je ne savais que dire. Aussi ajouta-t-il:

«Mais ce n'est pas tout: cette lumière facilite ensuite la captation des images formées dans la rétine. Tous ces prismes, lentilles et bobines que vous voyez sur le Cogitomètre se chargent ensuite de transmettre les images à ces lunettes.» Il s'assura que je comprenais ce qu'il m'expliquait, puis reprit :

«Hélas, cette stimulation électrique finit par détruire les cristaux. Regardez : certains, ici, brillent moins que d'autres. Ce sont ceux qui ont déjà servi à mes expériences. Si je les utilisais de nouveau avec le Cogitomètre, ils cesseraient de briller au bout de quelques secondes. Définitivement.»

J'examinai de plus près la soucoupe remplie de cristaux étincelants ; mon regard se posa ensuite sur le bloc de pierre rose. Le Maître anticipa ma question.

«Vous vous demandez sans doute, Frédéric, à quoi sert ce bloc de granit égyptien ? Lui aussi a son rôle. Regardez bien.»

Il disposa la soucoupe de cristaux à une extrémité de la pierre rose et, avec une pincette, préleva l'un des cristaux endommagés pour le placer à l'autre extrémité. Aussitôt, le cristal qui menaçait de s'éteindre se mit à scintiller avec force.

«Voyez-vous, reprit le Maître, ce granit semble jouer le rôle de conducteur. Il est capable de transmettre l'énergie de plusieurs cristaux à un cristal unique, sans qu'il y ait forcément contact entre les différents éléments. Il suffit juste qu'ils se trouvent dans le champ d'action du granit. Maintenant, regardez.»

Il approcha deux fils en cuivre du cristal isolé, et actionna un petit appareil d'où s'éleva un imperceptible bourdonnement. La lumière du cristal changea : plus pure, plus blanche, elle envahit toute la pièce. Mais je notai que l'intensité des autres cristaux, dans le même temps, décroissait de manière vertigineuse.

Le Maître retira les fils et la lumière disparut.

«Comme je vous l'expliquais, Frédéric, c'est un transfert d'énergie. Le cristal parcouru par le courant électrique va tirer son énergie d'autres cristaux présents dans le champ d'action du granit. Bien sûr, voilà qui les épuise à leur tour. Ceux-ci sont désormais presque inutilisables.»

Il toucha les cristaux du bout des doigts et ajouta :

«Le champ d'action du granit dépend de toute évidence de sa taille : plus il sera gros, plus la distance entre les cristaux pourra être importante.»

Je tâchai d'assembler mentalement toutes les informations qui venaient de m'être assénées. Puis je demandai, un peu abasourdi :

«Comment avez-vous connu l'existence de ces cristaux, Maître ?»

Une nouvelle fois, Robert-Houdin sourit.

«Par hasard, en réalité. J'ai découvert que certains cristaux présentaient des propriétés proches de ce que je désirais obtenir, mais au fond j'ignorais totalement s'il existait, quelque part sur terre, la variété dont j'avais réellement besoin. J'ai même abandonné cette quête pendant très longtemps, pensant qu'il ne s'agissait que d'une chimère. Oh, mais j'y songe : voudriez-vous rencontrer Carlosbach ?»

Je tressaillis.

«Je vous demande pardon ? Votre ami est mort, m'avez-vous dit!»

Toujours un sourire accroché à ses lèvres, le Maître me tourna le dos et s'approcha de l'une des parois de son bureau. Sa main s'égara sur l'un des panneaux en bois, et avant que j'aie pu comprendre ce qui se passait, celui-ci pivota, dévoilant un petit escalier éclairé par une rangée de lampes électriques. Le diable si je m'étais douté qu'une annexe de l'atelier se trouvait ainsi dissimulée à la vue de tous!

«Suivez-moi, n'ayez crainte!» me lança le Maître d'un ton taquin.

J'obéis et gravis, derrière lui, les quelques marches qui menaient à une pièce fort vaste, semblable à un grenier, en proie à un capharnaüm plus épouvantable encore que celui qui régnait dans l'atelier. Une fois encore, je sursautai : le Maître venait de s'approcher d'un homme, immobile dans la faible lumière du jour qui filtrait à travers un minuscule vasistas. Il me fallut près d'une minute, alors que je m'en rapprochai, pour comprendre qu'il s'agissait d'un manne-quin de cire parfait.

«Regardez, Frédéric, regardez ces yeux! J'ai mis des mois à trouver l'artiste qui serait capable de capturer leur magnétisme. Et cet artiste, lui, aura mis une année entière à parvenir à ses fins. Il fallait, bien sûr, que ce fût quelqu'un qui avait déjà croisé Carlosbach. Cette inten-sité, elle ne s'invente pas, même avec toute l'imagination du monde.»

L'effet produit par ces yeux artificiels, faits de verre teint et de je ne sais quoi encore, était, il est vrai, des plus saisissants. Je me sentais scruté, traversé de part en part par ce regard inerte.

L'air plus sombre, M. Robert-Houdin poursuivit :

« Je voulais rendre hommage à mon ami, aussi ai-je fait réaliser cette statue à son effigie. Aucun musée n'en a voulu, cependant. Un jour, peut-être ? En attendant… je lui ai confié un petit secret. »

Je brûlai de demander de quoi il s'agissait, mais n'en fis rien. Le Maître rit de bon cœur et me dit :

« Vous êtes d'une discrétion qui vous honore, mon ami ! Enfin : voilà tout ce que je voulais vous montrer. Retournons à l'atelier. »

D'un pas empressé, le Maître descendit la volée de marches et retourna près du Cogitomètre. Il amena une chaise jusqu'à lui et s'assit. Je lui fis face.

« Naturellement, j'ai songé à me rendre moi-même en Égypte pour rapporter ce granit, et surtout ces cristaux, en plus grande quantité. Mais je suis désormais trop vieux pour un pareil climat ! De plus, pourquoi chercher aussi loin quelque chose que l'on a, peut-être, à portée de main ? Et vous me feriez un immense bonheur si vous pouviez m'aider à ce sujet. »

Oubliant toute réserve, je protestai :

« Vous voudriez… que je me mette à la recherche d'un minéral, Maître ? Mais je ne connais rien en la matière ! Je suis venu à votre service pour apprendre la mécanique et, vous le savez, l'art de l'escamotage. Je pense ne pas vous avoir déçu jusqu'à présent ; toutefois, je me sens bien incapable d'accomplir la tâche que vous me confiez aujourd'hui. Je devrais donc aller en Égypte ? Plus loin encore ? Venir jusqu'à Blois était déjà une expédition pour moi !»

Le Maître prit un air grave, mais ses yeux trahissaient son amusement devant ma véhémence.

«Tout doux, jeune homme, tout doux. M'écoutez-vous ? Je vous ai dit que ce que nous cherchons est, sans doute, à portée de main. Tout cela se soldera peut-être par une simple visite à la capitale. Accepteriez-vous si je vous disais qu'il vous suffirait de vous rendre à Paris ?»

Pris de court, je balbutiai quelques phrases inaudibles dont je n'ai même plus souvenir, et finis par demander : «À Paris ? Mais où ?

– Le sous-sol parisien cache bien des surprises, mon jeune ami. Pendant mes recherches, je suis tombé, tout à fait par hasard là-aussi, sur un manuscrit conservé dans l'oubli le plus total à l'abbaye de Maredsous, en Belgique. On pouvait y lire le récit d'un soldat romain, en garnison à Lutèce au IIe siècle de notre ère, qui décrivait son exploration des tréfonds de la future capitale. Il n'était accompagné que de dix légionnaires et de son centurion, et la plupart semblent avoir péri dans l'aventure.»

Le Maître fit une pause et se concentra, comme s'il cherchait à me livrer le récit le plus fidèle possible.

«Ce soldat décrit une caverne éclairée par une multitude de cristaux produisant une lumière semblable à celle du jour. Les Latins avaient le goût du détail, et je suis certain, compte tenu des informations rapportées par ce soldat, que les cristaux en question sont exactement ceux que je cherche.

– Mais, Maître, protestai-je avec timidité, je ne doute point de ce que vous avez lu ; mais il s'est écoulé mille ans entre l'aventure de ce soldat romain et l'écriture du manuscrit ! Comment pourriez-vous être sûr qu'il ne s'agit pas de pures élucubrations ? Qui dit que ce Romain a vraiment existé ? »

Le Maître sourit et dit :

« Moi ? Je ne suis sûr de rien. Mais vous, Frédéric, vous allez peut-être avoir cette certitude. Il vous suffira de vous rendre sur place, muni de certains appareils que je vous confierai. Ainsi, vous me direz si les moines de Maredsous avaient abusé de leur si bonne bière ! »

Que pouvais-je faire si ce n'est accepter ?

J'acquiesçai donc d'un signe de la tête.

« À la bonne heure, Frédéric. Je suis très heureux. Mais votre départ n'est pas pour tout de suite. J'ai encore besoin de vous ici jusqu'au printemps. En outre, je tiendrai ma promesse et vous enseignerai l'art de l'illusion à nos moments perdus. »

Le ventre serré, je demandai :

« Maître, quelque chose m'échappe encore. Vous dites que cet appareil fonctionne. Je vous crois bien volontiers, mais… comment en êtes-vous aussi certain ? L'avez-vous essayé avec quelqu'un ?

– Oh, oui, je l'ai essayé, répondit le Maître sans hésitation. Je l'ai essayé sur moi. »

Je ne savais plus que penser et insistai :

«Sur vous ? Mais j'imagine que si le sujet se tient devant l'appareil, il faut que quelqu'un observe à l'autre bout des lunettes ?

– Vous avez tout à fait raison, Frédéric. À ceci près que MM. Niépce et Daguerre[1] nous ont facilité la vie. Observez.»

Il défit un bouton de son gilet et sortit une plaque argentée, qu'il me tendit. Sur celle-ci, on pouvait voir, comme imprimé, le visage flou d'un jeune homme souriant.

«Quand j'ai essayé le Cogitomètre, mon jeune ami, je pensais à mon fils Eugène, qui me manque tant depuis qu'il est devenu capitaine. Ce que vous tenez entre les mains, c'est une *photographie* d'un instant où je pensais à lui.»

J'attrapai une chaise et m'y effondrai.

C'était décidément trop d'émotions pour la même journée.

---

1. Nicéphore Niépce (1765-1833) et Louis Daguerre (1787-1851) sont deux pionniers de la photographie. Niépce aurait réalisé le premier cliché de l'histoire.

6

Ce qu'il y a en haut

Tout se passa très vite.

Nathan et Keren commençaient à s'habituer à la lumière
intense qui avait jailli de l'œuf. Ils découvrirent alors
Cornelia à quatre pattes, les yeux plissés, cherchant
quelque chose à tâtons.
« Les *folletti* ! cria-t-elle. Passez derrière moi. Dès que
j'aurai ramassé la pierre, il faudra courir. »
Les enfants obéirent sans se poser de question.
Cornelia leva alors la tête. Elle venait d'entendre des bruits
de pas qui se rapprochaient.
« *Uffa !* C'est déjà trop tard ! »
D'un geste assuré, elle jeta une poignée de poudre, sortie
d'on ne sait où. Une détonation retentit, et un épais rideau
de fumée noirâtre s'éleva. Cornelia ramassa alors la pierre
qui avait glissé hors de l'œuf : aussitôt, la lumière disparut,
seuls quelques éclats filtraient encore à travers ses doigts.
Elle fourra son butin dans sa poche et lança à l'adresse de
Keren et Nathan :
« Courez ! Courez ! »
Les deux enfants ne se firent pas prier et s'élancèrent à

corps perdu dans la galerie. Cornelia s'apprêtait à partir à leur suite quand elle trébucha. Au moment de se relever, elle découvrit que ses chevilles étaient nouées par une cordelette. Avec souplesse, elle se retourna et chercha à s'en défaire. Mais déjà une silhouette se détachait du rideau de fumée et s'approchait d'elle.

«Bonjour, Cornelia, fit l'apparition. Je te conseille de ne pas faire d'histoires. Donne-moi la pierre que je vois briller au fond de ta poche. Dépêche-toi.»

La voix appartenait à un homme élégant, vêtu d'un complet trois pièces gris sombre sur le col duquel avait été piqué un œillet blanc. Ses cheveux noirs comme le jais, plaqués en arrière et gominés, luisaient dans la demi-pénombre. Quant à son visage, il semblait avoir été tracé à la règle et à l'équerre. Il s'en dégageait la même froideur qu'une figure géométrique. De nouveau, il dit:

«Cornelia, ne complique pas les choses. Donne-moi la pierre immédiatement. Ne m'oblige pas à venir la chercher.»

Cornelia recula en prenant appui sur ses mains, puis répondit:

«Pollock… Cela faisait longtemps! Je vois que tes tours de cordes se sont améliorés.»

Sans lâcher son adversaire des yeux, elle essaya de nouveau de dénouer la cordelette. Le dénommé Pollock s'approcha de Cornelia et tendit la main.

«La pierre, Cornelia! Je peux aussi me servir, mais je préfère agir comme un gentleman. Pour commencer.

– Tu crois vraiment que tu vas m'avoir avec ton tour de débutant? s'indigna Cornelia.

– De débutant ? demanda Pollock, toujours impassible. Si tu le dis... En attendant, il me semble plutôt efficace, non ? »

Cornelia sourit.

« Je crois que tu devrais en rester au transformisme, Pollock. Dans le musée, je ne t'ai pas vu, mais je suis sûre que tu nous suivais. Déguisé en quoi ?

– Donne-moi la pierre.

– Le *close-up*, ce n'est pas ta spécialité, décidément, *il mio amico*. »

Avant que l'homme ait eu le temps de comprendre ce qui se passait, la jeune femme s'était redressée, ses chevilles libérées, et courait à toutes jambes vers Nathan et Keren. Pollock esquissa un mouvement et s'affala à son tour sur le sol en poussant un juron : avec habileté, Cornelia avait attaché les lacets de ses chaussures. La tête de Pollock alla rencontrer bruyamment les pavés de la cave, et il ne bougea plus. La voix de Cornelia résonna à travers le couloir : « Mon grand-père était marin : bonne chance ! »

La magicienne ne tarda pas à retrouver Nathan et Keren qui, un peu plus loin, semblaient hésiter à s'enfoncer dans un tunnel totalement obscur. La panique se lisait dans leur regard et leurs gestes.

« Je supposais bien que vous n'iriez pas plus loin, dit-elle.

– C'est qu'on ne voit rien dans le noir », gémit Nathan.

– Si je sors la pierre maintenant, Pollock nous repérera immédiatement. Et puis, nous risquons d'être aveuglés. Mais il y a un autre moyen. »

Elle avança, la tête baissée, et au bout de quelques secondes, poussa un petit cri de satisfaction. Elle désigna alors un G majuscule gravé sur le sol. La magicienne se plaça à pieds joints dessus et fit signe aux enfants de se placer derrière elle. À la grande surprise de Nathan et Keren, d'une voix gouailleuse, elle se mit alors à *chanter* une énigmatique comptine :

Un beau jour d'été
Je m'en allais errer
Sous les pavés d' Paris
Là où les chats sont gris

Il m'aura fallu quatre vers
Pas de ceux qu'on sert
Pour changer d' direction
Droit vers Septentrion

Elle se figea et murmura :
«Septentrion, c'est le nord. Le passage Jouffroy est orienté naturellement vers le nord, et nous avons tourné à droite, puis à gauche pour entrer dans ce couloir... Donc, c'est à droite.
– Si vous le dites, hein... fit Keren d'une voix traînante.
– Nathan, attrape le bas de ma tunique d'une main. Keren, fais pareil derrière Nathan. Bon, c'est parti. *Andiamo!*»

J'ai d'mandé à un rat
S'il connaissait l' chemin

Il me dit : « Va tout droit
T'es pas si loin d' la fin »

Cornelia fit une pause, après quoi la troupe se mit en marche dans le noir le plus complet.

Un professeur m'a dit :
« Petit, si tu t'égares
Ne perds jamais espoir
À droite et c'est parti ! »

À nouveau, Cornelia, Keren et Nathan suivirent les instructions de la chanson, et opérèrent un changement de direction vers la droite.

On n' m'y reprendra plus
À jouer les chats d' gouttière
Mais à gauche y a l'issue…

« … *Qui mène à ma tanière.* »
C'était Pollock.
« Quelle belle voix, Cornelia ! ricana-t-il, tapi dans les ténèbres. Je n'avais jamais pensé que cette comptine aurait *vraiment* une utilité un jour. C'est très gentil à toi de m'avoir guidé. Maintenant, je viens me servir. »
À ces mots, Cornelia agit sans hésitation : elle pivota, les bras tendus devant elle, et se précipita en avant. Ses doigts rencontrèrent rapidement la surface rassurante d'une porte en bois, qu'elle poussa de toutes ses forces. Derrière se dressait un escalier en colimaçon. Ils s'y précipitèrent tous les trois.

«Cela ne sert plus à rien de courir! hurla Pollock, derrière eux. Je suis là!»

Keren poussa un cri : le magicien venait de la saisir par le poignet et l'attirait vers elle. Nathan, qui avait lâché son amie au moment où ils avaient passé la porte, interrompit sa course.

«Laissez-la partir!» cria-t-il d'une voix tremblante.

Devant le sourire narquois de Pollock, Nathan serra les poings et se jeta sur le magicien. D'une légère frappe de la paume, Pollock projeta Nathan en arrière. Son dos alla heurter l'angle d'une marche, ce qui lui arracha un cri de douleur.

Cornelia, qui avait disparu derrière le pilier de l'escalier, revint, l'air belliqueux. Mais Pollock n'en fut pas le moins du monde impressionné.

«Bien, Cornelia, dit-il. Fini de jouer, à présent. Donne-moi tout de suite la pierre, et n'en parlons plus. Après tout, nous sommes de la même confrérie, nous n'allons pas nous battre... Par contre cette petite... je m'en moque! Veux-tu que je lui casse le bras?»

Cornelia resta muette, tandis que Nathan se relevait en se frottant le bas du dos.

Le visage de Pollock était plus acéré que jamais. D'une voix plus ferme, il insista :

«Cornelia, faisons les choses simplement. Si dans cinq secondes tu ne m'as pas donné la pierre, je fais mal à la petite. 1...»

Cornelia recula d'une marche, sa main droite posée sur le pilier central.

«2...»

La magicienne fit encore un pas en arrière.

«3...»

Alors que la courbure de l'escalier la masquait partiellement, Nathan s'indigna :

«Cornelia ? Que faites-vous ?

– 4 !» lança Pollock d'une voix sonore.

Cornelia s'écria alors :

«*Bene, bene !* Je vais te la donner, la pierre.»

Elle fouilla dans sa poche. Pollock ouvrit les mains pour attraper la pierre, libérant ainsi Keren, qui courut derrière Cornelia.

Pollock, interloqué, découvrit le vulgaire caillou qu'il tenait dans sa paume.

«Je ne comprends pas... grogna-t-il.

– Normal, répondit Cornelia. *Sei un cretino !*»

La jeune femme se rua alors sur Pollock. Les deux magiciens roulèrent en bas de l'escalier et Cornelia hoqueta :

«Fuyez ! Fuyez ! La lumière est avec vous !»

Nathan attrapa Keren par la main, et ils grimpèrent les marches quatre à quatre. En haut de l'escalier, les deux enfants butèrent sur une nouvelle porte, qu'ils ouvrirent promptement. Quand elle claqua derrière eux, ils réalisèrent qu'ils ne pouvaient plus revenir en arrière.

«Bon, nous voilà bien... gémit Nathan, haletant.

– Je me demande où on est...» dit Keren, tout aussi essoufflée, balayant du regard la pièce où ils se trouvaient.

Il s'agissait en réalité d'un petit hall, pareil à celui de n'importe quel immeuble parisien. Derrière une porte vitrée, on apercevait le dallage noir et blanc du passage Jouffroy, et l'étal d'un bouquiniste.

« Je crois bien... que nous voilà de retour à notre point de départ », dit Nathan.

Keren se mordit la lèvre nerveusement.

« Cornelia est toujours en bas, annonça-t-elle. On ne peut tout de même pas l'abandonner !

– On ne peut plus faire demi-tour, tu vois bien. Et puis... je ne vois pas comment on pourrait l'aider...

– Et c'est elle qui a gardé le cristal.

– Je sais, fit Nathan en soupirant. Notre mission est un fiasco absolu. »

Keren demeura pensive, puis tressaillit, comme si elle venait de recevoir une décharge électrique.

« Nathan... Le cristal...

– Oui ?

– Quand on s'est enfui, Cornelia a dit "La lumière est avec vous", tu te souviens ?

– Mmm, oui, je n'ai pas compris ce qu'elle voulait dire.

– Elle ne pouvait pas être trop explicite, je suppose, mais... Nathan, toi qui as de grandes poches, tu peux regarder dedans ?

– Pourquoi ?

– Ne pose pas de question ! Fais-le. »

Nathan acquiesça, l'air dubitatif. Ses doigts rencontrèrent alors un objet dur enveloppé dans une étoffe.

Il le sortit avec précaution ; une lumière puissante s'échappait de l'un des plis du tissu.

« Cette Cornelia... soupira Keren. Je renonce à comprendre comment elle arrive à faire ça. Tu n'avais rien senti, hein ?

– Hé non, admit Nathan. En tous les cas, maintenant, nous avons une bonne raison de ne pas rester là. En espérant que Cornelia s'en tire, là-dessous... Allons-y. »

Keren s'apprêtait à ouvrir la porte, quand Nathan la retint par l'épaule.

« Attends ! Méfiance quand même. D'après ce qu'a dit Cornelia, ce... Pollock n'est pas tout seul. Il faudrait vérifier. »

Keren haussa les épaules et lança :

« J'ai oublié de prendre mon périscope, quel dommage ! »

Nathan la fusilla du regard et demanda :

« On peut en improviser un, justement. Tu n'as pas, je ne sais pas... un miroir ? Toutes les filles ont ça, non ?

– Nathan, tu m'as bien regardée ?

– Quoi ?

– J'ai l'air d'être maquillée ? Qu'est-ce que je ferais avec un miroir ? »

Nathan dévisagea son amie un instant et bredouilla, les joues rouges :

« Bah, écoute, je n'en sais rien, je ne m'y connais pas, moi !

– Ça, je ne te le fais pas dire ! » conclut Keren sur un ton cassant.

Elle secoua la tête, s'accroupit et colla son visage dans l'entrebâillement de la porte. De cette position, elle pouvait observer le passage des badauds dans une relative discrétion. Trois minutes s'écoulèrent et elle allait faire signe à Nathan de la suivre, quand elle se raidit subitement.

« Nathan ! Je viens de voir passer deux fois la même personne !

– Ça peut arriver, j'imagine, dans une galerie marchande.

– Sûrement, oui. Sauf qu'en général les gens qui portent une robe ne repassent pas deux minutes plus tard en pantalon.

– Quoi ? Qu'est-ce que tu racontes ? s'exclama Nathan.

– Je te jure que je viens de voir passer une dame...
Enfin, je *pensais* que c'était une dame. Et deux minutes plus tard cette dame était un homme. Un nez comme ça, ça ne s'oublie pas. J'en suis sûre, c'était la même personne ! »

Nathan se gratta la tête, embarrassé.

« Cornelia a dit quelque chose comme ça à Pollock. Sur le... attends... transformisme !

– Ah oui, ce sont les artistes qui se déguisent sur scène à toute vitesse, c'est bien ça ?

– Sûrement... Pollock et ses complices doivent savoir changer de déguisement en un claquement de doigts. »

Nathan plaça sa tête juste au-dessus de celle de Keren et tenta de regarder dans la même direction qu'elle.

« Il... ou elle est où ? Je ne vois rien !

– Je ne sais pas non plus, dit Keren. Il est parti à gauche, sans doute au bout du passage. »

Nathan allait répondre quelque chose, quand un bruit de pas s'éleva de derrière la porte condamnée. Quelqu'un montait les marches en leur direction. Les deux amis en furent paralysés d'effroi.

« Si c'est Pollock, on est cuit, gémit Keren.

– Je te propose de ne pas attendre de savoir, rétorqua Nathan. On file. On n'a plus le temps. »

Il ouvrit la porte en grand et sauta par-dessus Keren, toujours accroupie. Bientôt, les deux enfants furent dans le passage Jouffroy, à regarder à droite et à gauche. Keren étouffa alors un cri et attrapa Nathan par le bras.

« Nathan, avance ! Vite ! Il est là ! » murmura-t-elle.

Un individu se tenait en effet adossé à l'arche qui terminait le passage Jouffroy et menait à son quasi-jumeau, de l'autre côté de la rue, le passage Verdeau. Par chance, l'homme ne regardait pas dans la direction des enfants quand ceux-ci avaient déboulé au milieu de l'allée, affairé qu'il était à rouler une cigarette.

Avec la démarche peu naturelle de ceux qui se sentent observés, Keren et Nathan avancèrent jusqu'à ce que le passage forme un coude, montèrent quelques marches et empruntèrent la galerie principale en direction des Grands Boulevards. Mais alors qu'ils passaient devant la sortie du musée Grévin, ils remarquèrent deux individus à l'allure suspecte ; vêtus de noir, ils tenaient à la main des chapeaux claques qu'ils avaient probablement ôté à cause de la chaleur. En apercevant Keren et Nathan, l'un d'eux se figea tout net. Les enfants comprirent qu'ils étaient en danger et firent volte-face. Derrière eux, le transformiste à la cigarette roulée les observait, bras dans le dos, au milieu de l'allée. Sa tenue avait encore changé, et il portait désormais un uniforme d'agent de sécurité. Leur route était coupée dans les deux directions.

C'est alors qu'un groupe de touristes sortit du musée Grévin en riant. Nathan ne réfléchit pas. Il saisit une fois encore Keren par le bras et ils se faufilèrent dans l'espace laissé libre par la porte de sortie, juste avant qu'elle ne se referme.

Une fois de l'autre côté, Nathan et Keren continuèrent à courir, ce qui ne sembla pas alarmer le vigile qu'ils dépassèrent bientôt : sans doute pensa-t-il qu'ils étaient à la recherche de leurs parents.

« Et maintenant ? lança Keren, le souffle court.

– On a assez descendu de marches pour toute une vie, répondit Nathan, tout aussi haletant. Maintenant, on va essayer de *monter*. »

Keren et Nathan s'enfoncèrent au pas de course dans le musée, des centaines d'yeux sans vie braqués sur eux.

*

* *

Les lettres qui suivent ont été retrouvées dans le journal intime de Frédéric Weiss, soigneusement insérées à la bonne date. Frédéric Weiss a apparemment tenu à récupérer les lettres qu'il avait lui-même envoyées à Robert-Houdin.

Lettre de Jean Eugène Robert-Houdin à Frédéric Weiss

Saint-Gervais, au Prieuré, le 31 mars 1870

Mon cher Frédéric,

J'espère que votre installation à Paris s'effectue dans les meilleures conditions possibles. La chambre qui a été mise à votre disposition n'est peut-être pas la plus luxueuse que vous puissiez trouver dans la capitale, mais elle devrait néanmoins constituer un pied-à-terre tout à fait décent.

Je tenais à vous dire à quel point je suis fier des progrès que vous avez accomplis en matière d'illusions. Je crois que d'ici un an, si vous persistez dans votre entraînement, vous aurez acquis une aisance qui dépassera la mienne aujourd'hui. Mes doigts ont un peu perdu de leur souplesse, je dois bien le reconnaître, mais rassurez-vous : pas plus tard que ce matin, j'ai transformé en pièces d'or les œufs qu'une brave marchande me proposait, sur la place du marché ! La pauvre femme a cru devenir folle ; je crois que je ne me déferai jamais totalement de mon caractère facétieux.

Sachez que depuis votre départ j'ai apporté quelques améliorations au Cogitomètre. Après une longue période de tâtonnements, je suis heureux de vous dire que je touche au but. Le Cogitomètre devrait bientôt être capable de capter les images formées par la pupille de n'importe quel œil exposé à la source lumineuse, même à grande distance. C'est, peut-être, les pensées de toute une foule que nous pourrions ainsi capter ! Mais je m'emporte : bien entendu, le Cogitomètre ne fait que former des images, et ne saurait rendre compte de la complexité de tous les sentiments qui traversent un esprit humain. Et par ailleurs, comment comprendre et trier les dizaines d'images qui nous parviendraient subitement ? Nous n'en sommes pas encore là. Pour l'heure, je vais me retirer à mes travaux en vous souhaitant, de nouveau, une bonne installation. Je ne vous demanderai qu'une chose, qui est de me tenir au courant, régulièrement, de l'avancée de vos recherches. Vous avez toute ma confiance.

Avec mon amitié,

Jean Eugène Robert-Houdin.

Lettre de Frédéric Weiss à Jean Eugène Robert-Houdin
Paris, le 4 avril 1870

Mon très cher Maître,

Les beaux jours semblent revenir, bon an mal an. Ce matin, le boulevard des Italiens est illuminé de soleil et les promeneurs, pour la première fois depuis mon arrivée à Paris, ont l'air de s'être débarrassés de la torpeur hivernale qui les enveloppait. Les femmes sont belles et les hommes sourient : le bonheur est à chaque coin de rue.

J'ai bien reçu votre courrier du 31 mars, je vous remercie pour tout. La chambre est confortable et je m'y sens très bien pour mes recherches. Je n'ai pu encore me lancer comme je le voulais dans ces dernières, car durant mon voyage les instruments de mesure que vous m'avez confiés ont été malmenés. Tous les réglages doivent être refaits, mais cela ne me pose pas de difficulté majeure : nous avons suffisamment vu le fonctionnement ensemble et rien ne me semble endommagé. A priori, je devrais venir à bout de tout cela d'ici demain matin. Après quoi, je me mettrai «en route» même si, je le reconnais, j'aurais aimé savoir par où commencer. Ne vous inquiétez pas pour autant : je saurai me montrer digne de votre confiance et je vous rapporterai ce que vous cherchez quoi qu'il m'en coûte. J'ai déjà hâte de revenir au Prieuré.

Portez-vous bien !

Avec tous mes respects,

Votre dévoué,

Frédéric Weiss.

7

Balade au-dessus des toits

De toute évidence, Nathan avait un plan. Du moins, c'est ce que Keren imaginait, tant son ami paraissait sûr de lui. D'un pas volontaire, le garçon avait traîné Keren à contre-courant de la foule, comme s'il ciblait un endroit particulier. Mais au premier signe d'hésitation, près de l'effigie d'un footballeur célèbre, elle se hasarda à demander :

« Je suppose que tu sais où on va ? Si ce n'est pas le cas, bravo, c'est très bien imité. »

Nathan parut réfléchir et finit par répondre :

« Tu te rappelles la statue de la belle actrice italienne, là ? Mona… Monica…

– Oui, comment l'oublier, l'interrompit Keren aux aguets. C'est elle qu'on cherche ? Tu es sûr que c'est le moment ? »

Nathan secoua la tête.

« Non, ce n'est pas *elle* qu'on cherche. C'est l'escalier qui est derrière. C'est la seule issue que j'ai aperçue pendant notre visite du musée.

– Il doit y en avoir d'autres !

– Sûrement, mais celle-là n'a ni porte ni serrure. Juste un escalier.

– Oh misère, s'exclama Keren, *ils* sont là ! »

Nathan regarda dans la direction que Keren venait de lui indiquer. Les deux hommes aux chapeaux claques se trouvaient désormais à quelques pas. Nathan fit signe à Keren de s'accroupir ; il y avait suffisamment de monde entre eux et leurs assaillants pour qu'ils puissent s'échapper sans se faire remarquer, à condition d'avancer prudemment. Ils commencèrent par se mêler à un groupe de touristes, visiblement ravis par ce qu'ils découvraient – mais l'exprimant dans une langue imprononçable –, puis rasèrent les murs jusqu'à une nouvelle intersection. Keren dit alors :

« Nathan, je crois que ta belle, elle se trouvait tout proche de l'entrée.

– Bon, on ne doit plus être très loin, alors. Les autres nous suivent toujours ? »

Keren plissa les yeux.

« Je ne les vois pas. Mais je doute qu'ils aient abandonné l'idée de nous tomber dessus. Et comme apparemment ils mettent moins de temps à changer d'habits que moi à enfiler une paire de chaussettes, tout peut arriver.

– Alors remettons-nous en marche. On ne devrait plus être très loin. »

Il ne fallut que deux ou trois minutes aux enfants, en effet, pour retrouver la plantureuse actrice. En somptueuse robe de soirée, elle était postée devant un cordon en velours. Derrière elle s'élevait un escalier, fort ancien, qui menait aux étages administratifs du musée.

« Keren, murmura Nathan. Il faut qu'on y aille.

– Tout le monde va nous voir, tu es fou !

– Mais non, c'est interdit aux visiteurs. Et si des gens du musée nous croisent, eh bien… je ne sais pas, tu as une idée de ce qu'on pourrait leur dire ? »

Nathan ne sut si Keren souriait ou montrait les crocs.

« Ce que l'on dit ? Mais c'est ton idée, de nous amener en plein cul-de-sac ! Je te laisse trouver ! »

Nathan émit un son indéfinissable, où l'exaspération se faisait toutefois très nettement sentir.

« Tu peux arrêter de ronchonner cinq minutes ? J'ai l'impression d'avoir déjà eu ce genre de discussions cent fois avec toi.

– C'est qu'on a une vie très tumultueuse, Nathan. Et d'ailleurs j… »

Keren ne finit pas sa phrase. Sans réfléchir, elle attrapa la main de Nathan et le traîna de toutes ses forces en direction de la statue de l'actrice. Elle saisit l'ourlet de sa robe, se glissa dessous, puis attira Nathan vers elle.

Des bruits de pas leur parvinrent, puis deux voix d'hommes, calmes et fermes, se détachèrent nettement du ronronnement naturel des visiteurs.

« … tu es sûr que tu les as vus venir par ici ?

– Certain, mon vieux. Mais il y a eu du mouvement, et je les ai perdus de vue quelques secondes. Je me demande si la petite ne m'a pas vu, en fait. En tous les cas, je ne comprends pas où ils ont pu passer en si peu de temps.

– Pourtant, ils ne sont pas supposés être des nôtres, les mioches, si ?

– Quoi ? Des magiciens ? Non, pas que je sache. Ce sont juste des gamins qui en savent trop. »

Il y eut un petit silence, puis la discussion reprit.

« Elle est pas mal, quand même, celle-là, hein ? Dommage qu'elle soit en cire ! »

Keren et Nathan comprirent qu'ils parlaient de leur protectrice immobile, et se raidirent d'angoisse.

« Ouais, c'est quelque chose. Il en a de la chance, l'autre.

– Qui ?

– Ben, son mari, tu sais. Comment c'est, son nom, déjà ?

– Je sais plus. Je regarde moins de films que toi. »

Sans transition, le plus cinéphile des deux embraya :

« Tu sais, j'ai eu une partenaire presque aussi belle, sur scène. Une Italienne aussi. Esmeralda la Magnifique !

– Esmeralda ? Ça fait plutôt espagnol, non ?

– Ouais. D'ailleurs, elle s'appelait Mathilde, en vrai. Mais sa mère était une vraie Italienne. J'étais un peu amoureux d'elle, je crois.

– Ça n'a rien donné, c'est ça ?

– Oh, elle était mon assistante lors d'un spectacle que je préparais depuis des mois : "La femme jetée aux crocodiles".

– Et ?

– Bah… J'avais pas réalisé que ça avait un appétit pareil, un croco.

– Hum… C'est à ce moment-là que tu as changé de nom de scène, pas vrai ?

– Exactement. Enfin… Elle, au moins, elle a beau être en cire, elle est belle pour l'éternité ! »

Le silence qui suivit fut assez éloquent. Respirant à peine sous la robe, Keren et Nathan remercièrent en silence la pulpeuse actrice de présenter des attributs tels que ni l'un ni l'autre de leurs poursuivants n'eut l'idée de baisser les yeux.

Finalement, l'un des deux hommes lança :

« Dis donc, ils n'ont pas pu prendre les escaliers ? »

Les pas se rapprochèrent de la statue.

« Hum… Ils auraient pu, oui. Mais il y a sans doute du monde, là-haut. Ils ne peuvent pas s'y promener aussi facilement. Bah, retournons vers l'entrée. On reviendra ici plus tard si on ne les trouve pas. De toutes les manières, les issues sont cernées. On les aura. »

Les sens aux aguets, les deux enfants attendirent un petit moment avant de s'extraire de leur cachette. Ce faisant, ils furent remarqués par un couple de visiteurs, qui se contentèrent de lever les yeux au ciel d'un air outré. Alors qu'ils commençaient à monter les marches, Nathan sourit, se retourna vers la statue et dit à voix basse :

« Merci beaucoup de l'abri, madame !

– Je t'ai entendu, grogna Keren. Avance. »

Un étage plus haut, ils passèrent devant un accès aux balcons. Ils continuèrent leur ascension à pas de loup, en prenant garde à ne pas faire grincer l'escalier. Le deuxième étage ne les inspira pas davantage, et ils finirent par atteindre ce qui semblait être le dernier étage de cette aile de l'immeuble. Le lieu, avec son immense verrière et ses murs blancs, ne dégageait pas le même charme désuet que le musée lui-même, mais plutôt une atmosphère de secret. Deux issues s'offraient aux enfants. La première menait, si l'on en croyait l'inscription qui ornait la porte, à un atelier

de costumes. La seconde, à un nouveau couloir. Keren
annonça :

« Je verrais bien les costumes.

– Tu *verrais bien* les costumes ? On n'est pas en train de
visiter, Keren. Il faut qu'on sorte de là.

– Je sais. Mais s'il y a une sortie ? Je jette juste un coup
d'œil. »

Keren tourna la poignée, pour découvrir une pièce en
proie au plus grand désordre. Autour d'un immense plan
de travail, recouvert de morceaux de tissus, de fils et de
ciseaux, s'alignaient une armée de machines à coudre, des
étagères ployant sous les étoffes et des meubles de rangement remplis à craquer. Des mannequins de couture, en
pagaille, étaient disposés aux quatre coins. Partout, des
costumes en devenir étaient étendus, pliés, roulés en boule
ou exposés comme des trophées. Là, une robe médiévale
en velours, cousue d'or ; ici, une cape victorienne ou un
manteau en léopard. Mais d'issue, point.

Keren referma la porte et fit signe à Nathan d'emprunter le
couloir. Bientôt, ils se retrouvèrent dans une nouvelle portion de bâtiment, présentant une enfilade de portes closes.

« Bon, essayons une porte au hasard, dit Nathan. Si on
nous surprend…

– Oui ?

– Je… on trouvera quelque chose. »

Après quelques mètres, ils poussèrent une porte au petit
bonheur. La première chose qu'ils virent fut une immense
baie vitrée, qui donnait sur la partie intérieure du musée.
Quelques mètres plus bas courait un toit en zinc parcouru

de tuyaux. Le long des fenêtres on apercevait des tables d'artistes jonchées de pinceaux, crayons et tubes de peinture. Et dans un désordre absolu, surgissaient des têtes, des pieds, des mains, des bustes en cire, mais aussi des paires d'yeux en verre et des cheveux tressés. Il se dégageait de la pièce un caractère aussi fascinant que macabre.

Nathan se pencha à travers l'une des fenêtres, qui était ouverte.

« J'ai un plan. Je crois, affirma-t-il.

– Je t'écoute, fit Keren, sceptique.

– Il faut qu'on atteigne le toit intérieur. Ce n'est pas si bas. De là, on pourra sans doute trouver une échelle de secours, remonter sur le toit principal et atteindre la rue d'une manière ou d'une autre, un peu plus loin que l'entrée du musée.

– Comme dans les films, pas vrai ? Je ne sauterai pas, si c'est ce que tu as en tête.

– Pas question de sauter ! Je vois que plus loin, au bout de la baie vitrée, le toit est plus haut. Il y a comme une petite plate-forme. On pourra descendre par là.

– Et on y accède comment ?

– Par la pièce d'à côté, je pense. Viens, suis-moi. »

Une porte de communication menait effectivement à un autre atelier. Il s'agissait, pour ce qu'ils pouvaient en juger, d'une cuisine. Une cuisine avec une hotte en métal et deux fourneaux, sur lesquels trônaient d'énormes chaudrons. Des louches et des récipients de formes diverses pendaient au mur, tandis qu'un inquiétant bloc

119

rosâtre, semblable à un quartier de bœuf après équar-
rissage, reposait à même le sol. À gauche des fourneaux,
une silhouette grossière, blanche, sans tête et de toute
évidence creuse, était figée dans une position pataude.
Keren et Nathan ne pouvaient détacher leurs yeux de
ce spectacle singulier.

«À douze ans, je ne suis plus supposée croire aux sorcières,
pas vrai ?» gémit Keren.

Nathan se concentra pour répondre avec naturel. Ce fut
un échec.

«Je… Je pense que c'est ici qu'ils font les moules pour les
mannequins», déclara-t-il d'une voix suraiguë.

En partie rassurés, ils examinèrent la scène avec plus de
sérénité. En fait de quartier de viande, le bloc rose était
une matière plastique destinée, très probablement, à être
fondue puis modelée.

«On dirait la chambre à coucher de Frankenstein…» fit
Keren.

Nathan ne commenta pas davantage et fit signe à Keren de
le suivre au fond de la salle. La dernière fenêtre s'ouvrait
effectivement sur une plate-forme plus haute que le toit
lui-même. Il était envisageable d'y sauter depuis le rebord
de la fenêtre, puis de descendre le long des tuyaux qui
s'y accrochaient. Mais avant que les enfants n'aient eu le
temps de faire quoi que ce soit, une voix résonna à l'intérieur de l'atelier :

«Eh bien ? Je peux vous aider ?»

La personne qui avait parlé était une femme brune et très
élégante, les mains posées sur les hanches.

«On peut savoir ce que vous faites ici ? Vous êtes qui, au juste ? insista-t-elle.

– Euh… Et vous ? » rétorqua timidement Nathan.

La dame se raidit et fronça un sourcil.

«Mais c'est qu'il est effronté, en plus! Mais si tu veux savoir, je m'appelle madame Zebrec, et je suis une des responsables de ce musée. Et toi, tu as intérêt à me répondre à ton tour!»

Nathan chercha une idée de génie et, faute de mieux, répondit:

«Nous sommes le neveu et la nièce de… euh… Mme Martin, affirma-t-il. On la cherchait, justement. Vous pouvez lui dire de venir nous retrouver ici ? On ne bouge pas.

– Le neveu et la nièce de Mme Martin», répéta Mme Zebrec.

Avec un aplomb tout relatif, Nathan insista:

«Oui. Elle devait nous faire visiter, mais comme elle était occupée, on a commencé la visite tout seuls.

– Je vois, je vois, répondit la dame. Dites-moi… Vous savez à quoi servent ces chaudrons ? »

Keren et Nathan blêmirent.

«À… faire fondre la cire dans les moules ? bredouilla Keren.

– En effet, confirma la dame brune. Mais pas seulement.»

Elle décrocha une louche et en tapota sa paume avec de petits coups secs.

«Ces chaudrons, continua-t-elle, servent aussi à faire cuire les petits menteurs comme vous. Une fois qu'ils sont à point, on verse la cire chaude par-dessus, et on obtient des statues plus vraies que nature!»

Les deux amis passèrent du blanc au rouge écrevisse en une fraction de seconde, tandis que Mme Zebrec se rapprochait d'eux, sa louche à la main.

«Il n'y a aucune Mme Martin dans ce musée et, croyez-moi, je connais tout le monde.

– Statistiquement, on avait nos chances, bredouilla Nathan en se tournant vers Keren. Il y a *toujours* une Mme Martin.»

Les sourcils froncés, la dame continuait sa progression dans l'atelier, sa louche brandie comme une massue. Keren et Nathan se recroquevillèrent contre le mur du fond. Ils se voyaient déjà, tels Hansel et Gretel, en train de rôtir dans un four.

Quand Mme Zebrec ne fut plus qu'à deux mètres d'eux, elle éclata soudainement de rire.

«Vous verriez vos têtes! lança-t-elle gaiement. Vous m'avez l'air un peu grands pour croire aux sorcières, non?

– On en parlait justement avant votre... arrivée!» répliqua nerveusement Keren.

Nathan, vexé, demeura silencieux.

«Cela dit, poursuivit la dame, ça ne m'explique pas ce que vous faites ici. Vous n'avez absolument pas le droit d'être dans cette partie du musée. Vos parents doivent s'inquiéter! Venez, je vais vous reconduire.»

Elle leur indiqua la porte par laquelle ils étaient venus et ajouta:

«Je devrais vous tirer les oreilles, je vous signale. Mais je suis dans un bon jour. Et vos têtes, il y a une minute, c'était, c'était… impayable!»

À cet instant précis, deux personnes firent irruption dans la pièce ; un couple d'une quarantaine d'années, chacun habillé dans un style estival décontracté. Le nez de la femme, toutefois, la trahissait : c'était cette même personne qui arpentait le passage Jouffroy, un peu plus tôt.

«Ah, Keren, Nathan! Ouf, vous êtes là! déclara l'homme d'une voix tonitruante. On s'est fait un sang d'encre!»

Il se tourna vers Mme Zebrec et demanda :

«Ils n'ont pas fait de bêtise, au moins ? C'est bien d'eux, de disparaître comme ça! Leur curiosité les perdra.»

Il prononça ces derniers mots avec un regard haineux à l'endroit de Nathan.

«Eh bien, dit Mme Zebrec, non, je ne pense pas qu'ils aient eu le temps de faire des bêtises. Ils ont en quelque sorte organisé leur propre journée porte ouverte!»

Plus sévèrement, elle annonça :

«Cela étant, vous devriez les surveiller mieux que ça. Je ne sais pas ce qu'ils s'apprêtaient à faire près de cette fenêtre, mais vous auriez quand même dû vous en inquiéter plus tôt.

– Oui, bien sûr, nos excuses, madame. C'est qu'il y a tant de choses à voir, ici. Bon, les enfants, venez! On va s'acheter des glaces», insista l'homme.

D'une même voix, Keren et Nathan hurlèrent :

«Ce ne sont pas nos parents!»

L'homme ricana, et croisa le regard soupçonneux de Mme Zebrec.

« Ha ha, les petits farceurs ! Mais ça commence à bien faire. On rentre. Et sans passer par la case "glaces".

– Madame, cria Keren, ne les croyez pas ! C'est à cause d'eux qu'on est ici ! Ils veulent nous kidnapper !

– Ce n'est pas très malin de jouer à ça, les enfants, les gronda Mme Zebrec.

– Bah, laissez, ils sont insupportables », dit l'homme en faisant un pas en avant.

Mais il n'alla pas plus loin : il se retrouva avec une louche sous le nez, qui l'obligea à reculer d'un pas.

« Minute, papillon ! lança Mme Zebrec. Je n'ai pas plus de raisons de vous croire, *vous*.

– Mais enfin, protesta l'homme, vous savez bien que les enfants disent n'importe quoi !

– Oui, oui, je sais. Mais pour l'heure, je n'aurais pas juré qu'ils mentaient plus que vous. »

Keren, toujours observatrice, crut alors déceler le détail qui allait faire basculer la situation à leur avantage.

« Si vous êtes nos parents, lança-t-elle, quand vous êtes-vous mariés ? »

L'homme et la femme levèrent les yeux au ciel. Le premier répondit :

« C'était un 15 avril. Ça vous va ? Bon, maintenant…

– Alors si vous êtes mariés, pourquoi vous n'avez pas d'alliance ? » s'exclama la jeune fille, triomphante.

Hélas pour Keren et Nathan, il se produisit à ces mots quelque chose de prodigieux. Sans ciller, l'homme serra le poing puis agita ses doigts comme s'il cherchait à les dégourdir. Derrière lui, son «épouse» avait eu un geste semblable. Une seconde plus tard, ils portaient chacun un anneau au doigt.

Avec un petit sourire entendu, l'homme dit à Mme Zebrec : «Vous voyez ? Ils sont prêts à raconter n'importe quoi.»

Keren et Nathan étaient abattus.

«Bon. Je suppose que je dois vous croire. Mais tout de même ! Pourquoi n'avez-vous pas donné l'alerte ? Au lieu de ça, vous êtes montés ici comme si…»

Mme Zebrec s'arrêta brusquement.

«Comme si… répéta-t-elle. Mais ! Je vous connais !

– Moi ? répondit nerveusement son interlocuteur. Ça m'étonnerait, vous devez vous tromper.

– Je suis sûre que si ! Vous êtes Dimitri Disdéri ! Le transformiste ! J'avais vu un de vos spectacles il y a… pffffiou, ça remonte à des années !

– Écoutez, madame, s'impatienta l'homme, tout cela commence à être particulièrement irritant.

– Peut-être bien, mais vous m'excuserez si je trouve bizarre que v…

– Tu me laisses passer ou ça va mal aller pour toi…» rétorqua froidement le dénommé Disdéri.

Il n'eut pas le temps d'en dire ou faire davantage : la louche s'abattit sur sa mâchoire et il s'écroula, inconscient. Mme Zebrec en fut la première étonnée. La «compagne» de Disdéri se mit alors à s'agiter et à tourner sur elle-même ; de cette toupie jaillirent des vêtements et une paire d'escarpins, qui vinrent frapper le plancher avec force.

Quand la toupie cessa sa course, un homme mince, à la mine sévère, se tenait devant les enfants et Mme Zebrec. Il attrapa le poignet de cette dernière avec la puissance d'un étau et la força à lâcher son arme de fortune.

Keren et Nathan surent que le moment était venu pour eux de s'enfuir. Nathan ouvrit en grand la fenêtre et, sans réfléchir, sauta sur la plate-forme en contrebas. Keren, avant de bondir, jeta un dernier coup d'œil derrière elle. Malheureusement, Mme Zebrec serait bientôt hors d'état de retarder son poursuivant.

«Il ne faut pas qu'on traîne! cria Nathan. Viens, on peut redescendre par là, je pense.»

Nathan puis Keren se mirent à plat ventre et se firent glisser le long d'un épais tuyau qui descendait jusqu'au toit intérieur. Une fois sur le zinc, ils coururent à s'en faire éclater les poumons jusqu'à un assemblage métallique, tout à l'opposé. Un bruit sourd les alerta: derrière eux, Disdéri, revenu à lui, et son complice étaient à leur tour passés par la fenêtre.

«Ils sont plus grands et plus rapides que nous, on est fichu, dit Keren.

– Ils seront toujours moins grands et moins rapides que des orangs-outans. Et on a escaladé bien pire à Sublutetia. Allez, du nerf!»

Nathan grimpa comme un chamois; Keren, elle, tâchait de calquer le moindre de ses gestes sur ceux de son ami. Et alors qu'ils se rapprochaient de leur but, ils entendirent résonner les pas de leurs poursuivants.

«Ils sont presque là, Nathan! Tu es sûr de ton plan?

– Oui. Enfin… presque. Allez, encore un effort ! »

Bientôt, les deux enfants atteignirent le toit principal du bâtiment. Derrière eux, les gouttières et le zinc craquaient : Disdéri et son acolyte étaient tout près.

« Les gosses ! Ça ne sert plus à rien, on vous aura attrapés dans une minute ! cria le magicien malfaiteur. Rendez-vous, et ça se passera mieux pour v… »

Disdéri fut interrompu par un morceau de tôle qui vint atterrir sur son arcade sourcilière sans grande force. Il grogna et continua sa progression.

Keren et Nathan, eux, venaient d'atteindre une rambarde en pierre, offrant une vue plongeante sur une magnifique terrasse bordée par deux jardinets. Plus bas, bien plus bas, s'étiraient les Grands Boulevards, où le monstrueux embouteillage battait toujours son plein. Telles des écailles irisées, les automobiles brillaient sous le soleil de plomb, inertes.

« Et maintenant, Nathan ? s'enquit Keren. On redescend par où ?

– Je… je ne sais pas, bredouilla Nathan. On ne peut plus aller ni à droite ni à gauche.

– Et bien entendu tu n'as pas pensé à prendre nos parachutes ? Ah, ce que c'est dommage… ironisa Keren.

– Les voilà ! » tonna une voix derrière eux.

Les enfants, en se retournant, aperçurent le sommet du crâne de Disdéri derrière un muret.

« C'est la fin, je crois, dit Nathan. Je suis désolé, Keren.

– Désolé ? Tu plaisantes, j'espère ! Depuis *Les Aristochats*, je rêve d'une balade sur les toits de Paris. »

C'est à cet instant que se produisit l'impensable. Une détonation retentit, et un épais écran de fumée se forma entre les enfants et leurs poursuivants. Avant que Keren ou Nathan ait eu le temps de comprendre ce qui se passait, Cornelia se tenait à leurs côtés. Son visage portait de nombreuses marques, qui laissaient supposer que la lutte avec Pollock n'avait pas dû être une partie de plaisir.

« J'étais sûre que vous passeriez par là, les *folletti*. Bravo, ça tombe très bien. Dépêchez-vous, suivez-moi. »

Cornelia, devant les enfants abasourdis, monta debout sur la rambarde. Keren crut que son cœur allait cesser de battre.

« Cornelia ! Ne faites pas ça ! Vous allez tomber !

– Tomber ? Non, je vais voler, plutôt ! »

Cornelia tendit un pied dans le vide, et resta ainsi en équilibre pendant une ou deux secondes, comme si elle s'assurait d'un appui invisible.

Disdéri et son comparse avaient enfin franchi le rideau de fumée. Mais la vision de Cornelia s'apprêtant à se jeter dans les airs les arrêta aussi sûrement que s'ils avaient heurté un mur.

Puis, à la stupeur générale, Cornelia avança l'autre pied, celui qui était encore sur la rambarde.

Mais au lieu de tomber, elle demeura suspendue au-dessus du vide, à un mètre de la rambarde.

Keren et Nathan étouffèrent un cri où se mêlaient horreur et émerveillement. Cornelia se tourna vers eux et dit :

«Suivez-moi. Posez vos pieds *exactement* là où je pose les miens, sinon vous tomberez. *Fissa!*

– Jamais de la v…» commença Keren.

Mais Nathan ne la laissa pas poursuivre, et la tira en direction de la rambarde. Bientôt, ils y furent debout, tremblants de terreur.

Derrière eux, les magiciens malfaiteurs crièrent:

«Les enfants! Ne la suivez pas! Vous allez tomber! Donnez-nous ce qu'on cherche, et on vous laisse! Lancez-nous la pierre!

– Dépêchez-vous, les *folletti*, ordonna Cornelia. Je vais avancer. Et je vous le répète: mettez vos pieds où passent les miens. La passerelle n'est pas droite, elle fait des zigzags tout le temps! Dix centimètres à côté et vous tombez.»

Cornelia fit un autre pas en avant et continua son invraisemblable marche aérienne. Nathan, le pouls affolé, tâcha de trouver le calme nécessaire et, persuadé que sa dernière heure était arrivée, posa le pied là où se tenait celui de Cornelia l'instant précédent. Contre toute attente, il entra en contact avec une surface solide.

«Je… je ne comprends pas… bafouilla-t-il.

– Ne cherche pas à comprendre! lui cria Cornelia en tournant la tête. Je t'expliquerai après. Du verre, des miroirs, de l'illusion! Il n'y a rien de surnaturel. Mais ne te déconcentre pas, surtout. Et dis à Keren d'avancer.»

Cornelia fit un nouveau pas, et Nathan s'empressa d'occuper la position qu'elle venait de libérer. Derrière lui, Keren faisait ses premiers pas dans le vide, livide.

«Keren, ça va? demanda Nathan sans se retourner.

— Je ne comprends même pas pourquoi tu poses la question», lui répondit une voix chevrotante.

Disdéri, quant à lui, se décida enfin à enjamber la rambarde. Il fit signe à son comparse de le suivre, mais celui-ci, d'une voix plaintive, lui dit :

« Je ne peux pas...

— Quoi ? Dépêche-toi !

— J'ai le vertige.

— Tu as quoi ? Ne dis pas d'âneries, viens !

— Je te dis que j'ai le *vertige*, insista le complice. J'ai le vertige quand je change une ampoule sur un tabouret. Tu ne veux pas que je marche à des dizaines de mètres au-dessus du sol, quand même ?

— Crétin ! Tu nous retardes !

— Je ne bougerai pas d'ici.

— Tu veux que je t'attrape par la peau du cou ?

— Essaie toujours. En attendant, les gosses et la fille se carapatent. »

En effet, Cornelia, Nathan et Keren avaient déjà accompli une bonne moitié de la distance qui les séparait de l'autre côté de la rue.

Disdéri prit une profonde inspiration et, fermant à moitié les yeux, tâcha de placer son pied là où il avait vu Cornelia et les enfants le faire. La pointe de son pied toucha quelque chose de dur, mais une fraction de seconde après son talon bascula dans le vide. Le front couvert de sueur, il rétablit sa position pour retrouver son aplomb, et acheva alors son premier pas. Pendant ce temps, la troupe conduite par Cornelia avait progressé jusqu'à la moitié du parcours.

Keren, à la queue, n'osait pas ouvrir la bouche tant l'expérience était angoissante. Nathan, lui, ne put s'empêcher de demander à Cornelia :

« Les gens ne nous voient pas, en bas ? Certains ont levé la tête.

– Non, ils ne nous voient pas. Un jeu de miroirs fait qu'ils croient voir le ciel. Mais ne parle pas et avance : même moi, j'ai du mal à me rappeler où il faut poser les pieds. »

Nathan n'insista pas. La fin de leur parcours aérien approchait. Mais derrière eux, Disdéri avait pris de l'assurance et comblait son retard.

« Je vais attraper la petite et la jeter au sol ! » hurla-t-il.

Keren commit l'erreur de tourner la tête. Disdéri n'était plus qu'à quelques mètres.

« Au secours, Cornelia ! cria-t-elle.

– *Uffa !* Je ne peux rien faire pour toi, petite ! Continue d'avancer. »

Keren joua alors le tout pour le tout. Au lieu d'avancer, elle se figea et, les yeux plissés, observa la progression de Cornelia et Nathan, tâchant de mémoriser chaque pas. Elle savait que Disdéri serait sur elle dans quelques instants. Elle pouvait l'entendre souffler derrière elle. Pourtant, elle ne bougea pas et continua à se concentrer. Bientôt, Disdéri n'aurait qu'à tendre les bras pour l'attraper. Les muscles raidis, elle attendit encore.

Cornelia et Nathan étaient parvenus sur le toit opposé. En voyant son amie immobile au milieu du vide, le malfrat à portée de souffle, Nathan blêmit.

Encore un peu.

Soudain, Keren sut que le moment était venu et qu'une seconde de plus lui serait fatale. Elle s'élança alors à toutes jambes sur la passerelle invisible, reproduisant le parcours sinueux effectué par Cornelia et Nathan sans chercher à réfléchir. Arrivée au bout de la passerelle, elle sauta en direction de Cornelia qui lui tendait les bras. Nathan eut quelques mouvements embarrassés puis, oubliant sa réserve habituelle, serra Keren contre lui à l'en étouffer.

L'initiative de la jeune fille avait totalement perturbé Disdéri, qui, privé de point de repère, ne savait plus comment progresser.

Au hasard, il avança un pied, qui rencontra la surface dure de la passerelle. Mais il fut moins chanceux avec son deuxième pas : il perdit l'équilibre, et bascula dans le vide sans que ses doigts puissent accrocher quoi que ce soit.

Un instant plus tard, on entendit un bruit sourd : Disdéri venait de s'écraser sur le toit d'une camionnette. Sur les trottoirs, les badauds cherchèrent l'avion qui aurait pu larguer une si étrange cargaison.

Ils ne virent qu'un magnifique ciel d'été.

Journal de Frédéric Weiss
Cinquième partie

Paris, le 20 avril 1870

Les derniers jours ont été fort décourageants. Je me suis lancé dans ma quête à l'aveuglette sans savoir par où commencer, après avoir rangé tous les instruments de mesure dans une besace en cuir assez volumineuse, que je porte en bandoulière. Une découpe, sur le dessus, me permet de voir les aiguilles et les différents cadrans d'un coup d'œil, sans que j'aie à les sortir de leur rangement : je ne voudrais pas m'exposer aux questions de passants trop curieux. Mais les aiguilles, dans un premier temps, ont refusé de bouger. J'ai alors tâché d'être méthodique, et surtout logique, en me rendant à l'endroit que je pensais être le plus favorable à la découverte d'un minéral rare, à savoir le tout récent parc des Buttes-Chaumont. Il a été bâti sur une énorme crête rocheuse, et j'imaginais qu'il pouvait renfermer en quantité le cristal convoité par maître Robert-Houdin. Hélas ! Il n'en a rien été. Pendant tout mon périple à travers les allées soigneusement tracées, mes appareils de mesure n'ont même pas frémi. Où, dans la capitale, pouvais-je

espérer faire mieux ? J'ai ruminé mon échec un jour ou
deux, mais ne suis point resté inactif pour autant. Muni
de cartes topographiques, j'ai étudié les diverses zones
de relief de la ville, persuadé que le minéral mystérieux
se trouverait sur une hauteur. C'est tout naturellement,
donc, que je me suis rendu à Montmartre, ce village
haut perché rattaché à Paris il y a une petite dizaine
d'années. Depuis les hauteurs, la vue sur Paris est stu-
péfiante. Toutefois, je n'étais pas là pour rêvasser et,
passé mon émerveillement, je me suis remis à sillonner
les rues, priant pour que les aiguilles de mes appareils
se décidassent enfin à bouger. L'air frais, le panorama
dégagé, la gentillesse des passants furent cependant les
seules récompenses à mon acharnement. À l'approche
de la nuit, je me suis écroulé sur un banc, abattu.

Hier soir, je cherchais du réconfort dans une taverne
du Quartier latin qui me semblait accueillante. Après
quelques verres d'un vin qui aurait pu être correct s'il
n'avait été coupé à l'eau, je me retrouvai à épater la
clientèle avec quelques tours de magie improvisés. Des
tours de carte, tout d'abord, puis des tours d'adresse avec
tout ce qui me passait sous la main : bouchons, pièces de
monnaie, couverts. J'avoue avoir éprouvé une grande fierté
à devenir ainsi le roi de la soirée. Les hommes riaient et
m'offraient à boire, tandis que les femmes applaudissaient,
folles d'excitation. Je comprends mieux désormais ce que
le Maître avait pu éprouver, tous les soirs, sur la scène de
son théâtre.

Minuit était déjà loin derrière nous quand la patronne de l'établissement, une femme gironde qui, autrefois, avait dû être fort belle, voulut ranger ma besace dans un endroit sûr. En le soulevant, elle s'exclama :

« Eh bien, mon gaillard, que caches-tu donc là-dedans ? Une enclume ? Ou encore des tours de passe-passe ? Montre-moi un peu ce que tu transportes ! »

Je bondis pour l'empêcher d'ouvrir le sac, mais elle avait déjà soulevé la découpe, et observait d'un air ahuri les cadrans de mes appareils de mesure.

« Si je m'attendais ! s'est-elle exclamée. D'où sors-tu donc, fiston ? »

J'ai coupé court à toute explication, et suis retourné à mon public, qui, tout comme moi, était de plus en plus ivre.

C'est alors qu'une jeune femme que je n'avais pas encore remarquée, attablée seule dans le coin le plus sombre de l'établissement, se leva et se dirigea vers moi. Bien que de taille moyenne et de stature gracile, elle dégageait quelque chose de curieusement puissant. Malgré l'alcool qui m'était monté à la tête, j'eus l'impression que ses beaux yeux verts me transperçaient et se frayaient un chemin vers mon cœur. Son sourire m'apparut franc et entier, et sa beauté tellement chavirante que ma méfiance fut immédiatement réduite à néant.

« Cher monsieur, permettez-moi de me présenter, me dit-elle. Je m'appelle Gisela von Arnim. Peut-être... avez-vous déjà lu les œuvres de mon grand-oncle ? »

Devant mon air embarrassé, elle poursuivit :

«Non, bien sûr. Quelle question idiote! Vous n'avez pas l'air de vous intéresser à la poésie. Mais la magie aussi est une forme de poésie, n'est-ce pas?»

Son français était excellent; je pus néanmoins y déceler une touche d'accent étranger.

«Mon brave! Vous m'avez l'air d'avoir perdu votre langue. Et ce n'est pas l'alcool qui vous la rendra, ajouta-t-elle. Si vous me faites l'honneur de me rejoindre à ma table, je demanderai à ce que l'on réveille le cuisinier et que l'on vous serve un plat chaud. Qu'en pensez-vous?»

Je répondis à son invitation et m'assis en face d'elle, tandis que la patronne lui jetait un regard noir; de toute évidence, le cuisinier était déjà loin, et c'est à elle qu'incombait le soin de se remettre aux fourneaux à cette heure avancée.

«J'ai été éblouie par vos tours, monsieur... monsieur?

– Weiss. Frédéric Weiss, répondis-je.

– Oh! Weiss? Tiens donc! Ce n'est pas un nom français.

– Je le suis pourtant, et mon père l'était, et son père avant lui, rétorquai-je, piqué au vif.

– Ne soyez pas susceptible, mon cher Frédéric. Je me réjouissais juste de ce que nous ayons, peut-être, des origines communes! Je sais que vous avez remarqué mon accent. Mais peu importe, peu importe. Ce qui compte, c'est l'habileté dont vous venez de faire preuve! C'est extraordinaire. Où avez-vous donc appris de tels prodiges? Vous dépassez de cent coudées les bonimenteurs que l'on croise à tous les coins de rue.

– Je suis l'élève du grand Jean Eugène Robert-Houdin», affirmai-je plein de fierté.

Gisela sourit de plus belle.

«Robert-Houdin! Je suis hélas trop jeune pour avoir assisté à ses spectacles, mais sa notoriété a franchi nos frontières. Qui n'a pas entendu parler de ses exploits en Algérie? Un seul homme pour mater un pays entier! Je n'avais que six ou sept ans, mais même en Prusse ce prodige est parvenu à nos oreilles. Ah, si nous avions un homme comme lui!»

Sur un ton plus calme, elle me demanda:

«La patronne semble avoir été très étonnée par ce que vous cachez dans votre besace. Nous sommes entre gens de confiance: dites-m'en plus, je suis curieuse!»

Soudainement méfiant, je répondis:

«Oh, rien qui puisse vous intéresser, madame.

– Je suis certaine du contraire! Et ne m'appelez pas "madame": nous avons à peu près le même âge, il me semble? Je ne dois être votre aînée que de quel-ques années. Appelez-moi Gisela, comme tous mes amis.

– Bien, Gisela. Mais je ne puis pour autant vous en dire davantage sur ma mission à Paris.

– Une mission? Vous êtes ici en *mission*? s'étonna-t-elle. Eh bien! Quelle étonnante soirée, décidément!»

Je repris peu à peu mon assurance et demandai à mon tour:

«Vous me pardonnerez si je trouve encore plus étonnant qu'une jeune femme étrangère soit seule dans un endroit comme celui-ci. Non qu'il s'agisse d'un coupe-gorge, mais...»

Gisela éclata de rire.

« Mais je ne suis pas seule, mon cher Frédéric ! Je suis accompagnée de mon chaperon. Parfois, je me demande si ce n'est pas le contraire, au fond. »

Gisela tendit le doigt vers un angle de la salle.

Au début, je ne vis rien de précis. Puis je réalisai que la masse informe que je pensais être un amas de vieilles couvertures était en réalité le corps d'un individu.

« Je vous présente mon frère Hans, annonça gaiement Gisela. Le capitaine de cavalerie Hans von Arnim, comme il aime à le rappeler ! Hélas, pour l'heure, je crains qu'il ne soit pas capable de tenir ne serait-ce que sur un mulet. Ah, le pauvre Hans ! Le vin français ne lui réussit guère.

– J'en suis flatté, répondis-je. Mais… Permettez-moi de vous questionner encore : que font un capitaine de cavalerie prussien et sa sœur dans une taverne parisienne ? »

Sans cesser de sourire, Gisela me dit :

« Hans revient d'un séjour diplomatique en Espagne. Il m'avait emmenée dans ses bagages pour me faire profiter du soleil, ce dont je lui sais gré. Nous avons encore un peu de temps devant nous avant de regagner la Prusse. Or, je me passionne pour la France. Nous avons donc fait une halte parisienne.

– Vous parlez un français exceptionnel, dis-je avec admiration.

– Merci, mais je n'en tire aucune gloire ! Notre nourrice était française. Mais dites-moi, Frédéric… Puisque mon protecteur est réduit à l'état d'outre avinée, pourquoi ne seriez-vous pas mon chaperon pour le reste de la nuit ?

– Le… le reste de la nuit ? bafouillai-je. Que voulez-vous d…

– Du calme, très cher, s'amusa Gisela. Je brûle de voir Paris la nuit, sans mon frère collé à mes talons. M'accompagneriez vous ? Et puis, ainsi, nous bavarderions plus calmement, chemin faisant.

– Je n'ai pas la carrure d'un capitaine de cavalerie, soupirai-je.

– Peu importe, Frédéric. Vous êtes un magicien, non ? Voilà qui devrait largement suffire, je pense ! Si on nous attaque, escamotez nos agresseurs ! »

Je souris, puis ajoutai :

« Mais quand votre frère se réveillera…

– Il demandera après moi, on lui dira que je suis partie avec un jeune homme qui faisait des tours de magie, et il ira chercher son sabre pour vous tuer. »

Je devins blanc comme un linge : il n'était pas question de telles complications.

« Heureusement, ajouta-t-elle, je serai là pour tempérer son ardeur. C'est qu'il a le sang vif ! »

Je demeurai silencieux, mais Gisela mit un terme à mes hésitations ; elle ouvrit une bourse d'où elle tira quelques pièces, qu'elle fit tinter sur la table.

« Allons-y, Frédéric, et ne vous posez pas plus de questions : la nuit est à nous ! » lança-t-elle gaiement.

Gisela glissa son bras sous le mien et nous sortîmes de l'établissement dans la tiédeur de la nuit.

Je ne suis pas une personne très bavarde ; mais Gisela parla pour nous deux. Elle me raconta son enfance en Prusse, les exploits de son frère... mais demeura très vague sur la nature de la mission qui l'avait menée en Espagne. Elle me posa ensuite de nombreuses questions sur ma propre histoire, ce à quoi je répondis de manière évasive. Je n'étais pas peu fier d'avoir une aussi belle femme à mon bras, mais la prudence ne m'avait pas totalement abandonné.

Alors que nous marquions un arrêt, accoudés à la balustrade du Pont-Neuf, Gisela souleva très discrètement le couvercle de ma besace. Il était trop tard pour l'en empêcher, et je me contentai de le refermer dans un geste de colère.

« Voilà qui est étonnant à plus d'un titre, jeune magicien ! Voilà donc ce que vous cachiez dans votre sac. Maintenant, il faut m'en dire plus, ne pensez-vous pas ?

– Je ne pense pas... bafouillai-je maladroitement, que vous pourriez comprendre. »

Gisela eut un air faussement offusqué.

« Me prendriez-vous pour une idiote ? J'ai eu la même éducation que mon frère. Je m'y entends en mathématiques, en sciences physiques, en chimie... Je vous surprendrais ! »

Sans pour autant trahir la nature exacte de ma mission, je me résolus à lui expliquer que j'étais ici pour rechercher un certain minéral, dont mon Maître avait besoin pour ses expériences. Gisela eut l'air folle de joie.

«Que c'est excitant! dit-elle en agitant les bras. Je suis certaine que je pourrai vous aider. Prenez-moi comme assistante!

– Mais votre frère?… demandai-je.

– Peu importe mon frère! Je vous le présenterai en bonne et due forme. Et c'est un homme du monde: il ne cherchera pas à trop en savoir. Faites-moi confiance pour lui présenter les choses sous leur jour le plus flatteur.

– Je ne crois pas que cela serait correct, Gisela, dis-je, embarrassé.

– Allons, au diable votre méfiance, Frédéric! Cette histoire est tellement plus enthousiasmante que celles que l'on entend à longueur d'année pendant les soirées mondaines. J'avais convaincu Hans de passer cette soirée-ci dans une taverne, entourés de gens du peuple, mais si j'avais su où cela me mènerait!»

Je réfléchis, puis dis:

«Je peux vraiment compter sur votre discrétion?

– Bien entendu, Frédéric. Alors, nous nous mettons au travail?

– Dans ces conditions… je suppose que votre concours ne sera pas de trop.»

Gisela en était de toute évidence ravie.

Quant à moi, je ne savais plus que penser.

8

Une recette singulière

Keren et Nathan ne disaient plus un mot. Encore sous le choc de leur expédition au-dessus du vide, ils s'étaient contentés de suivre Cornelia à travers une série de trappes, portes et corridors qui les avaient menés des toits à une sorte de remise. Cornelia condamna la porte par laquelle ils venaient d'entrer en actionnant un verrou, et se tourna alors vers les enfants.

«Je vous félicite, les *folletti*. Je pense que nous avons *un poco* d'avance sur eux, et ils ne nous trouveront jamais ici. Reprenez votre souffle! Et après, je repars.»

Keren s'étonna:

«*Vous* partez? Et nous?

– Je vous conseille de rester à l'abri encore un peu. Ensuite, rentrez chez vous aussi vite que vous le pouvez et oubliez tout ça! Je me charge du cristal. Vous, vous en avez assez fait.»

Nathan, qui gardait le silence depuis un petit moment, se décida à intervenir.

«Cornelia, c'est à moi que mon père a confié le cristal. Je pense qu'il veut que je sois là jusqu'au bout. Il me fait confiance. Je viens avec vous.»

Il se tourna alors vers Keren et ajouta :
« Bien sûr, Keren, toi, tu peux rentrer chez toi. Je ne t'en voudrai vraiment pas. »
Keren soupira et, excédée, annonça :
« Tu sais, Nathan, cela finit par être vexant, ce genre de remarque. »
Nathan ouvrit la bouche, mais Keren l'interrompit avant qu'il ait pu prononcer un mot :
« J'ai l'impression que tu ne comprends rien à rien, parfois ! Qu'est-ce que tu t'imagines au juste ? Que je suis là parce que c'est plus rigolo que d'aller à mon stage d'équitation ? »
Cornelia fit un pas en arrière et observa la scène d'un air amusé. Keren poursuivit :
« C'est vrai, quoi ! C'est pour le plaisir, *rien* que pour le plaisir, qu'un an après avoir échappé à des orangs-outans, à des métros qui déraillent, à une mini-fin du monde, je décide de rempiler en manquant de me casser le cou vingt mètres au-dessus du sol !
– Keren, tu veux en venir où ? » marmonna Nathan dont les oreilles brillaient comme un phare dans la nuit.
Elle leva les yeux au ciel en faisant des moulinets avec les bras.
« Tu me demandes *vraiment* où je veux en venir, espèce d'andouille ?
– B... Ben oui... »
L'air furieux, Keren s'approcha de Nathan, lui attrapa la tête à deux mains et l'embrassa avec vigueur sur la joue, tout près de la commissure des lèvres. Quand elle se retira, les poings sur les hanches et les sourcils froncés, Nathan

était, à son tour, transformé en statue de cire. Le regard fixe, le visage en feu, il n'était plus capable de bouger, et encore moins de parler.

«Les garçons, il faut tout leur expliquer, n'est-ce pas, Keren? dit Cornelia en pouffant de rire.

– Ah, ça! renchérit Keren. Et celui-là, dans le genre, c'est un sacré phénomène, je vous le dis!»

Nathan-la-statue sortait progressivement de sa torpeur. Au bout de quelques instants, au prix d'un effort qui, vraisemblablement, lui coûtait, il parvint à prononcer un mot:

«Keren…

– Tu sais quoi? fit l'intéressée. Ne dis RIEN. Franchement, ça vaudra mieux. Conseil d'amie!

– Euh, bon… lâcha Nathan, toujours interdit. Je… Enfin… nous… Cornelia?

– *Si*, Nathan?

– Où sommes-nous… et qu'est-ce qu'on cherche?»

Cornelia tendit l'oreille avant de répondre, puis déclara:

«Où nous sommes… Juste au-dessus du passage des Panoramas, en face du musée Grévin. Un lieu qui, autrefois, était lui aussi lié à l'illusion! Quant à ce qu'on cherche, vous le savez déjà: nous cherchons l'Escalopier.»

Nathan, qui n'avait pas encore tout à fait retrouvé ses esprits, se gratta la tête.

«L'Escalopier… Oui, c'est le nom qu'a donné mon père quand il nous a confié l'œuf. Mais qu'est-ce que c'est que ce truc? Une boucherie?»

Cornelia sourit et se dirigea vers une porte face à celle par laquelle ils étaient arrivés. Elle l'ouvrit, passa la tête avec précaution à l'extérieur, puis fit signe aux enfants de la suivre.

« Venez, je vais vous expliquer. »

La petite troupe se mit en route dans un couloir recouvert d'un papier peint défraîchi, qui menait à une cage d'escalier guère plus reluisante. Alors qu'ils s'engageaient sur les premières marches, Cornelia commença ses explications.

« Quand Robert-Houdin a commencé à faire parler de lui, le comte de l'Escalopier – rien à voir avec la viande – a prêté au Maître une somme d'argent suffisante pour qu'il puisse ouvrir un théâtre dédié à ses illusions. C'était un collectionneur, mais aussi un investisseur avisé et un mécène. Des années plus tard, la famille de l'Escalopier a continué à s'intéresser aux travaux du Maître, de manière plus discrète. »

Nathan parut deviner ce que Cornelia allait leur dire :

« Est-ce que… ce sont eux qui ont créé le euh… »

Cornelia se retourna vers le garçon en souriant.

« Mais c'est que tu es très futé ! fit-elle avec enthousiasme. Oui, tu as parfaitement compris, Nathan. Le Songe éveillé, notre société, a été créé par la famille de l'Escalopier. Juste après la mort du Maître, en 1871. À vrai dire, il y a une chose en particulier que le Songe éveillé avait décidé de protéger…

– Laquelle ? » insista Nathan.

Cornelia plissa les yeux.

« Robert-Houdin avait inventé, à la fin de sa vie, un appareil extraordinaire. Le Cogitomètre. »

Keren et Nathan attendaient la suite avec avidité.

«*Cogito*, en latin, ça veut dire "je pense", poursuivit Cornelia. Le Cogitomètre est un appareil capable... d'afficher les pensées.

– Quoi ? firent Nathan et Keren, en chœur.

– Oui, les *folletti*. Le Cogitomètre permet de voir les pensées des gens, comme si on projetait un film. Ou plutôt une série de diapositives.»

Cornelia se rembrunit avant d'ajouter :

«Frédéric Weiss, l'apprenti de Robert-Houdin, en a décrit le fonctionnement avec minutie dans ses Mémoires. Mais il y a en réalité deux problèmes.»

Elle fit une pause et s'assura que son auditoire suivait.

«*Primo*, le Cogitomètre aurait été perdu peu après la mort du Maître, puis retrouvé par la famille de l'Escalopier et jalousement gardé. Malheureusement... le dernier descendant est introuvable. Nous *savons* qu'il existe, mais on ignore où il se cache.

– Comment pouvez-vous être sûrs qu'il existe, alors, votre descendant ? l'interrogea Keren.

– Parce qu'il nous écrit, répondit simplement Cornelia.

– Pardon ?» fit Nathan.

Cornelia eut un geste d'embarras et reprit :

«*Si*. Il nous écrit. Nous recevons de lui des lettres, des ordres, des suggestions, et même parfois des dons. Mais personne ne l'a jamais vu, même si l'on soupçonne qu'il a ses quartiers près d'ici. Toutes ses lettres portent le cachet de cet arrondissement de Paris.»

Son débit s'accéléra.

«Le dernier comte de l'Escalopier est un vrai fantôme!
Mais si quelqu'un peut nous aider, c'est bien lui.»
Nathan, pensif, demanda alors:
«Est-ce qu'il y a un rapport entre la pierre que mon père
m'a confiée et ce Cogo... Cogi...
– Cogitomètre, le corrigea abruptement Cornelia. Et oui,
il y a un rapport direct. C'est la deuxième chose dont je
voulais parler. Pour fonctionner, si l'on en croit ce qu'a
écrit Frédéric Weiss, le Cogitomètre a besoin d'une sorte
de... carburant. Ce carburant, c'est un minéral qui offre
certaines propriétés magnétiques, optiques... Un minéral
unique. Et ce que t'a confié ton père, Nathan, c'est un
échantillon de ce minéral.»
Nathan ravala sa salive d'un air angoissé, et posa la
question qui le taraudait depuis le début du récit de
Cornelia:
«C'est un bout du ciel, n'est-ce pas? Mon père a volé
un morceau du ciel de Sublutetia? C'est ça, le fameux
minéral?»
Cornelia, d'un air grave, répondit:
«*Si*, Nathan. Le Cogitomètre a besoin de cette pierre
exceptionnelle pour être opérationnel.
– En parlant de ça, dit Nathan en sortant la pierre de sa
poche, je préfère que vous la gardiez, Cornelia. Cela me
semble plus sûr.
– Comme tu voudras», acquiesça la magicienne.
Keren s'étonna, songeuse:
«Mais... si vous n'y êtes pas allés, à Sublutetia, comment
êtes-vous aussi sûre de tout cela?

– Parce que Frédéric Weiss, lui, y est allé», affirma Cornelia avec vigueur.

Nathan et Keren n'en croyaient pas leurs oreilles. Timidement, Nathan demanda :

«Je... Je ne comprends pas. Sublutetia a été créée au début du XXe siècle, à la percée du métro. Vous nous parlez de choses... qui datent du XIXe siècle.

– C'est vrai, Nathan. La ville de Sublutetia n'existait pas. Mais la voûte céleste, elle, était là. Depuis toujours, probablement.

– Dans quelle histoire mon père s'est-il encore fourré?» se lamenta Nathan.

Il y eut un moment de silence, durant lequel chacun laissa flotter ses pensées et ses questions.

Puis Cornelia reprit la parole.

«Le Cogitomètre est une invention unique qui, mal utilisée, pourrait devenir une arme terrifiante. Imaginez si quelqu'un pouvait lire les pensées de toute une foule! Ou même d'un seul homme, s'il est important. Le secret n'existerait plus. Nulle part.

– Mais votre Robert-Houdin, là, s'offusqua Keren, pourquoi il a inventé un bidule pareil? Il comptait en faire quoi?

– Robert-Houdin était un homme de bien, passionné par les sciences et la technique. Il avait apparemment en tête des applications médicales. Et c'était surtout pour la beauté de la recherche qu'il s'est lancé sur cette voie.»

Nathan, qui avançait en tête, se tourna vers Cornelia :

«Ça fait trop de choses pour ma petite tête! Je suis perdu.

– Je comprends, Nathan, fit Cornelia avec douceur. La situation est la suivante. Nous cherchons l'Escalopier parce que c'est probablement lui qui possède le Cogitomètre, et aussi parce que c'est la seule personne capable de protéger la pierre. Du moins, la seule en qui nous pouvons avoir confiance.

– Mais protéger la pierre contre *qui* ? Ces gens qui nous courent après, qui sont-ils ? Ils travaillent pour ce type dont vous nous avez parlé tout à l'heure, quand on était dans les caves ? Le roi des cambriolages ? »

Cornelia acquiesça d'un signe de tête.

« Celui dont on parle n'est pas qu'un vulgaire voleur. S'il s'intéresse à la pierre, c'est qu'il sait sans doute aussi où trouver le Cogitomètre. Il est important qu'on le trouve avant qu'il s'en empare. Ainsi…

– Ainsi quoi ? s'impatienta Nathan.

– Ainsi, nous pourrons peut-être même le neutraliser définitivement. Si nous arrivons trop tard, qu'il parvient à trouver le comte de l'Escalopier avant nous, qu'il nous arrache la pierre… Je préfère ne pas penser à ce qu'il fera d'une telle invention.

– Il, il, le, le, répéta Keren sur un ton agacé. Mais comment il s'appelle, votre bonhomme ? Vous ne voulez vraiment pas nous le dire ?

– Mais si, *scusi*, fit Cornelia. Son nom est von Arnim. »

*

* *

Doucement mais sûrement, la situation s'envenimait sur la chaussée parisienne. On ne comptait plus les accrochages entre véhicules, les invectives lancées à son voisin sous le coup de l'agacement, les pleurs d'enfants… L'absence totale d'amélioration de la circulation et le soleil de plomb avaient eu raison de la patience des Parisiens. Les trottoirs, petit à petit, se voyaient eux aussi gagnés par la mauvaise humeur. Les commerçants, les uns après les autres, rangeaient leurs étals quand ils en avaient ; certains baissaient même leurs rideaux. La crainte d'une panique générale s'étendait partout sur la capitale. Et les véritables raisons de cette catastrophe demeuraient, pour tous, encore totalement inexplicables. Pour tous, ou presque. Car pour Cornelia, l'origine du mystérieux embouteillage ne semblait pas faire l'ombre d'un doute.

«C'est von Arnim, maugréa-t-elle. Je ne sais pas comment il a réussi son coup, mais je suis certaine que c'est lui, dit-elle encore en se retournant vers Nathan et Keren.

– Que c'est lui qui *quoi* ? demanda Keren.

– Qui a créé cette panique, cet embouteillage. Il en est parfaitement capable.»

Nathan eut une moue sceptique.

«Un voleur de bijouteries qui bloque la circulation dans Paris ? fit-il. Ce n'est pas un peu étrange ?

– Il y a des illusionnistes très doués, répondit Cornelia. Cela ne peut pas être une coïncidence.

– Je me demande ce qu'il cherche en faisant ça, alors, dit Nathan.

– Moi aussi. Moi aussi…» se lamenta la magicienne.

Elle passa une main dans ses cheveux et rejeta la tête en arrière, yeux fermés. Après quelques secondes dans cette position, elle finit par déclarer :

« Bon, les *folletti*, il faut qu'on y aille. Je pense que les hommes de von Arnim ont renoncé à nous chercher ici, maintenant qu'ils ne nous ont pas vus ressortir. Et il faut absolument qu'on se rende chez l'Escalopier avant eux. »

Nathan hocha la tête et demanda :

« Si vous ne l'avez jamais vu, si *personne* ne l'a jamais vu, depuis des années, comment comptez-vous l'atteindre en quelques heures ? Et surtout, avant von Arnim, qui a l'air d'avoir une armée à sa disposition ? »

Cornelia croisa puis décroisa les bras, et se pencha vers Nathan.

« Il va falloir être assez malin pour l'éviter. Je ne vous dis pas que ce sera facile.

– Attendez, attendez, protesta Keren. Qu'est-ce qui vous dit que von Arnim ne l'a pas déjà, votre Cogitotruc ? On perd peut-être notre temps, là ! Et même s'il ne l'a pas encore, et qu'on la retrouve, votre escalope, là, qu'est-ce qui empêchera von Arnim de venir le voler dès qu'on aura le dos tourné ? »

Cornelia plaça ses mains devant elle en signe de défense, un sourire en coin.

« *Basta, basta*, les enfants ! Vous posez trop de questions. Mais pour faire *presto*… Je vous ai dit que nous recevons régulièrement des courriers du comte de l'Escalopier. La dernière lettre date d'il y a trois jours à peine.

Nous pouvons donc penser que tout allait bien jusqu'à cette date. Reste une petite marge de… *come dire…* d'incertitude !»

Nathan secoua la tête, l'air à demi convaincu.

« D'accord, d'accord. Et pour le reste ? Je veux dire, comment on va le retrouver ? »

Cornelia agita son index devant son visage.

« Pour ça, Nathan… Il y a *l'appel au secours.* »

Elle avait accentué ces derniers mots, mais ni Keren ni Nathan ne comprenaient pourquoi.

« L'appel au secours ? répéta Nathan avec surprise. Vous voulez appeler qui, au secours ? »

Cornelia eut une petite expression de douleur et se pinça la lèvre tout en posant une main sur ses côtes.

« Quelque chose ne va pas ? demanda Keren.

– Si, ça va. Pollock ne m'a pas ratée, et maintenant que l'adrénaline redescend, je commence à avoir mal. Mais ce n'est rien. »

Cornelia reprit une profonde inspiration, puis poursuivit :

« L'appel au secours, c'est une procédure d'urgence. Nous la tenons d'un ancien courrier du comte de l'Escalopier. »

Elle marqua une pause, comme pour s'assurer que Keren et Nathan n'étaient pas noyés sous ses explications.

« Le comte avait écrit que si jamais une situation était si grave que nous devions absolument le rencontrer, il mettait à notre disposition un moyen de le joindre. Seulement… nous n'avons jamais vraiment compris comment faire. La procédure en question, c'est… une sorte de recette.»

Keren et Nathan demeurèrent sans voix. Ce fut Keren qui, la première, osa demander une précision.

«Une… recette?

– *Si*, fit Cornelia avec un geste embarrassé. Et elle n'a pas l'air très bonne.

– Dites toujours», se hasarda Nathan.

Cornelia desserra légèrement sa ceinture et défit une petite fermeture située à l'intérieur de celle-ci. De cette poche secrète, elle sortit une feuille parcheminée, pliée en huit.

«Nous en avons toujours tous une copie sur nous. Cela faisait partie des instructions», affirma Cornelia.

Elle déplia la feuille et, après avoir parcouru son contenu en diagonale, se décida à déclamer la recette la plus étrange que les enfants aient jamais entendue:

Si un jour le danger devait vous assaillir,
Que joindre vos talents n'était plus suffisant,
Je vous donne ici la clé pour m'aller quérir,
Tout en gambadant le long d'un chemin gourmand.

Prenez un œil d'ours, trente grammes bien pesés,
Laissez de côté singes ou poupées.

Cassez ensuite un gros œuf de canne
(s'il n'est pas centenaire,
le marchand vous prend pour un âne).

Découpez une feuille de chou
Trempée dans le sang d'un homme mangé par un lion,
Et avec toute l'ardeur du second,
Retenez bien le nom du jeune fou !

Pour que tous les ingrédients soient bien liés,
Prenez une cloche, ou quelque chose d'approchant
– dans le Littré, pas chez le fromager ! –,
Et une fois cela fait, demandez gentiment
Quand, après le siège qui mit Paris à genoux,
Il fallut vingt-cinq centimes pour se dire des mots doux.

Ces provisions singulières, n'en doutez pas,
Vous les ferez à Verdeau, à Jouffroy,
Et peut-être même bien aux Panoramas.

En silence, la bouche entrouverte, Keren et Nathan observaient Cornelia.
« Euh, voilà... crut bon de préciser celle-ci.
– Je... n'ai rien compris, avança timidement Keren. C'est une recette, ça ? Des ours, un lion ? Ça ne se trouve pas n'importe où, ça, n'est-ce pas ? Au zoo, peut-être ? »
Cornelia secoua la tête.
« Il y a un sens caché à tout cela, bien sûr, mais nous n'avons jamais pris la peine de le chercher. Nous n'en avions pas vraiment besoin. »
Nathan se frotta le menton.
« La fin de la euh... "recette" cite des noms de passages couverts. C'est là qu'on doit chercher ?

155

– *Si*, Nathan. Les commerçants et habitants des passages parisiens forment un vrai petit monde. À la fois secret et exposé aux yeux de tous. Parmi eux, certains ont même rejoint le Songe éveillé. Mais que ça soit le cas ou pas, beaucoup connaissent les secrets de Paris mieux que personne. C'est grâce à eux que je connais tous ces couloirs interdits au public ordinaire ; c'est aussi grâce à certains d'entre eux que nous avons pu installer la passerelle de verre entre les deux côtés du boulevard Montmartre. »

Keren fit la moue, les sourcils froncés.

« Les "ingrédients" sont répartis dans les passages, si je comprends bien, observa-t-elle. Mais on ne va jamais les trouver ! Et quand on les aura, on en fait quoi ? Je refuse de manger une soupe à l'œil d'ours !

– Dis donc, je te croyais plus forte que ça en énigmes, Keren », dit Nathan.

Keren attrapa les plis de sa robe et fit mine de faire une révérence.

Cornelia agita les mains.

« Bon, les *folletti, avanti !* J'ai le pressentiment que la moindre minute compte. »

Ils levèrent le camp, et quelques secondes plus tard se mêlaient aux promeneurs du passage des Panoramas, à la recherche d'un œil, d'un œuf, d'une feuille de chou et d'une cloche.

Journal de Frédéric Weiss
Sixième partie

Paris, le 1ᵉʳ mai 1870

J'ai reçu ce matin une lettre du Maître, qui venait prendre des nouvelles de mes recherches. Honte à moi : voilà plusieurs jours que je ne lui avais pas fait mon rapport. Il s'est passé tellement de choses que je n'ai plus su où donner de la tête ! Je me suis donc fendu d'une lettre assez longue, pour lui exposer l'avancée des travaux. Mais, à vrai dire, j'ai omis quelques points, ne sachant pas comment il réagirait à pareilles révélations.

J'ai revu Gisela dès le lendemain de notre première rencontre. Mais cette fois elle était accompagnée de son frère Hans. Je redoutais un peu ce moment, bien sûr. Comment un fier officier prussien pouvait-il prendre le fait qu'un rien-du-tout comme moi ait pu déambuler en pleine nuit avec sa sœur à son bras ?

Les von Arnim m'avaient convié dans un établissement bien plus luxueux que celui de la veille, et m'avaient fait préciser, dans une courte missive déposée à mon domicile, que j'étais leur invité. J'eus beau arriver avec un peu

d'avance, Gisela et Hans m'attendaient déjà, attablés.
Je crois n'avoir pas oublié un seul mot de notre premier
échange, que je tiens à rapporter ici.

« Eh bien, me dit Hans en me voyant arriver, voici donc
le mystérieux magicien qui a voulu me voler ma sœur ! Il
n'a pas l'air si redoutable. »
Je souris en lui tendant la main. De lui, je n'avais vu
qu'une silhouette avachie ; j'avais désormais devant moi
un rude gaillard qui me dépassait d'une bonne tête, aux
épaules larges et à l'allure vigoureuse. Hans, cela me
frappa immédiatement, possède le même regard que sa
sœur. Mais alors que chez Gisela cette intensité m'évoque
des mystères enchanteurs, elle donne à Hans un aspect
redoutable que même ses sourires et ses manières agréables
ne parviennent à adoucir. Quoi qu'il en soit, je répondis
à sa plaisanterie par une autre : « C'est que nous sommes
dans un lieu public. Mais le vrai magicien peut changer
d'aspect à volonté ! Je suis en réalité un géant, qui cache
bien son jeu. »
Gisela semblait s'amuser de notre petit échange. Une
fois que nous fûmes assis tous les trois, Hans, sans plus
attendre, se pencha vers moi pour me dire :
« Frédéric, n'en voulez pas à Gisela. Je suis son grand frère :
elle ne peut rien me cacher, et de plus je suis chargé de sa
protection.
– Lui en vouloir de quoi ? » demandai-je, étonné.
Je remarquai à l'occasion que le français de Hans était
meilleur encore que celui de Gisela. Je n'aurais peut-être

pas même remarqué son accent si je n'avais su qu'il était prussien.

« De m'avoir révélé les raisons de votre présence à Paris. »

Je rougis de confusion. Partager mon secret avec une personne, c'était déjà beaucoup. Mais avec deux ?

« Ne vous inquiétez pas, m'affirma Hans d'une voix rassurante. Désormais, votre secret n'ira pas plus loin, vous avez ma parole. Toutefois… »

La pause qu'il marqua me sembla durer des heures. Enfin, il reprit :

« Toutefois, j'aimerais que vous m'autorisiez à vous assister dans votre exploration. Voyez-vous, nous n'avons pas à retourner immédiatement en Prusse. Et je suis passionné moi-même d'inventions en tout genre. Je serais honoré d'apporter mon aide au grand Robert-Houdin, moi aussi ! »

Je ne savais comment décliner poliment, aussi lançai-je :

« Capitaine von Arnim…

— Hans, voyons, me corrigea-t-il.

— Hans… Je n'aurais sans doute déjà pas dû m'ouvrir à votre sœur.

— Oh, nous avons déjà parlé de ça, n'est-ce pas ? intervint gaiement Gisela. Frédéric, les jeux sont faits. Je ne crois pas aux hasards : nous nous sommes trouvés, ce n'est pas sans raison. Acceptez notre aide, Frédéric ! Hans et moi sommes des personnes de confiance. À trois, je suis persuadée que nous trouverons votre fameux gisement minéral.

— S'il existe, la corrigea Hans avec un sourire en coin. D'ailleurs, Frédéric, vous ne nous avez pas précisé la nature exacte des expériences que votre Maître compte mener.»

Je baissai les yeux.

«Non, c'est vrai. Pardonnez-moi, mais c'est une question de principe: je vous en ai déjà trop dit.»

Hans acquiesça.

«Comme vous voudrez, Frédéric. Comme vous voudrez. Je suppose que cela viendra en son temps! En attendant, acceptez-vous au moins notre aide?

– Il serait stupide de me priver de deux personnes de votre qualité», répondis-je avec mauvaise conscience.

Hans versa du vin dans mon verre en souriant. Puis il me demanda:

«Frédéric... savez-vous où s'étaient installés les Romains quand ils sont arrivés à Paris?

– Je dois bien avouer que non, fis-je.

– Eh bien, la Lutèce romaine a été bâtie sur les flancs de la montagne Sainte-Geneviève. Si un groupe de légionnaires a trouvé une quelconque grotte, son entrée doit être, probablement, en contrebas de cette zone. Sans doute près de la Seine. C'est là que nous devons chercher.

– Bien raisonné, Hans», lança Gisela.

J'hésitai, avant de répondre:

«Peut-être. Je ne connais pas l'histoire de Paris.»

Gisela, qui n'était guère intervenue, déclara d'un ton enjoué:

«Pourquoi ne pas nous mettre au travail dès demain? Maintenant que nous savons où commencer nos recherches...»

Hans secoua la tête.

« Je ne serai pas des vôtres. J'ai à faire, hélas. Mais pourquoi ne commenceriez-vous pas les recherches tous les deux ? Frédéric, je vous confie ma sœur pour une journée : ce n'est pas là un petit honneur. »

L'idée de me retrouver seul avec Gisela n'était pas pour me déplaire, même si ma mauvaise conscience me taraudait encore. Toutefois, je décidai d'accepter.

« Parfait, donc ! Gisela me fera son rapport demain soir, et je vous rejoindrai dès le lendemain. Oh, Frédéric !

– Oui ?

– Si jamais il arrivait quoi que ce soit à Gisela, il va sans dire que je vous tuerai », annonça Hans dans un éclat de rire, en engloutissant la dernière bouchée de son plat.

Le lendemain, comme prévu, j'ai retrouvé Gisela de bonne heure. Elle portait des habits simples, qui ne mettaient que davantage en lumière sa beauté et son élégance naturelle. Qu'il était difficile de lui dissimuler le trouble qu'elle m'inspirait, de ne pas sottement bafouiller en lui répondant ! Après quelques formules d'usage, nous nous sommes mis en route, notre idée étant de quadriller le secteur de la montagne Sainte-Geneviève jusqu'à ce que mes appareils de mesure battent la chamade. Mais, je dois bien l'avouer, c'est mon cœur qui s'en est chargé dès que j'ai revu Gisela. Les premières heures se sont soldées par un échec total, ce qui, pour ma part, commençait à devenir une habitude. En milieu d'après-midi, nous nous sommes engagés dans une rue bordée de bâtiments neufs : de toute évidence, elle venait tout juste d'être percée. Il s'agissait de la rue Monge.

À peine avions-nous parcouru quelques mètres que je sentis mes instruments bourdonner. Les vibrations furent tout d'abord désordonnées et de faible puissance, puis se firent plus régulières. Il n'y avait plus d'hésitation possible, nous approchions sinon du but, du moins d'un accès à celui-ci. Gisela n'avait rien manqué de toute l'affaire et, tout en posant une main rassurante sur mon avant-bras, elle se tourna vers l'édifice d'où semblaient émaner les ondes. Il nous fallut un petit moment pour comprendre de quoi il retournait. Nous nous trouvions à l'entrée d'un immense chantier, en partie masqué par une palissade en planches disjointes. Au contraire des autres constructions en cours, il se développait très en retrait du tracé de la rue, et paraissait même plonger en profondeur. Il s'agissait bel et bien de travaux inhabituels.

Gisela, plus hardie que moi, fut la première à demander des renseignements à un vieil homme qu'elle avait vu sortir d'un immeuble voisin.

« Excusez-moi, monsieur, s'enquit-elle. Savez-vous ce qui se passe, dans ce chantier ?

– Ah, pour sûr ! s'exclama le vieillard en esquissant un sourire. C'est l'invasion qui recommence !

– L'invasion ? s'étonna Gisela.

– Vous savez bien, pardi. Les Romains ! On les croyait chassés de Lutèce, mais ils reviennent au galop ! »

Je m'approchai, en tâchant de dissimuler dans mon dos ma besace, qui n'avait cessé de ronronner.

« Pardon, monsieur, vous avez dit les Romains ? demandai-je. Je ne comprends pas…

– Il y a là derrière, dit le vieillard en désignant la palissade d'un geste lent, les restes d'une construction romaine. Probablement des arènes. Vous dire de quand ça date, mes pauvres enfants, c'est au-delà de mes capacités. Mais le fait est là : à quelques mètres d'ici, il y a des siècles, des gladiateurs s'étripaient. Ou peut-être, au fond, que des acteurs se contentaient d'y déclamer du Plaute. Un spectacle insupportable dans les deux cas, ha ha ! »

Le vieillard avait l'air fier de sa plaisanterie ; mais ignorant tout de Plaute, je restai de marbre. Gisela, elle, paraissait avoir goûté à la réplique, ce qui m'embarrassa un peu.

« Monsieur, pouvons-nous visiter le chantier, à votre avis ? » demanda-t-elle.

Le vieillard haussa les épaules.

« Le directeur des travaux est un certain M. Vacquer. Un drôle de citoyen, pas très commode ! Faites ce que vous voulez, mais essayez de ne pas tomber sur lui, hé hé. »

Il nous scruta de la tête aux pieds, puis ajouta :

« En tous les cas, en voilà, une drôle de destination pour des amoureux ! »

Il poursuivit sa route et je demeurai seul avec Gisela, dans un silence gêné.

« Frédéric, allons, il faut que nous sachions ce qui se passe sur ce chantier », se décida-t-elle à dire. Je lui emboîtai le pas en direction de la palissade. Nous nous faufilâmes à l'intérieur à la faveur de deux planches manquantes. À quelques mètres de nous, une espèce de cratère rayonnait sur plus de dix mètres, dévoilant sous le niveau de la rue ce qui, un jour ancien, avait dû être une rangée de gradins en pierre. Fort peu d'ouvriers s'affairaient sur place. J'avisai alors un homme à lunettes, la barbe noire soigneusement taillée, qui s'agitait sur le chantier en brandissant un plan de cadastre à moitié déplié. Ce devait être le fameux Vacquer. Je fis signe à Gisela de s'abriter avec moi derrière un monticule de terre. De là, nous pûmes observer l'individu, trop affairé pour nous remarquer. Toute son attention semblait se porter sur une sorte de puits, maintenu par des renforts en bois. J'échangeai un regard avec Gisela, tandis que mes instruments continuaient de s'affoler : là se trouvait probablement notre destination finale. Il convenait désormais de se préparer non pas à monter, comme je l'avais pensé initialement, mais à *descendre*.

Nous regagnâmes la rue en nous hâtant, heureux comme à la veille d'un grand changement. Nous étions si enthousiastes qu'il nous fut impossible d'établir un plan d'attaque pour la suite des événements. Mais, désormais, la situation était moins compliquée : nous savions où chercher ! La nuit tombée, je quittai Gisela à contrecœur, et rentrai dans ma petite chambre du boulevard des Italiens, épuisé et ravi.

Tous ces événements ont eu lieu il y a trois jours. Comme je l'ai expliqué plus haut, je n'ai pas donné au Maître tous les détails de ma découverte, et me suis en particulier bien gardé de mentionner le rôle de Gisela. Dois-je agir seul, ou puis-je faire confiance aux von Arnim ? Il est tard et j'hésite toujours. Demain, peut-être, y verrai-je plus clair.

9

Un œil en entrée

Dans le passage des Panoramas, les promeneurs s'étaient
raréfiés. Il faut dire que le lieu, plus sombre, incitait peut-
être moins à la flânerie que le passage Jouffroy. Keren,
Nathan et Cornelia n'en étaient que plus facilement
repérables.

« Les *folletti*, fit cette dernière, je crois qu'il va falloir nous
séparer. Tout danger a l'air d'être écarté, mais si nous
restons groupés, nous allons nous faire remarquer.

– Je n'aime pas trop l'idée, soupira Keren. Mais je suppose
qu'on ne peut pas faire autrement. Et dire qu'on ne sait
même pas ce qu'on cherche !

– Si tu entres quelque part et que tu dis que tu viens de ma
part, affirma Cornelia, tout devrait bien se passer. Je suis
connue presque partout.

– Je sens que tout va se jouer dans le "presque" », grommela Keren.

Nathan, qui comme à son habitude était jusqu'alors perdu
dans ses pensées, demanda :

« Cornelia, il faut décider qui cherche quoi. Sinon, on n'y
arrivera jamais.

– Tu as raison, Nathan. De quoi veux-tu te charger ?

– Eh bien, fit-il en haussant les épaules, pourquoi pas l'œil d'ours ?

– Très bien. Et toi, Keren ?

– Oh, moi ? La feuille de chou m'ira très bien, je pense. Même si l'assaisonnement ne m'a pas l'air terrible.

– Bon. Il me reste l'œuf et la cloche. Le temps presse... Rendez-vous ici même dans une heure.

– Vous pensez qu'on va percer à jour cette énigme en une heure, alors que vous n'y êtes pas arrivée en plusieurs années ? s'étrangla Nathan.

– Disons que je n'avais jamais vraiment essayé, répondit Cornelia. Et puis, vous êtes là : c'est que vous n'êtes pas si bêtes.

– Bon... » firent Keren et Nathan dans un même souffle résigné.

Quelques instants plus tard, la petite troupe s'était égaillée, avec l'impression partagée – et assez désagréable – de chercher une aiguille dans une botte de foin.

*
* *

Nathan avait décidé de rester dans le passage des Panoramas, dans un premier temps, pour mener à bien sa mission. Anxieux, il jetait des coups d'œil fréquents par-dessus son épaule, tâchant de repérer un éventuel retour des hommes de von Arnim.

Les boutiques et les restaurants s'alignaient de chaque côté du passage, plongés dans l'étrange torpeur du mois d'août. Le monde tournait au ralenti derrière ces vitrines à la propreté parfois douteuse.

«Il va bien falloir que je me décide, s'inquiéta Nathan pensant à l'heure qui tournait. Un œil d'ours, où est-ce que je vais trouver ça… Ah, peut-être une boutique d'animaux empaillés!»

Ragaillardi par sa déduction, il arpenta la galerie au pas de course, à la recherche d'un taxidermiste. Mais sa première investigation ne lui apporta pas satisfaction. Déçu mais pas complètement désespéré, il prit son courage à deux mains et entra dans le premier commerce qui lui faisait face, en l'occurrence un salon de coiffure. Étroit, long et vieillot, il paraissait sorti d'une publicité des années cinquante, avec ses sièges en cuir rouge et ses séchoirs chromés. Un homme aux cheveux gominés apparut derrière le comptoir, une paire de ciseaux à la main; en voyant Nathan dodeliner sur le pas de la porte, il afficha un sourire qui le fit ressembler à une calandre de Rolls-Royce.

«Installe-toi, mon garçon, je t'en prie! lança-t-il avec enthousiasme.

— Je ne suis pas là pour…» commença Nathan.

Mais il ne put finir sa phrase. En deux temps trois mouvements, il se retrouva avec une serviette autour du cou, et le coiffeur le mena avec empressement jusqu'à un siège dédié au shampoing.

«Monsieur, attendez un instant! cria Nathan. Je voulais juste vous poser une question!

— Tu me la poseras plus tard. Noël Roguet est le meilleur coiffeur de Paris, mais il n'a que deux bras!»

Avant que Nathan ait eu le temps de protester de nouveau, le coiffeur lui fit pencher la tête en arrière et de l'eau tiède s'écoula sur ses cheveux.

« Ça va, ce n'est pas trop chaud ?

– Non, c'est parfait, mais...

– Ce que tu es bavard ! Tu ne peux pas juste dire "non" ? l'interrompit le coiffeur, amusé. Bon, ferme bien les yeux, gare au shampoing. »

Sur son siège, Nathan sautillait d'agacement, mais il prit son mal en patience et attendit la fin du lavage, puis le rinçage.

« Parfait, fit Noël. On fait une petite coupe d'été ? Quelque chose de très aéré mais quand même un peu moderne ?

– Je ne suis pas là pour me faire couper les cheveux ! explosa Nathan.

– Ouh là ! s'amusa Noël. C'est curieux, non ? Tu pensais quoi ? Que c'était une boulangerie ici ?

– Non, je vous l'ai dit : je voulais juste vous poser une question. Vous savez s'il existe une boutique d'animaux empaillés dans les passages ? »

Le silence s'abattit comme une chape de ciment sur le salon de coiffure. Noël Roguet regardait Nathan fixement, le visage figé, les sourcils froncés et sa paire de ciseaux brandie. Nathan déglutit avec peine, prêt à recevoir la pointe métallique dans l'œil ou la gorge. Et puis, le coiffeur éclata d'un rire si tonitruant que Nathan crut, l'espace d'une seconde, qu'une alarme s'était déclenchée dans la galerie.

«Une boutique d'animaux empaillés! Ha ha ha! hurla-t-il. Ah, mon garçon, tu m'as pris pour quoi? Un caribou?»

Il mima les bois de l'animal en sautillant, puis ajouta:

«Ou un gorille? Non? Comme ça?»

Il se dandina, genoux fléchis, en poussant les grognements les plus pitoyables qu'on eût pu imaginer. Nathan s'attrapa les cheveux en marmonnant:

«Il est fou, il est complètement fou...»

Le coiffeur se releva soudain et dit:

«Attention! Ne maltraite pas tes cheveux comme ça! Bon, je te dégage bien derrière les oreilles?

— Faites ce que vous voulez, mais taisez-vous ou répondez-moi, gémit Nathan d'une voix lasse.

— Ne le prends pas comme ça, voyons! On peut bien s'amuser, non?

— Oui, oui, rétorqua Nathan entre ses dents. Mais si vous pouviez juste répondre à ma question...»

Les ciseaux se mirent à voler à travers sa chevelure.

«Eh bien, mon garçon, je connais bien le passage, et je peux te dire que non. Non, rien de ce genre. Ah, il y a un cerf empaillé passage Jouffroy, dans la boutique de cannes. Mais c'est tout.

— C'est *tout* ce que je demandais, soupira Nathan.

— Il fallait le demander avant, alors!»

Nathan chercha un objet qu'il aurait pu fracasser sur la tête du coiffeur, mais tâcha de se calmer.

«Au fait, je suis indiscret, mais pourquoi veux-tu un animal empaillé?

– Je ne veux pas un animal empaillé, répondit Nathan, je veux un œil d'ours. »

Noël, les yeux dans le vague, déclara :

« Un œil d'ours… Des yeux, ça, je sais où il y en a, oui. Tout plein. Des bras, des mains, aussi… Mais te dire s'il y a des yeux d'ours ? Je l'ignore. »

Nathan avait sursauté.

« Quoi ? Attendez, de quoi parlez-vous ?

– De la boutique de pièces détachées de poupées, un peu plus loin.

– Où ça, plus loin ?

– Arrête de bouger, je vais rater mon coup, mon garçon, protesta Noël. Merci. Eh bien, un peu plus loin dans le passage, presque à la sortie. »

Nathan n'en pouvait plus.

« Je crois que je suis passé devant sans comprendre ce que c'était ! lâcha-t-il, enthousiaste. Il faut que j'y aille tout de suite !

– Il faudrait quand même que j'égalise un peu les… »

Mais Nathan n'attendit pas. Il sauta de son fauteuil, défit la serviette qu'il avait autour du cou et se secoua pour faire tomber les cheveux coupés. Il se rua vers la porte et, sans se retourner, cria :

« Merci pour tout ! »

Noël le coiffeur demeura seul dans le salon. Et alors que Nathan avait déjà disparu depuis quelques secondes, il s'écria à voix haute :

« De rien ! Cadeau de la maison… »

Le nez collé à la vitrine, Nathan réalisait maintenant que ce qu'il avait pris plus tôt pour un stand de tir (sans chercher à comprendre ce qu'un stand de tir ferait dans un passage parisien) était en réalité l'une des boutiques les plus étranges qu'il ait jamais vues. Peu profonde et toute en largeur, les murs peints en noir, celle-ci mettait en scène, sur le mur du fond, un vrai décor de baraque foraine. Des cibles en carton, des pipes en terre et une multitude d'accessoires minuscules.

Au centre de la boutique, sur un vieil établi, reposaient une série de petites caisses ouvertes laissant apparaître têtes, bras, jambes et torses de poupées. Sur l'un des murs latéraux, c'était une collection d'yeux en verre et de colliers divers. Partout, des tiroirs, des cartons semblaient receler des trésors du même type : poupons démembrés, poupées scalpées, rubans, boutons et bijoux en plastique. Après une bonne minute d'observation, Nathan poussa la porte en verre. Une femme au visage fermé et en sueur, l'air méfiant, vint à sa rencontre.

«Bonjour. Je peux t'aider ? demanda-t-elle. Ne touche à rien, surtout.

– Je n'en avais pas l'intention, se défendit Nathan.

– C'est que les enfants, on les connaît : ça a toujours envie de toucher... Et parfois, ça casse !

– Tout ce que je vois ici a *déjà* l'air cassé, répliqua Nathan. Mais rassurez-vous, non, je ne vais toucher à rien.

– Parfait, alors, dit la femme. Qu'est-ce que tu cherches ?

– Je... je suis à la recherche d'un œil. Vous pourriez m'aider ?

– Ce n'est pas ce qui manque, ici, des yeux. Pour quel modèle de poupée ? Ce n'est pas pour toi, je suppose ?

– Non, c'est pour une amie, répondit vivement Nathan. Et ce n'est pas pour une poupée non plus. Est-ce que vous avez aussi des accessoires pour des ours en peluche ? Des *yeux* d'ours en peluche, pour être précis. »

La femme leva les sourcils.

«Tiens… Toi aussi, tu cherches ça, donc ?»

Nathan blêmit.

«Quoi ? Qui cherche ça à part moi ?

– Un autre client. Une cliente, en fait. Elle m'a demandé exactement la même chose.

– Quand ça ? s'empressa de demander Nathan, paniqué.

– Je ne sais plus. Une dizaine de jours, je pense. Mais elle est repartie les mains vides. Je n'ai pas d'œil d'ours en rayon, désolée. »

Nathan baissa la tête, déçu, remercia la vendeuse et se dirigea vers la porte. C'est alors que son regard fut attiré par une poupée posée sur une étagère. Ce n'était pas la poupée en soi qui l'intriguait, mais une particularité de son accoutrement. Impeccablement apprêtée, elle arborait un gilet blanc fermé par une série de quatre boutons, blancs également, à l'exception de l'avant dernier qui présentait une teinte ambrée très sombre. Nathan bondit vers la poupée et colla son nez au bouton.

«Cela n'a rien à voir avec un ours, soupira la vendeuse.

– Le bouton, là ! s'exclama Nathan. Regardez donc !»

Elle s'approcha, et dit :

« Eh bien quoi ?

– Ce n'est *pas* un bouton, madame! Regardez bien! Il y a un iris, une pupille, c'est un œil!»

La vendeuse s'approcha à son tour du gilet et passa un doigt sur le bouton, qu'elle tira légèrement vers elle.

«Tu as raison... Oui, pas de doute, c'est un œil d'ours en peluche qui a été cousu sur le gilet.

– J'en ai besoin, madame! s'écria Nathan, tout agité. J'en ai absolument besoin!»

La vendeuse saisit la poupée et la posa sur une autre étagère, derrière elle.

«Cette poupée n'est pas à vendre.»

Nathan fouilla ses poches et en sortit quelques piécettes qu'il étala sur le comptoir.

«Tenez, madame. Prenez tout! C'est plus qu'il n'en faut pour un bouton, non?

Ce n'est pas la question, fit la femme sur un ton exaspéré. Cette poupée et ce bouton ne sont pas à vendre, je te dis. Je suis vrai...»

Une sonnerie de téléphone retentit, et la vendeuse, après avoir fait signe à Nathan de l'attendre, se rendit jusqu'à l'arrière-boutique.

Nathan se trouvait désormais seul, la poupée posée non loin de lui. Il aurait été facile de l'attraper, d'arracher le bouton et de partir en courant. Le garçon se mordit la lèvre inférieure alors que la tentation montait en lui. Il tendit la main vers la poupée, et son bras se mit à peser des tonnes. Ses doigts, tremblants, s'approchaient de l'œil d'ambre. Bientôt, ils le toucheraient. Nathan ferma un instant les yeux, à l'affût du retour de la vendeuse. Cette fois, le bout

de ses doigts caressait l'œil. Il n'avait qu'à tirer d'un coup
sec en maintenant la poupée de son autre main, puis à se
ruer vers la porte. Il était rapide, il avait du souffle, la vendeuse ne risquait pas de le rattraper. Un coup d'œil vers la
porte de l'arrière-boutique : rien. Pas un bruit ni un signe
de vie. La discussion téléphonique était bien silencieuse…
Les doigts de Nathan tenaient fermement l'œil d'ours ;
dans moins d'une seconde, tout pouvait être terminé.
Et puis, Nathan poussa un soupir découragé et lâcha prise.
La boule qui s'était formée dans sa gorge disparut, mais
pas son excitation. Les poings posés sur le comptoir, il dit
pour lui-même : « Quelle plaie, d'être bien élevé… »
Quelques instants plus tard, la vendeuse reparut, avec sur
les lèvres la version la plus approchante sans doute de ce
qu'elle pouvait fournir en matière de sourire.
« C'est bon, gamin. Tu peux repartir avec ton bouton. »
Nathan se demanda ce qu'on avait bien pu lui dire à l'autre
bout du fil pour qu'elle change ainsi d'avis.
« J… Je vous dois combien ?
– Rien. Prends-le et va-t'en. »
Nathan hésita, et la vendeuse insista :
« Je t'ai dit de le prendre, allez, tu as une idée de comment
faire, n'est-ce pas ?
– B… bien sûr », bredouilla Nathan, qui décelait sous ces
propos une allusion embarrassante.
Il se dirigea vers la poupée, et arracha le bouton comme il
avait pensé le faire quelques minutes auparavant.
« Merci beaucoup, madame euh…
– Rakel. File. Dépêche-toi. »

Nathan, la main serrée sur l'œil-bouton, ne se fit pas prier et commença à ouvrir la porte. Mais au moment où il sortait, la vendeuse lui dit :

« Et au fait, gamin…

– Oui ?

– Il y a des choses qu'on n'a jamais à regretter. »

Dès qu'il eut dépassé la vitrine de la boutique, Nathan pressa le pas, en se promettant de ne plus jamais remettre les pieds dans cet endroit.

*

* *

Lettre de Jean Eugène Robert-Houdin à Frédéric Weiss

Saint-Gervais, au Prieuré, le 8 mai 1870

Mon cher Frédéric,

Je me réjouis de l'avancée de vos recherches et me félicite, par ailleurs, de vous avoir accordé ma confiance. Néanmoins, il me semble que votre exploration à venir comporte certaines difficultés. La question de l'éclairage n'est pas la moindre d'entre elles ! Bien sûr, vous pouvez vous porter acquéreur d'une lampe Dietz de fabrication américaine, mais je crains que cela ne soit pas suffisant. J'ai déjà, dans le passé, expérimenté un système d'éclairage électrique[1]. Il serait un peu complexe de vous le

---

1. En 1863, si l'on en croit certains témoignages. Néanmoins, aucun document de travail de Robert-Houdin relatif à ce projet n'a pu être retrouvé. L'hypothèse la plus probable est qu'ils ont été détruits par les bombardements de 1940.

décrire ici, mais il s'agissait d'un bulbe de verre à l'intérieur duquel j'avais enfermé un gaz, ainsi qu'un filament végétal. Celui-ci, exposé à un courant électrique, faisait chauffer le gaz afin de produire une vive lumière. J'ai du reste beaucoup correspondu avec M. Léon Foucault au sujet de la lampe à arc dont il a eu l'idée, et à laquelle j'ai apporté quelques modifications de mon cru[2]. Tout cela vous permettra de constater que le sujet ne m'est point inconnu, mais je me heurte encore à deux problèmes. D'une part, la durée de vie du filament électrique, qui n'avait pas excédé une soirée, et ce dans des conditions optimales. D'autre part, la portabilité des piles utilisées pour créer l'électricité. M. Daniell[3] n'avait sans doute pas prévu une telle utilisation pour son invention ! Bien entendu, je peux me pencher plus avant sur la question, sans espoir absolu de réussite ; mais il me faudra un mois de travail, sans aucun doute. Et vous devrez aussi attendre que je vous fasse parvenir l'équipement, si tant est que je parvienne à mes fins.

Par ailleurs, loin de moi l'idée de vous influencer, mais je serais embarrassé que vous tentiez quoi que ce soit de contraire à la loi. Vous êtes sous ma responsabilité, et je me sentirais coupable de vous voir dans une situation délicate. Enfin – mais je vous fais entièrement confiance sur ce point – je vous rappelle qu'il est important que vous ne mentionniez à personne notre projet.

---

2. Jean Bernard Léon Foucault (1819-1868) était un physicien et astronome, inventeur du célèbre «pendule de Foucault». Il s'est aussi intéressé à l'optique, la mécanique et l'électricité.
3. John Frederic Daniell (1790-1845), chimiste anglais à qui l'on doit notamment la «pile Daniell» (1836).

Pour l'heure, Frédéric, profitez de Paris comme bon vous
semble. Vous avez suffisamment œuvré comme cela, prenez un
peu de repos. Je suis fier de vous.

Portez-vous bien.

Jean Eugène Robert-Houdin.

Lettre de Frédéric Weiss à Jean Eugène Robert-Houdin

Paris, le 12 mai 1870

Mon cher Maître,

J'ai bien reçu votre courrier du 8 mai, et j'attendrai donc que
vous ayez fini vos essais d'éclairage avant de me lancer dans
quelque exploration que ce soit.

Je vous précise qu'il me sera assez facile de m'introduire dans
le chantier à l'insu des ouvriers et des rares gardiens, et je ne
pense pas que cela prêtera à conséquence.

Et, rassurez-vous, je n'ai évidemment parlé de tout cela à
personne.

Avec tous mes respects,

Votre dévoué,

Frédéric.

Journal de Frédéric Weiss
Septième partie

Paris, le 12 mai 1870

C'est fait.

Je viens de mentir au Maître pour la première fois. Du moins, ouvertement : voilà déjà plusieurs semaines que je lui mens par omission. Je suppose que je devrais me sentir soulagé d'avoir tranché, dans ce sens ou dans un autre, le dilemme dans lequel je me trouvais. Mais la vérité est que je me sens terriblement honteux.

J'aimerais me persuader que tout cela est «pour la bonne cause». La vérité, c'est que je n'en suis pas si sûr.

Je peux difficilement nier que mon attirance pour Gisela a pris le pas sur ma prudence. Et malgré mon affection grandissante pour elle, je ne peux m'empêcher de penser, encore et encore, à des détails troublants.

Il y a deux jours, j'ai revu Hans et Gisela. Nous avons mangé et bu, à tel point que rapidement j'ai eu la tête qui tournait. Hans, lui, est resté parfaitement lucide – en apparence du moins – après avoir bu deux fois plus que moi. Rien d'étonnant à cela : il est grand et bâti comme un roc, et il a pour lui un certain entraînement en la matière.

Ce qui m'intrigue, c'est que la première fois que je l'ai vu, pour ainsi dire, il était affalé ivre mort au fond d'une taverne. Avait-il pu boire davantage encore ? Peut-être. Néanmoins, je ne peux le nier, la possibilité qu'il ait simulé son état ce jour-là m'a effleuré. Dans quel but ? On ne se méfie pas de quelqu'un qui semble abattu par l'alcool, ce qui laisse tout loisir pour l'observation. J'espère vivement me tromper.

Quant à Gisela, que dire ? Je pense bien trop à elle. Ses sourires ont quelque chose de tellement généreux et lumineux ! Et cette élégance qu'elle met dans chaque geste, chaque pas... Mais il y a dans son attitude une aisance presque terrifiante. Je serais d'ailleurs fou de penser que Gisela me réserve des égards particuliers ; je l'ai vue évoluer en société à l'identique. Cependant, quand elle est avec moi, seule, je choisis de croire ce qui me flatte le plus. Je ne sais quand le Maître aura mis au point son éclairage électrique portatif ; et je ne doute pas une seconde qu'il y parviendra. Mais plus le temps passe, plus je réfléchis à la possibilité de ne *pas* prévenir Hans et Gisela de l'arrivée du matériel et d'entreprendre mon exploration seul, comme il avait été prévu au départ. Sans doute est-ce pour moi le seul moyen d'effacer mon mensonge.

En attendant, je n'ai plus qu'à suivre les conseils du Maître, et m'adonner à la vie d'un jeune Parisien sans le sou. Découvrir la capitale sans transporter mes instruments de mesure sera un vrai bonheur.

Paris, le 15 mai 1870

Ce matin, le gardien de l'immeuble m'a porté un mot qui lui avait été laissé pendant la nuit. Il s'agissait d'une très courte lettre de Gisela, qui écrivait ceci :

Cher Frédéric,

Une importante affaire familiale réclame notre présence, à Hans et à moi-même, dans notre propriété de Königsberg. Nous avons dû partir sur-le-champ, et nous serons probablement loin de Paris pendant deux semaines au bas mot. J'espère qu'à notre retour les choses auront un peu évolué et que vous aurez des nouvelles de votre génial mentor.
Avec toute mon amitié,

Gisela von Arnim.

Voilà, peut-être, l'occasion que j'attendais.
Avec un peu de chance, le Maître aura terminé plus tôt que prévu et je pourrai me rendre aux arènes de la rue Monge sans Gisela et Hans, en toute bonne foi.
Tant mieux pour mon honneur !
Et tant pis pour mes sentiments envers Gisela.

10

Monsieur Bouzille

L'air sombre, le pas alerte, Cornelia volait d'une vitrine à l'autre du passage Jouffroy. Et alors qu'elle dépassait pour la troisième fois une grande boutique de babioles orientales, une voix la héla du fond de l'un des couloirs de service. Elle sursauta et se retourna vivement, sur la défensive. La voix appartenait à un homme qui, malgré la chaleur, portait une veste à capuche, laquelle était rabattue jusqu'aux yeux. Cornelia s'approcha prudemment de l'apparition. L'allée sombre, perpendiculaire au passage, était assez courte et ne comportait nulle boutique : il ne s'agissait que d'une voie d'accès à des locaux techniques, et à part quelques amoureux et le personnel d'entretien, personne ne l'empruntait jamais. Derrière l'individu, Cornelia distinguait maintenant une porte métallique entrouverte, sans poignée. Sans doute était-il arrivé par là. L'homme parla de nouveau.

« Vous savez qui je suis, j'imagine ? »

Cornelia plissa les yeux et balaya la silhouette du regard.

« *Si*, je pense savoir qui vous êtes.

– Bon, parfait. Et vous, vous êtes Cornelia Fulcanelli. Enfin, il s'agit de votre nom de scène. Votre nom, c'est

Peruggia, n'est-ce pas ? J'ai beaucoup d'admiration pour votre aïeul. Je crois qu...

– *Basta !* fit Cornelia en joignant le geste à la parole. Mon aïeul était *un ladro*, un voleur, c'est tout. Je ne suis pas fière de ce qu'il a fait.

– B... Bien, bien, n'en parlons pas», bredouilla l'homme.

Cornelia regarda derrière elle. Les promeneurs avançaient en ligne droite sans lui prêter la moindre attention, d'autant que la pénombre l'abritait partiellement.

«Pourquoi avez-vous envoyé ces deux enfants dans la gueule du loup ? demanda-t-elle froidement. Je vous en veux beaucoup.»

L'homme demeura silencieux, tête baissée. Puis il dit :

«Les autres m'auraient attrapé. Vous le savez bien. Ils m'ont à l'œil.

– Si vous êtes là, c'est bien que vous leur avez échappé. Alors ? Pourquoi envoyer Nathan, *signor* ?

– C'est que... j'ai pu sortir de ma cachette maintenant qu'ils sont sur une autre piste.»

Cornelia, rouge de colère, se mit à applaudir doucement. Le claquement de ses mains résonna un moment dans le couloir.

«Bravo, *bravissimo*, dit-elle. Vous *vous* cachez, et pendant ce temps vous envoyez votre fils de douze ans et sa petite amie à la bataille !»

L'homme, le père de Nathan donc, secoua la tête.

«Ne faites pas semblant de ne pas comprendre, Cornelia. Je suis une clé d'entrée vivante pour Sublutetia. Si le Cogitomètre et le cristal venaient à être utilisés sur moi par ces gens qui sont à nos trousses, les conséquences seraient terribles. Ils sauraient où sont les autres cristaux. Plus rien ne les arrêterait.

– Peut-être. Mais nous en sommes là parce que *vous* avez volé ce cristal.

– Je sais ce que vous pensez de moi, et je sais aussi quelle piètre image j'ai désormais auprès de Nathan. Mais ne me jugez pas ainsi. J'ai fait ce que je pensais être bon pour mon fils. Ce que j'ai volé à Sublutetia aurait été le moyen de me racheter.

– Oui, mais ça ne l'est pas. C'est même tout le contraire, *signor*. »

Le silence qui suivit parut durer un siècle. Le père de Nathan rejeta la tête en arrière après avoir dégluti de malaise, et annonça d'une voix lugubre :

« À la surface, je n'existe plus. À Sublutetia, je n'ai plus le droit de me montrer. Je suis un fantôme. Pour Nathan, et aussi pour la société... Tout ce que je demande, c'est de pouvoir réparer ma dernière erreur. »

D'une voix cinglante, Cornelia lâcha :

« En vous cachant ? C'est comme ça que vous réparez vos erreurs, *monsieur Bouzille* ? »

Le père de Nathan se raidit.

« Eh bien quoi ? C'est bien sous ce nom que vous êtes connu dans les milieux secrets de Paris, non ? continua Cornelia. Je suis sûre qu'à Sublutetia c'est aussi comme cela que vous vous faisiez appeler.

– C'est vrai, oui. C'était commode, et cela me faisait un peu rêver[1].

– Bien, monsieur Bouzille, répondez à ma question : comment pensez-vous nous aider, maintenant ?

– Je sais que vous cherchez l'Escalopier. Et je ne sais pas plus que vous où il est. Mais je sais, en revanche, que vous avez un document qui permet de le trouver. Vous ne voulez pas me le montrer ? »

Cornelia eut un imperceptible mouvement de recul. Ce trouble n'échappa pas au père de Nathan, qui baissa les bras le long du corps, le menton légèrement rentré.

« Je comprends, Cornelia. Je n'ai rien fait pour mériter votre confiance. Mais j'ai beau être maladroit, je suis plutôt débrouillard. Et je sais pratiquement tout sur les secrets de Paris. »

Pendant un long moment, ils restèrent tous deux à se regarder dans la pénombre. Puis Cornelia soupira et, après avoir regardé à nouveau par-dessus son épaule, sortit de sa cachette la fameuse recette de cuisine, qu'elle lut en détachant chaque syllabe. Quand elle eut terminé, le père de Nathan n'avait pas changé d'expression, comme s'il n'avait pas entendu le moindre mot. Toutefois, il finit par rompre le silence et demanda :

« Vous devez trouver chaque hum... ingrédient, c'est bien ça ? »

---

1. Bouzille est le nom de l'un des personnages de la série *Fantômas*, un traîne-savates alternativement serviteur et adversaire du génie du crime.

Cornelia acquiesça d'un signe de tête.

« Et… vous, vous cherchez quelque chose en particulier ?

– Eh bien, je cherche l'œuf, pour commencer. Et le temps presse, *uffa !*

– Un œuf de cane… dit le père de Nathan, d'un air songeur. Je ne vois aucune épicerie proposant ce genre de produits dans les passages.

– Moi non plus, renchérit Cornelia. Il n'y en a pas.

– Peut-être dans un restaurant ?

– Comme si je n'y avais pas déjà pensé ! Il y en a beaucoup, ici. »

Le père de Nathan se gratta la tête, et eut un léger sursaut.

« J'ai un doute, tout à coup. Cornelia, vous pourriez me montrer le papier où est inscrite la recette ?

– C'est obligé ? répondit-elle avec méfiance.

– Oui, il me vient une idée. »

Cornelia haussa les épaules.

« Pourquoi pas, au point où nous en sommes. »

Elle n'eut cependant pas le temps d'en faire davantage. Un bruit sourd résonna un court moment dans le couloir, et elle s'écroula au pied du père de Nathan. Ce dernier, interloqué, mit quelques secondes avant de comprendre ce qui se passait.

À un mètre de lui, une ombre s'était détachée du mur. Une ombre qui était probablement là depuis le début de la conversation, parfaitement fondue dans le couloir, immobile et silencieuse. C'était Pollock.

« Monsieur Bouzille, comme on se retrouve ! dit-il avec gaieté. Vous n'êtes pas facile à joindre, vous savez ? »

Le père de Nathan jeta un regard furtif à la jeune femme étendue à ses pieds. L'ombre parut s'en amuser.

« Rassurez-vous, je pense qu'elle est vivante, je n'ai sans doute pas tapé assez fort pour la tuer. C'est qu'elle est coriace, la petite Italienne ! Tout à l'heure, dans les sous-sols, elle s'est battue comme une tigresse, et je me suis retrouvé saucissonné pour de bon ! »

Le père de Nathan ne disait rien. Mais, loin de trembler, il affichait un air déterminé et combatif.

« Elle a été folle, cependant, d'imaginer que nous allions partir comme ça. C'est vrai, les autres étaient persuadés qu'elle avait quitté les passages. Mais je me doutais qu'il y avait un coup de bluff, qu'elle était encore dans le coin.

– Pollock… grogna le père de Nathan entre ses dents. Si vous touchez à un cheveu de mon fils, je vous promets que…

– Que quoi ? l'interrompit Pollock. Vous pensez être en mesure de me menacer ? Tiens, au fait ! Que pensez-vous de mon costume ? »

Pollock caressa l'étoffe dont il était recouvert, pareille dans la forme à ces grandes capes imperméables dont s'équipent parfois les cyclistes.

« Même à l'armée, ils n'ont pas de costumes de camouflage aussi aboutis. Je peux me cacher à peu près n'importe où avec ça, à condition qu'il fasse un peu sombre. Comme un caméléon ! Mais je n'en ai plus besoin, désormais… Et quelqu'un pourrait s'émouvoir de voir cette jeune femme inanimée. »

Il défit sa cape et en recouvrit Cornelia, qui ne fut bientôt plus qu'une masse indéfinie.

Le père de Nathan n'avait pas attendu d'en savoir plus et s'était retourné aussi vite qu'il avait pu. Il poussa la porte métallique par laquelle il était arrivé, se mit à courir, mais à peine avait-il fait deux mètres dans une galerie obscure que Pollock le talonna, repoussant la porte d'un coup de talon. Le père de Nathan fit volte-face, les mains vers la gorge du magicien. Celui-ci se dégagea rapidement de l'étreinte et tordit le bras de son adversaire, qui tomba à genoux dans un cri de douleur.

« Faites ce que vous voulez, je ne dirai rien, lança-t-il avec peine.

– Dire ? Mais vous savez très bien que l'on n'attend pas de vous que vous disiez quoi que ce soit. On veut juste… que vous gardiez les yeux ouverts. Grâce au Cogitomètre, nous saurons tout ! Ce n'est plus qu'une question de minutes, avant qu'on s'en empare. »

Le père de Nathan eut un petit mouvement de tête, comme pour signifier sa soumission et implorer de pouvoir se relever. Pollock diminua la pression sur son bras pour lui permettre de se mettre debout.

« Nous y voilà, alors, dit le père de Nathan d'une voix bien plus empreinte de tristesse que de peur.

– Nous y voilà où ? » demanda Pollock avec méfiance.

Le père de Nathan répondit :

« Vous pensiez que j'étais revenu de Sublutetia avec si peu de choses, monsieur Pollock ? Une pierre, et c'est tout ?

Il faut toujours avoir une roue de secours. Dites-moi si celle-ci vous plaît!»

Pollock n'eut pas le temps de réagir. Le père de Nathan, de sa main libre, tira un objet de sa poche ; les rais d'une lumière à l'intensité prodigieuse jaillirent entre ses doigts. Puis il asséna un coup de pied à Pollock, qui lâcha son bras. Mais au lieu de prendre la fuite, il saisit la nuque de Pollock et approcha son visage du sien.

«Vous n'aurez *jamais* mes yeux, Pollock», annonça-t-il.

À ces mots, il interposa la pierre entre leurs visages. Sans rien pour contenir sa puissance, dans l'obscurité du couloir, le fragment de voûte de Sublutetia projeta son éclat terrifiant. Pour Pollock et le père de Nathan, c'était comme regarder le soleil avec un télescope : ils eurent l'impression qu'on leur enfonçait des lames chauffées à blanc dans la pupille. Pollock se débattait, tournant la tête en tous sens pour échapper à ce déferlement de lumière, mais le père de Nathan tint bon. L'un comme l'autre avait fermé les yeux par réflexe, mais l'éclat était si puissant que leurs paupières ne leur offraient plus la moindre protection.

«Au secours! gémit Pollock. Arrêtez ça, je vous en supplie! Mes yeux brûlent!»

Mais le père de Nathan attendit encore plusieurs longues secondes avant d'obtempérer. Il laissa alors tomber le cristal le long de sa jambe et, après avoir tâtonné de la pointe du pied pour le retrouver, l'écrasa d'un coup de talon. Des centaines de petits points de lumière allèrent s'éparpiller autour de lui, avant de s'évanouir presque

complètement. Puis il tomba à genoux, bientôt imité par
Pollock, les paumes plaquées sur ses orbites.
L'obscurité régnait à nouveau dans le couloir, mais pour
les deux hommes elle était désormais définitive.
Le cristal leur avait ôté la vue.

Une minute plus tard, Cornelia commença à bouger sous
la cape. Lentement, maladroitement, elle s'en défit, puis,
chancelante, se remit debout en se frottant la nuque. Et
alors que ses yeux se réhabituaient à la faible luminosité,
elle poussa en grand la porte métallique qui la séparait de
Pollock et du père de Nathan.
Il fallut un peu de temps à Cornelia pour comprendre ce
qu'étaient les deux masses tremblantes qui gémissaient
au sol, dans la pénombre. Cette vision de cauchemar lui
glaça les sangs. Elle s'approcha du transformiste, et avec
mépris déclara :
« Je ne sais pas ce qui t'est arrivé, *mio amico*… Mais si tu
bouges encore, c'est que ce n'était pas suffisant ! »
Elle lui asséna un violent coup de pied. Pollock s'affaissa
et ne bougea plus.
Cornelia s'agenouilla ensuite auprès du père de Nathan.
« Monsieur Bouzille ? Que s'est-il passé ?
– J'ai sacrifié mes yeux, Cornelia. C'était la moindre
des choses, non ? Ils auraient fini par nous trahir. Le
Cogitomètre ne peut plus rien contre moi. »
Cornelia aperçut alors ce qui restait du cristal, et comprit.
Elle secoua la tête, désemparée.

« Non, non, non ! Vous êtes… *pazzo !* Il y avait sûrement une autre solution !

– Je n'ai trouvé que celle-là, fit le père de Nathan en réprimant une plainte.

– Je vais appeler une ambulance. Pour vous et pour ce *cretino*.

– C'est trop tard. Et il y aurait des questions auxquelles nous n'avons pas le temps de répondre. Cornelia, rendez-nous service : aidez-moi à avancer dans le passage, encore un peu plus loin. Vous saviez qu'il mène directement à la mairie du IXe arrondissement ?

– Non, je ne savais pas, mais je…

– Je vais m'y cacher le temps qu'il faudra. Ne vous inquiétez pas pour moi. Quant à Pollock, il faut que ses complices sachent ce qui lui est arrivé. Laissez-le où il est, il filera comme il pourra.

– Monsieur Bouzille, je ne sais pas si…

– Je vous en supplie, insista le père de Nathan. C'est la seule chose à faire. »

Cornelia secoua la tête.

« Bon… Vous êtes fou, mais je vais faire ce que vous me demandez. »

Elle se pencha vers lui, mais alors qu'elle le frôlait, le père de Nathan lui dit :

« Attendez ! Encore une chose. C'est ce que j'allais vous demander, tout à l'heure. Pourriez-vous… me relire le passage qui concerne l'œuf ? Dans votre recette…

– Vous pensez que c'est le moment ?

– Faites-le ! S'il vous plaît ! »

– Bon... Attendez.»

Cornelia tira le papier de sa poche et se rapprocha de la porte pour cueillir un peu de la lumière de l'extérieur. Puis elle lut tant bien que mal :

«Cassez ensuite un gros œuf de canne / (s'il n'est pas centenaire, le marchand vous prend pour un âne).»

Le père de Nathan se frotta les yeux dans une grimace, puis demanda :

«Vous pouvez m'épeler le dernier mot ?

– "Âne" ?

– Non, "cane".

– Eh bien, cela s'écrit c-a-n-n-e. Vous vous attendiez à quoi ?»

Le père de Nathan sourit.

«C'est donc cela.

– Quoi donc ? s'impatienta Cornelia.

– La femelle du canard, en français, c'est la cane. Avec un seul *n*. On dit "un œuf de cane" comme on dit "un œuf de poule". Mais là, cela s'écrit comme une "canne" pour marcher.»

Cornelia mit la main devant sa bouche pour étouffer sa stupeur.

«Ce que je suis bête ! Mais je suis italienne, et j'ai beau me débrouiller en français, je n'avais pas remarqué la subtilité...»

Elle s'interrompit, puis s'exclama :

«Mais alors ! Cela signifie que...

– Oui, Cornelia. Le magasin de cannes qui est un peu plus loin. Je suis sûr que c'est là que se trouve la solution à notre énigme. Il faut que vous trouviez une canne dont le pommeau est un œuf, et qui est plus que centenaire.»

La jeune femme se rembrunit, et caressa du bout des doigts les paupières du père de Nathan.

«J'espère que vous guérirez, fit-elle doucement.

– Je ne sais pas. J'ai regardé un soleil droit dans les yeux.»

Cornelia retira sa main et dit :

«Vous n'auriez pas dû ramener ces pierres de Sublutetia. Mais ce que vous venez de faire, c'est un peu trop cher payé.

– Vous ne comprenez donc pas ? Je veux détourner l'attention de Nathan autant que possible. Nathan *aussi* a vu ce que j'ai vu. Il y a, dans sa mémoire, dans ses pensées, ce que cherche von Arnim.»

Cornelia étira ses membres endoloris.

«Ah, *uffa*. Allez, relevez-vous, je vais vous aider.»

Elle laissa ensuite le père de Nathan derrière elle, enjamba le corps de Pollock – qui commençait à reprendre conscience – et se dirigea vers le magasin de cannes. Au creux de sa poitrine brillait un espoir sans éclat, perdu au milieu d'une nuit de regrets.

Un peu plus tard, certains passants des Grands Boulevards croisèrent un homme au visage anguleux qui avançait au jugé, les yeux exorbités, en se cognant à eux, aux poubelles ou aux kiosques à journaux. Mais cette apparition était bien moins spectaculaire que l'embouteillage du jour ; aussi, personne n'y fit vraiment attention.

Journal de Frédéric Weiss
Huitième partie

Paris ?, été 1870

Je n'aurais jamais pensé rédiger mes dernières volontés
dans un lieu tel que celui où je me trouve actuellement.
Mais l'endroit n'est peut-être pas pire qu'un autre pour
mourir, et je suppose que là-haut, à la surface, des milliers
d'hommes sont en train de tomber sous le feu des canons
et des baïonnettes.
Je profite d'un petit moment de calme pour rédiger le
récit de ces dernières semaines. Je pensais faire tout
cela après être remonté, mais dans quelques jours, ou
quelques heures, je serai probablement mort. Il n'est
pas dit que quiconque retrouvera ce journal, d'ailleurs.
Gisela et Hans n'ont sans doute pas plus de chance d'en
réchapper que moi. Ah, comme tout cela est curieux ! Je
n'imaginais pas être aussi calme devant l'imminence de
ma mort. Je ne laisserai pas grand monde derrière moi,
et finalement je suis peut-être plus en colère que triste.
Allez, le temps m'est compté : voici comment nous en
sommes arrivés là.

Un matin, on frappa à la porte de ma chambre. Le temps de passer une tenue décente, et mon visiteur avait disparu. Ce mystérieux transporteur avait déposé, sur mon seuil, une caisse en bois bardée d'acier, portant une simple carte mentionnant «de R.-H. pour F.». Je la tirai à l'intérieur de ma chambre – elle pesait son poids – et entrepris de l'ouvrir. Mais comme j'aurais dû m'en douter, la serrure était une nouvelle diablerie de M. Robert-Houdin : une espèce de casse-tête composé de tiges à déplacer dans de petits tubes. J'en vins cependant rapidement à bout : petit à petit, la logique du Maître était devenue, pour moi, une seconde nature.

À l'intérieur, je découvris deux appareillages quasi identiques. Chacun consistait en un harnais de cuir, au dos duquel était fixée une lance métallique. Sur le côté de celle-ci, un orifice semblait attendre qu'on y insérât une manivelle : j'en trouvai en effet deux au fond du coffre. De chaque tube partait également un tuyau tressé, terminé par une lance métallique ornée d'un globe en verre. Je distinguai un mince fil tendu entre deux tiges.

Je farfouillai encore dans la caisse, jusqu'à trouver une feuille pliée en deux et fermée par le sceau du Maître. Je l'ouvris pour y découvrir ces lignes :

Mon cher Frédéric,

L'affaire n'a pas été simple, et surtout elle a été difficile à reproduire. Mais voici deux équipements capables de dispenser une lumière soutenue pendant plusieurs heures. Il vous suffit de vous harnacher avec l'un des deux appareils, et d'actionner la languette qui se trouve à l'extrémité de la lance. Le globe se mettra alors à briller, avec une lueur bien plus importante que celle d'une lampe à pétrole. Toutefois, il faut bien que vous gardiez à l'esprit deux contraintes.

La première, c'est que les piles chimiques que j'ai utilisées n'ont pas une durée de vie éternelle. Il vous est possible de les recharger en actionnant la manivelle que vous avez dû remarquer, sur le côté de l'appareil, mais cette recharge ne pourra être répétée qu'un nombre limité de fois. Il faudra vous en contenter.

Par ailleurs, le filament végétal que j'ai utilisé pour produire la lumière est extrêmement fragile. Il vous faudra éviter de soumettre l'ensemble à des chocs trop violents.

Peut-être, avec de l'aide et plus de temps, serais-je parvenu à un résultat plus satisfaisant : mais voilà tout ce que je suis en mesure de produire à l'aune de mes connaissances actuelles.

Une dernière chose, Frédéric : l'un des deux appareils est mon prototype (celui dont le tube est fait d'un métal plus grossièrement poli), et fonctionne de fait moins bien que l'autre. Je vous suggère de ne l'utiliser qu'en dernier recours.

Vous voilà paré. Prenez soin de vous, mon ami : la tâche qui vous attend est loin d'être aisée.

Que Dieu vous garde,

Jean Eugène Robert-Houdin.

Je contemplai, indécis, les deux appareils, quand tout à coup une voix s'éleva près de moi. Je sursautai et en perdis l'équilibre. Je vis alors Gisela, radieuse, qui se tenait sur le pas de ma porte. Elle mit la main devant sa bouche pour étouffer son rire en voyant ma surprise.

« Frédéric, enfin ! dit-elle gaiement. Je ne voulais pas vous effrayer.

– Mais comment êtes-vous entrée ? protestai-je.

– Entrée ? Mais vous avez laissé la porte grande ouverte, Frédéric. »

Elle disait vrai : je n'avais pas pris soin de refermer la porte derrière moi, habitué à la tranquillité de mon immeuble.

Je n'avais pas vu Gisela depuis des semaines. Nous avions certes échangé quelques billets mais, conformément à mes engagements, j'avais pris sur moi de la tenir le plus à l'écart possible des affaires du Maître. Je croyais par ailleurs que Hans était parti pour ne plus revenir.

Jusqu'alors, nous avions pris soin de ne jamais nous approcher de nos domiciles respectifs ; et voilà qu'elle paraissait sur mon seuil, comme si de rien n'était.

« Ne le prenez pas mal, commençai-je, mais pourriez-vous me donner les raisons de votre présence chez moi ? Une affaire urgente ? »

Gisela m'adressa son plus beau sourire et me répondit :

« Un hasard, en fait ! Puis-je... entrer un moment ?

– Je ne... Je ne pourrai pas vous recevoir comme il se doit, bredouillai-je. Je n'ai pas de fauteuil ou d...

– Cette chaise, que je vois derrière vous, sera parfaite ! » lança-t-elle avec entrain.

Elle traversa ma chambre, attrapa la chaise et se posta face à moi. Je m'assis pour ma part au bord de mon lit encore défait, à ma grande honte.

«Bien! Figurez-vous que ce matin Hans et moi avions justement à faire dans votre quartier. Et en arrivant, quelle ne fut pas notre surprise de voir deux individus se diriger vers chez vous en portant cette caisse, que je vois ici! J'ai immédiatement dit à Hans: "Je parie qu'il s'agit d'une nouvelle invention de M. Robert-Houdin!" J'ai pris la liberté de venir chez vous pour en avoir le cœur net, tandis que Hans vaque à ses affaires. Alors, ai-je bien deviné?»

La coïncidence me paraissait bien trop incroyable. Mais si ce n'en était pas une, comment Gisela avait-elle su que cette caisse serait livrée aujourd'hui même? Je savais que je n'aurais pas de meilleure explication de Gisela elle-même, et il m'était par ailleurs difficile de mentir. Aussi, je me contentai de confirmer son intuition:

«Oui, Gisela. C'est le… le matériel que le Maître m'envoie pour l'exploration souterraine.

– Parfait! s'exclama-t-elle avec enthousiasme. Quand partons-nous? Hans et moi sommes fin prêts.»

J'observai sa belle robe, ses gants en peau délicats, et objectai:

«Vous ne m'avez pas l'air d'être si prête que cela, Gisela! Ce n'est pas une tenue pour se lancer dans une telle aventure.

– Oh, Frédéric, c'était une façon de parler. Mais s'il faut partir dans la journée, nous le pouvons!»

Je réfléchis aussi vite que je le pouvais: il me fallait gagner du temps, avant tout. Aussi déclarai-je:

«Je vais avoir besoin d'encore une semaine pour mettre au point tous les préparatifs. Après quoi, je vous contacterai.»
Gisela me regarda d'un œil soupçonneux.
«Mon cher Frédéric… J'espère que vous n'avez pas l'intention de partir seul?»
Je demeurai silencieux.
«Je crois que votre méfiance à notre endroit n'a pas vraiment évolué, n'est-ce pas?»
Son sourire s'était envolé, et elle parlait désormais tête baissée.
«Au fond, je ne vous en veux pas de vous méfier de nous, Frédéric. Nous sommes des étrangers, et les relations de nos deux pays n'ont pas toujours été au beau fixe. Et notamment en ce moment! Non, ce qui m'ennuie…»
Je crus discerner un sanglot dans sa voix. Une larme avait coulé sur sa joue et brillait comme une perle. Elle poursuivit:
«Ce qui m'ennuie, c'est de vous savoir en danger, seul. Qui sait ce qui vous attend sous Paris, Frédéric? Imaginez-vous à quel point un accident est vite arrivé? Que ferez-vous si vous veniez à vous tordre la cheville ou que sais-je encore? Vous n'y avez pas pensé, n'est-ce pas?
— Eh bien… commençai-je.
— Frédéric, je vous en supplie, laissez-nous venir avec vous.»
Elle se leva de sa chaise, s'approcha de moi et me posa une main sur la joue.
«Je mourrais de chagrin si je ne vous voyais pas revenir, Frédéric», ajouta-t-elle.

Je posai à mon tour une main sur la sienne, mais elle la dégagea délicatement et, me tournant le dos, se dirigea vers la porte, toujours ouverte. Je la rejoignis en deux enjambées et lui dit :

« Gisela ! Excusez-moi. Essayez de comprendre… »

Sans se retourner vers moi, elle répondit :

« J'ai connu des chagrins, j'en connaîtrai d'autres. Et je vous l'ai dit, je ne vous en veux pas. Je m'inquiète pour vous, c'est tout. Je ne peux vous dire les choses autrement.

– J'essaie de tenir au mieux mes engagements auprès de mon maître, c'est tout. Mais, Gisela, sincèrement… Oubliez ma maladresse, et attendez-moi. Je vous assure que je reviendrai sain et sauf. »

Sans bouger les talons, elle tourna la tête sur le côté et, avec un air timide que je ne lui connaissais pas, me demanda :

« Vous me le promettez ?

– Bien sûr, fis-je.

– Alors… je m'en vais le cœur moins lourd. À très bientôt, Frédéric. »

Quelques instants plus tard, elle avait disparu dans les escaliers, me laissant plus perplexe et perdu que jamais.

*

* *

L'heure approchait. Mais le 13 juillet le monde bascula.

Dans la rue, les parcs ou même dans ma cage d'escalier, les Parisiens n'avaient qu'un mot à la bouche, prononcé avec une expression d'horreur : « Les Prussiens ! » La lecture des journaux me confirma que, pour des motifs confus, la France et la Prusse – et derrière celle-ci, les autres royaumes allemands – étaient à deux doigts du conflit. L'accession au trône d'Espagne et le mauvais traitement infligé à un de nos ambassadeurs ne me semblèrent être que de vagues prétextes ; peut-être y avait-il de la part de nos voisins une simple volonté de s'affirmer après les humiliations napoléoniennes.

Le 14 juillet, la mobilisation était décrétée.

Et le 17 juillet, à la Bastille, le chef de notre gouvernement déclara la guerre à la Prusse. Il n'y avait encore aucun acte officiel signé, mais ce n'était plus qu'une question de temps.

La guerre ! Nous étions désormais face à un ennemi puissant, qui pouvait être à nos portes d'un jour à l'autre. Très vite, pourtant, les Parisiens recouvrèrent leur calme, confiants dans le bon déroulement du conflit. Je ne partageais guère cet optimisme : Napoléon III n'est pas son oncle. Par ailleurs, comment pouvais-je, en de telles circonstances, me rapprocher de Gisela et Hans ?

Je passai les pires nuits de toute ma vie.

Le 19 au matin, on tambourina à ma porte. C'était Gisela et Hans, vêtus si simplement que j'eus du mal à les reconnaître. Gisela était blafarde, et Hans bien loin d'afficher l'assurance nonchalante que je lui connaissais. Il portait un baluchon assez imposant à l'épaule.

« Frédéric, il faut nous aider ! me dit Gisela avant même un bonjour.

– Pouvons-nous entrer ? ajouta Hans en jetant un coup d'œil derrière lui.

– Bien sûr, dis-je sans réfléchir. Faites. »

Je refermai la porte derrière moi à double tour.

Hans me posa les mains sur les épaules, et me dit solennellement :

« Frédéric, merci par avance pour votre confiance. Nous sommes dans une situation impossible, ma sœur et moi-même. Comme vous vous en doutez, je dois rejoindre mon régiment. Mais les lignes de défense française sont déjà positionnées : je n'y parviendrai jamais vivant. Impossible de sortir de Paris sans être abattu. Et quoi qu'il en soit, je ne peux laisser Gisela seule. »

Avec hésitation, je répondis :

« Vous voulez rejoindre votre régiment… pour vous battre contre nous, Hans ? »

Il eut l'air embarrassé.

« C'est la guerre, Frédéric, dans tout ce qu'elle a d'injuste. Ma place est aux côtés de mes compatriotes, et ça n'a rien à voir avec l'affection que je vous porte, à vous ainsi qu'à la France plus généralement. Mais sachez que je suis aussi triste que vous que nos pays s'affrontent.

– Surtout pour des raisons pareilles, ajouta Gisela.

– Frédéric, poursuivit Hans, nous avons sans doute, grâce à vous, le moyen de nous échapper. Emmenez-nous avec vous !

– Que je vous emmène avec moi ?

– Oui, avec vous! Dans les souterrains de Paris! Personne ne nous y trouvera. Et peut-être que nous trouverons un moyen de sortir de la capitale sans être repérés. Il paraît que Paris est un vrai gruyère. »

Je passai une main sur mon front.

« Hans… fis-je. Si on me trouve avec vous, en train de vous aider à fuir, vous savez que nous serons abattus tous les trois ? C'est ce que vous souhaitez ? »

Hans eut l'air courroucé.

« Il n'est pas nécessaire que cela arrive, voyons. Si nous partons tout de suite, discrètement, nous aurons disparu de la surface sans laisser aucune trace. Rapidement. Je vous promets qu'après le conflit nous nous retrouverons, comme de vieux amis. »

Gisela me lançait des regards implorants, et Hans, le fier Hans von Arnim aux allures princières, me semblait, dans la petitesse de ma chambre, aussi perdu qu'un enfant. Comment pouvais-je leur tourner le dos ? Alors, d'une voix hésitante, je dis :

« C'est entendu. Nous allons partir immédiatement. Hans, aidez-moi à porter l'un de ces appareils. Je vois que vous êtes déjà chargé, mais je n'y arriverai pas seul. »

Je lui désignai une des lampes portatives conçues par le Maître. Tandis que je soufflais pour passer le harnais sur mon dos, Hans souleva le sien comme s'il s'agissait d'une plume.

« Et maintenant, évitez de parler, fis-je. Votre français est parfait, mais ce qu'il vous reste d'accent pourrait nous être fatal. À tous les trois. »

J'embarquai, en supplément, un sac rempli des accessoires que je pensais m'être utiles durant ce périple : cordes, piolets, chevilles, maillet et, bien sûr, appareils de mesure. L'ensemble, que j'avais préparé quelques jours auparavant, pesait bien lourd ; et au fond le robuste Hans pouvait m'être d'une aide précieuse.

En route pour le chantier, nous fûmes frappés par le calme qui régnait dans les rues. Une fois sur place, je notai que les ouvriers s'étaient égaillés un peu partout sur le site. Vacquer ne semblait pas être présent, aussi pûmes-nous atteindre sans difficulté le puits que nous avions remarqué, Gisela et moi, lors de notre première visite.

Le moment était venu.

Je regardai Gisela et Hans, qui, à présent, ne souriaient plus. Pour un passant, leur visage n'aurait sans doute paru révéler aucune émotion. Mais je les connaissais suffisamment, l'un comme l'autre, pour savoir que quelque chose les troublait ; or, il en fallait beaucoup pour désarçonner ces fiers Prussiens.

Je jetai un coup d'œil à mes appareils de mesure : ce que je cherchais se trouvait, forcément, quelque part sous cette arène. Je fis un signe de tête à mes compagnons et me tournai vers le puits. Les renforts en bois dissimulaient en réalité un escalier très ancien s'enfonçant sous terre. J'actionnai l'appareil de M. Robert-Houdin, et fis mes premiers pas dans l'étrange boyau.

*
** *

Nous ne vîmes pas grand-chose de passionnant pendant les premiers mètres de notre descente. Le Maître avait encore réalisé un exploit avec son invention qui nous fournissait une lumière éblouissante, capable de nous éclairer sur plusieurs mètres à la ronde. Mais hormis la maçonnerie assez grossière, qui maintenait en place la paroi friable du tunnel, rien n'attira particulièrement notre attention. Les marches avaient cédé la place à un chemin recouvert de mousse et dangereusement glissant. À plusieurs reprises, Gisela, dont les souliers n'étaient pas les plus adaptés à cette aventure, perdit l'équilibre.

Le chemin se rétrécit considérablement, et bientôt nous parvînmes à un cul-de-sac : un amoncellement de gravats nous barrait la route et certains blocs de pierre me semblèrent bien trop imposants pour être poussés.

Hans, qui n'avait pas dit grand-chose durant notre descente, poussa un juron en allemand et chercha quelque chose dans le sac de toile que je transportais. Il en tira un piolet et, sans ménagement, m'écarta de l'éboulis. Il asséna sur la roche des coups si puissants qu'ils durent s'entendre jusqu'à l'extérieur du tunnel. Des éclats de roche volèrent en tous sens et je me protégeai le visage. Après une minute, je déclarai :

« Nous n'arriverons à rien, Hans. Il faut remonter et trouver un moyen plus astucieux de venir à bout de ce barrage. »

Hans s'approcha de moi et me toisa d'un air menaçant.

«*Keine Chance!* grogna-t-il. Nous y sommes, nous y restons. Vous avez peut-être du jus de navet dans les veines, *mein Freund*, mais si je dois pulvériser ces pierres une à une, je le ferai.»

Il regarda Gisela, puis revint vers moi, et murmura avec froideur :

«Protégez-vous mieux.»

Il allait lever son piolet une nouvelle fois, quand un détail attira mon attention. L'assemblage de gravats qui nous barrait la route avait quelque chose de peu naturel. Des blocs parfois trop réguliers, une surface trop lisse… Je criai à Hans d'arrêter. Il figea son geste alors que la pointe de son outil s'apprêtait à entamer la pierre et, sans se retourner, me demanda :

«Quoi encore, Frédéric ? Vous pensez que vous pourriez m'aider, finalement ?»

Je m'avançai vers lui et lui fis part de mes réserves : «Hans, regardez. Cet éboulement n'est pas naturel, j'en mettrais ma main à couper.

– Que racontez-vous ? fit Hans, agacé.

– C'est ce qu'en magie on appelle un "détournement d'attention". J'en suis sûr.

– Je ne comprends pas ce que vous entendez par là.»

Je posai contre l'un des murs l'appareil d'éclairage et répondis :

«C'est simple. Voyez-vous cette pierre ?»

Hans jeta un coup d'œil furtif dans la direction qu'indiquait mon doigt.

«Oui, et alors ? Qu'a-t-elle de si extraordinaire ?

– Eh bien, pendant que vous regardiez mon doigt – et la pierre au bout de mon doigt –, vous ne prêtiez pas attention à ma main gauche.»

Je lui tendis alors le document plié en quatre, portant un cachet de cire brisé, que je venais de sortir d'une de ses poches, à son insu. Il me l'arracha brutalement des mains et, les dents serrées, m'annonça :

«Ne recommencez jamais ça, Frédéric.»

Gisela s'approcha de son frère et prononça quelques mots d'apaisement en allemand. Le Prussien sourit et me dit :

«Excusez mon agressivité, Frédéric. Ce tunnel me rend nerveux. Mais où vouliez-vous donc en venir ?»

J'observai les murs qui nous entouraient, à la recherche d'un indice. Mais rien n'attirait particulièrement mon attention. Aussi, je déclarai :

«Nous avons fait fausse route, mes compagnons.

– Fausse route ? s'indigna Hans. Mais nous sommes descendus en ligne droite ! Et nous n'avons pas croisé la moindre intersection.

– Précisément. Je suis persuadé que la dernière section de ce tunnel est un leurre. M. Robert-Houdin m'a déjà maintes fois parlé de ce type de pièges : derrière cet éboulis trop régulier, il n'y a sans doute que la roche brute. Nous avons raté quelque chose, plus haut.

– Vous êtes bien sûr de vous, Frédéric, dit Gisela avec douceur.

– Croyez-moi, Gisela : désormais, je sais reconnaître une illusion quand j'en vois une.»

Je récupérai mon harnachement lumineux et fis demi-tour, plus vigilant cette fois aux détails de la construction du tunnel. Mais je ne remarquai rien qui fût de nature à dissimuler quelque entrée dérobée.

« Eh bien ? me tança Hans alors que nous avions déjà accompli la moitié du chemin en sens inverse. Votre théorie ne me semble pas aller en se confirmant… »

Je ne répondis rien et fermai les yeux. Un élément devait m'avoir échappé. Je repassai mentalement en revue notre descente, évoquai la monotonie de ce long couloir.

Et, soudain, la réponse me vint.

Ce n'était pas un détail visuel que nous devions chercher, mais un détail auditif. Un peu plus tôt, le bruit de nos pas avait changé alors que nous approchions de l'éboulis. Sur une portion infime, certes, mais que n'y avais-je été plus attentif ! Un son plus aigu, plus creux ; de manière imperceptible, sans doute, mais le Maître m'avait déjà amplement démontré à quel point l'ouïe est importante pour résoudre une énigme. La mousse était plus rare sur cette section, et il y avait nécessairement une raison.

Je criai à Gisela et Hans de me suivre, et courus à l'endroit que je suspectais. Je manquai m'affaler au sol à plusieurs reprises ; mes compagnons prussiens, eux, avaient adopté une allure plus prudente. J'eus bien vite le bonheur de vérifier mon intuition : le bruit de ma course se trouva, momentanément, modifié.

« C'est ici ! criai-je triomphalement.

– Ici ? répéta Gisela avec incrédulité. Mais je ne vois rien ! Hans ?

– Je ne vois rien non plus. »

Je tapai du pied et une imperceptible vibration métallique s'éleva dans l'étroit boyau.

« Il ne s'agit pas de voir, mais d'écouter ! fis-je avec enthousiasme. Écoutez ! Le sol est creux, ici. Et ce n'est pas de la roche. »

Hans s'approcha, mais j'étais déjà à quatre pattes, à retirer la mousse de mes mains nues. Et sous mes doigts apparut, petit à petit, une plaque en métal dans un état de conservation remarquable. De petits éclats dorés dansèrent sous l'éclairage électrique, et il me parut évident que de l'or avait été utilisé pour forger cette pièce, ce qui expliquait en partie son aspect. Hans vint me prêter main-forte ; rapidement, nous découvrîmes que la plaque était tout simplement sertie dans la roche avec beaucoup de précision, mais qu'elle n'y était pas fixée par d'autres biais. Toutefois, son poids semblait important et il n'allait pas être simple de la soulever. Du moins le croyais-je : Hans se releva, et à nouveau muni du piolet, asséna un coup formidable à la jonction du métal et de la roche. Cette dernière se fendit. Il répéta son geste deux, trois fois, et bientôt un éclat sauta, suffisamment important pour que l'on pût faire levier dans l'interstice ainsi créé. Hans y glissa la pointe du piolet et tira de toutes ses forces ; tout son visage était crispé. Je vins l'aider et, après quelques secondes, la plaque se souleva dans un crissement aigu. Nous pûmes la dégager sur le côté ; je glissai alors la lampe électrique dans l'ouverture : une nouvelle série de marches s'enfonçait dans l'obscurité.

Nous n'eûmes même pas à nous consulter. Sans attendre, la lance lumineuse tendue devant lui, Hans entreprit de descendre les marches. Je fis signe à Gisela de lui emboîter le pas, et je fermai la marche.

La descente, raide et rectiligne, me sembla durer une éternité. Contre moi, je sentais les instruments de mesure en pleine effervescence : nous approchions.

Notre erreur fut, sans doute, d'oublier que cet édifice n'avait pas été entretenu depuis près de deux mille ans. Alors que la lassitude commençait à nous gagner, une marche céda au passage de Hans. Dans un fracas monstrueux, l'escalier tout entier se disloqua, et nous dévalâmes sur le dos une pente vertigineuse. Derrière nous, les parois et la voûte du tunnel s'effondraient à leur tour. Je tâchai de me rouler en boule pour me protéger. Un bruit de verre brisé : le globe qui terminait ma lance électrique n'était plus, et la pénombre nous engloutit.

Nous roulâmes encore pendant des siècles, jusqu'à ce que Hans poussât un cri. La glissade se terminait par une chute à pic. Fort heureusement, ce n'est pas la roche que nos corps meurtris rencontrèrent, mais un épais tapis végétal qui nous sauva sans doute la vie. Hans eut la présence d'esprit de serrer sa sœur contre lui, et de rouler ainsi sur le côté pour échapper à une pluie de gravats. Je l'imitai, en me déportant du côté opposé. À demi assommés, nous restâmes, tous les trois, étendus au sol pendant quelques minutes, à attendre que le glissement de terrain cessât.

Quand tout fut fini, je constatai que, par miracle, l'une de nos deux sources de lumière fonctionnait encore : mais il s'agissait du prototype du Maître, et le temps nous était probablement compté.

Hans et Gisela reprirent leurs esprits après moi. Hans semblait souffrir de la cheville, et Gisela de l'épaule. Je remerciai le ciel pour être, autant que je pouvais en juger, totalement indemne. Toutefois, il nous parut évident qu'il nous serait impossible de rebrousser chemin.

Qui sait ? Peut-être un explorateur plus chanceux que nous découvrira-t-il ces notes.

Dans quelques instants, nous nous remettrons en route, et nous avancerons tant que notre source de lumière fonctionnera.

Après…

11

Keren et la feuille de chou

Malgré son enthousiasme naturel, Keren devait se rendre à l'évidence : elle n'avait pas la moindre idée de ce qu'elle cherchait, ni même l'ombre d'une piste. Une feuille de chou trempée dans du sang ! Quelle quête absurde. Et par où commencer ? Keren avait décidé, dans un premier temps, de ne pas considérer les boutiques aux allures trop modernes du passage des Panoramas ; la devinette de l'Escalopier faisait probablement référence à des établissements installés depuis de nombreuses années. Elle observait donc les enseignes, pistant les boiseries désuètes et les étagères poussiéreuses qui pouvaient trahir l'âge des boutiques. Mais rien ne lui mettait la puce à l'oreille concernant une feuille de chou...

Toutefois, un autre problème ne tarda pas à se manifester. En effet, alors que Keren scrutait pour la dixième fois le ventre sombre d'une ancienne boutique désaffectée, elle remarqua dans le reflet de la vitrine une silhouette masculine qu'elle était persuadée d'avoir déjà rencontrée. Soudain prise d'inquiétude, elle se retourna, prête à fuir. Elle put alors dévisager un individu de petite taille, vêtu d'un costume en lin blanc et coiffé d'un panama, qui, en tentant de s'éclipser, se prit les pieds dans une chaise en métal. Déséquilibré et de toute évidence vexé, il battit des bras pour se redresser et s'éloigna rapidement avec une démarche bien peu naturelle. Keren n'avait guère eu le temps d'observer son visage, mais elle était certaine de l'avoir vu à plusieurs reprises au cours de la journée. Elle fit un effort de concentration. Oui, c'était bien l'individu qu'elle avait croisé sur le boulevard, puis dans le musée. Cependant, l'homme lui évoquait aussi un souvenir plus ancien, qu'elle ne parvenait pas à convoquer avec précision. Que lui voulait-il ? Si c'était l'un des hommes de von Arnim, pensa-t-elle, il aurait probablement agi bien plus tôt. Consciente du danger mais trop curieuse pour en rester là, elle emboîta le pas à l'individu au panama, qui, la sentant sur ses talons, se mit à accélérer le mouvement. Distancée, Keren lança :

«Monsieur ! Avec le chapeau, là ! Attendez un peu !»

L'homme s'arrêta net, les bras ballants. Bientôt, Keren fut à sa hauteur ; l'individu était entre deux âges, avec un visage plutôt ordinaire à l'exception de ses yeux, d'un très beau gris. Il se mordit les lèvres quand la jeune fille, l'air vindicatif, lui fit face.

«Eh bien ? demanda-t-elle.

– Euh, eh bien quoi ? répondit l'individu, de toute évidence très contrarié par cette confrontation.

– Oh, vous le savez très bien ! Je suis sûre que vous me suivez.

– Mais… mais pas du tout !» bredouilla l'homme.

Keren fronça les sourcils et, sans même s'en rendre compte, se hissa sur la pointe des pieds pour prendre de la hauteur. «Oh, vous voulez bien arrêter ? s'impatienta-t-elle. Dans la rue, au musée… Maintenant ici ! Vous me regardiez, je vous ai vu.»

L'homme baissa le regard.

«Bon, euh… C'est vrai, je vous suivais. Mais je ne vous veux aucun mal, mademoiselle.»

De fait, en cet instant, l'individu paraissait bien inoffensif en comparaison d'une Keren agitée et rouge de colère.

«Vous pouvez vous expliquer ? insista celle-ci.

– Bien sûr, bien sûr, fit l'homme en s'épongeant de nouveau. Je vous suivais pour vous protéger.

– Pour me *protéger* ?

– Oui, vous et votre ami Nathan. Je vous assure.

– Et en quel honneur ?

– C'est un ami à vous qui m'a envoyé. Je suis détective privé. Enfin, je l'étais, à une époque.»

Keren n'en crut pas ses oreilles. Elle observa l'individu des pieds à la tête ; il ne ressemblait en rien à l'idée qu'elle se faisait d'un détective privé. Intriguée, elle le relança :

«Un ami à moi ? À Nathan et moi ?»

L'homme rougit, marqua un silence, puis répondit :

«Oui. Mais je ne suis pas supposé vous dire le nom de mon client.

– Minute, fit Keren, soupçonneuse. Vous avez dit que vous étiez détective. Donc vous ne l'êtes plus ! C'est quoi cette histoire de client ? Dites-moi qui vous envoie, ça ira bien plus vite ! Sinon, je me mets à hurler !»

L'homme blêmit et mit les mains en avant dans un geste de supplique.

«Non, je vous en prie, mademoiselle! Cette journée est déjà assez catastrophique comme ça. Mon client, c'est... Auguste Fulgence.»

Keren eut un mouvement de recul et ouvrit la bouche sans pouvoir en faire sortir le moindre son. Fulgence! Elle pensait ne plus jamais entendre ce nom. Elle secoua la tête pour recouvrer ses esprits, puis demanda:

«M. Fulgence vous envoie? Mais comment? Et pourquoi? Et vous êtes qui, *exactement*?»

L'homme regarda autour de lui d'un air craintif, puis fit signe à Keren de le suivre dans une allée transversale moins fréquentée. Il ôta son chapeau, dévoilant une tonsure, puis, nerveusement, déclara:

«Je m'appelle Alphonse Roujol. Je... Je suis un citoyen de Sublutetia.»

Keren eut une moue indécise.

«Je comprends que cela vous étonne, continua Roujol. Auguste Fulgence a eu vent de... certains événements qui pouvaient vous causer du tort. En fait, nous nous sommes doutés que le père de Nathan allait vous confier quelque chose de très important, et que vous alliez courir un immense danger. Alors, M. Fulgence m'a envoyé ici pour vous protéger.»

Il eut l'air gêné, mais poursuivit:

«Pour être parfaitement franc... il n'y a pas que *vous* qui courez un danger. Pour tous les Sublutetiens, il s'agit aussi d'un cas de force majeure.

– Un cas de force majeure ? s'étonna Keren.

– Oui, mademoiselle. Un danger aussi grand que celui que vous avez connu l'année dernière. »

Keren se rembrunit.

« Ne le prenez pas mal, mais je ne me sens pas très rassurée avec vous. »

Roujol soupira.

« Je n'ai jamais été très discret, je suis moyennement courageux, un peu trop timide... Mais j'ai toujours eu de l'intuition, et surtout une chance incroyable. Et puis, pour être parfaitement honnête, M. Fulgence ne connaît pas ces détails de mon caractère ; il a pensé qu'un ancien détective privé était l'homme de la situation, voilà tout. »

Ses doigts se crispèrent sur la bordure de son chapeau, et il ajouta :

« Ce qui n'arrange pas mon cas, c'est que je n'ai plus l'habitude de la surface. Tous ces gens, tout ce monde... Je suis un peu perdu. Cela faisait si longtemps.

– Oui, j'ai remarqué. On a échappé à la mort environ douze fois, depuis ce matin, monsieur le détective. Et ce n'est pas grâce à vous que l'on est vivant ! »

Roujol baissa la tête, et timidement demanda :

« Au fait ... Vous... Enfin... qui a le cristal ? »

Keren eut une moue méfiante.

« Tiens, tiens, vous vous intéressez aussi au cristal ? Et si vous m'aviez menti ? Vous pouvez me raconter n'importe quoi, hein !

– Je me doutais que vous diriez ça, mademoiselle Keren. C'est compréhensible. Tenez... »

Il tira alors de sa large poche une sandale de petite taille tout à fait banale ; Keren, en la voyant, poussa un cri d'étonnement.

« Mais ! C'est la sandale que…

– Oui, vous l'aviez perdue dans le secteur des singes, il y a un an. Comme vous le savez, depuis votre départ, nos relations avec les orangs-outans se sont détendues. Nous allons et venons librement sur leur territoire, et eux-mêmes ont pu étendre celui-ci au-delà des anciennes limites. Quelqu'un a retrouvé cette sandale près d'un lac, et nous l'a rapportée. Cela ne pouvait être qu'à vous, bien sûr. »

Keren considéra la sandale, pensive, et finit par dire :

« Vous n'avez pas pensé à prendre l'autre, par hasard ? »

Roujol sourit.

« Bon, je plaisante, dit Keren. C'est bon, je vous crois. Et ce n'est pas moi qui ai la pierre, mais elle est en sûreté. En attendant, on a un autre problème, et un gros. Vous êtes fort en énigmes ?

– Non. Enfin, je suis plutôt bon en mots croisés. Mais les énigmes, non, pas spécialement.

– Pfff, souffla Keren. On en a, de la chance, d'être tombé sur vous !

– Je… Je me suis toujours senti plus proche de Watson que de Sherlock Holmes, mademoiselle Keren. Et puis, dans la vraie vie, les détectives s'occupent de petites affaires pas très jolies, qui font les gros titres des feuilles de chou. »

Keren se figea. Puis elle tendit un doigt vers Roujol et bafouilla :

« Attendez, là. Je… Redites ce que vous venez de dire !

– Quoi donc, mademoiselle ? Les gros titres ?

– Oui, les gros titres de quoi ?

– Des journaux à scandales.

– Non, vous avez dit autre chose !

– Ah oui, des feuilles de chou. C'est la même chose. L'expression est un peu passée de mode. »

Keren sautilla sur place, puis sauta au cou de Roujol. Celui-ci rougit de confusion et bredouilla :

« Mademoiselle Keren, allons, je…

– Vous êtes beaucoup plus fort que vous ne le pensiez, monsieur le détective ! Ce que je suis bête : des feuilles de chou ! Mais bien évidemment ! J'ai déjà entendu ma mère utiliser cette expression.

– Je suis heureux si ça vous aide. Mais je ne comprends rien, pardonnez-moi », confessa Roujol.

Un flot de paroles s'échappa alors de la bouche de Keren, qui retraça les dernières heures aussi vite qu'elle put, gestes à l'appui. Roujol l'écoutait avec attention, tout en martyrisant le pourtour de son chapeau. Quand Keren eut fini son exposé, il le reposa sur sa tête et annonça :

« Eh bien, pour une histoire incroyable, c'est une histoire incroyable. Je devrais peut-être mettre M. Fulgence au courant des dernières…

– Peu importe, Fulgence, le coupa Keren avec précipitation. L'essentiel, c'est que grâce à vous on sait ce qu'on cherche. Venez avec moi, il faut qu'on trouve cette feuille de chou.

– Mais je ne peux pas vous suivre, je dois veiller sur vous ! Je veux dire, je dois vous suivre, oui, mais *de loin*.

– Oui, bien sûr. Mais si vous faisiez ça de près, pour changer ? Vu ce que ça donne quand vous faites ça de loin...
– B... Bon. Je suppose que vous avez raison.»
Keren, remontée comme une pendule, fila à travers le passage, Roujol trottant à ses trousses. Cette fois, la jeune fille avait une idée claire de ce qu'elle cherchait : un bouquiniste susceptible de vendre d'anciens journaux spécialisés dans les faits divers. Mais si les livres anciens ne manquaient pas, les magazines, revues et journaux, eux, semblaient plus rares. Un premier magasin, à la vitrine remplie de vieux illustrés, attira son attention. À l'intérieur, un monsieur aux cheveux gris s'affairait à monter une maquette d'avion, et à l'odeur de vieux papiers se mêlaient celles de la colle et de la peinture acrylique. À l'arrivée de Keren et Roujol, il leva un sourcil méfiant, puis retourna à son pinceau en poil de marte sans décocher le moindre mot. L'échange qui suivit se révéla bien peu gratifiant : aux questions de Keren, le vieux bouquiniste n'opposa que quelques borborygmes, parfois accompagnés d'un geste menaçant de son pinceau. Keren, écumant de rage, sortit de la boutique en lançant, d'un ton glacial :
«Merci *beaucoup* de votre aide et de l'accueil ! Si ça vous embête d'avoir des clients, n'ouvrez pas de boutique, hein !»
Une fois revenus dans le passage, Roujol et Keren se regardèrent, indécis. Puis Keren se rappela une autre enseigne, dans l'une des allées transversales, et se mit à courir, suivie par Roujol. Ils parvinrent bientôt à une nouvelle boutique à la devanture jaune, un peu à l'écart.

Celle-ci, de l'extérieur, révélait un capharnaüm sans nom.
Des cartons y étaient entassés, souvent crevés et à moitié
vidés de leur contenu. Des vieilles diapositives gisaient au
sol, éparpillées, tandis que des objectifs d'appareils photo
s'alignaient, poussiéreux, sur des étagères bancales. Au
sein de ce fatras, Keren et Roujol découvrirent un individu barbu et à la forte corpulence, qui triait un bac de
disques 33-tours. Il leva la tête, sourit, et d'un air affable
demanda :
« Mademoiselle, monsieur... Je peux peut-être vous
renseigner ?
– Oui, oui, fit Keren avec empressement. Vous avez des
vieux magazines de faits divers ? Enfin... je ne sais pas
exactement comment expliquer...
– J'en ai, oui, fit le vendeur sans hésiter. Mais ils sont *très*
anciens, je vous préviens. »
Il se traîna vers un recoin de sa boutique. Il s'approcha
d'une immense pile de revues jaunies, souffla dessus, puis
se tourna vers Keren et Roujol.
« Voilà, dit-il. Il y a un sacré bail, un client m'avait laissé
tout cela pour estimation. Mais il n'est jamais revenu !
Théoriquement, je ne dois rien vendre avant de le prévenir.
Cela fait plus de dix ans, maintenant, je suppose qu'il y a
prescription, pas vrai ? Et puis, je crois que j'ai perdu son
numéro de téléphone. Vous pouvez toujours regarder, en
tous les cas. »
Il se racla la gorge et ajouta :
« Ça vous dérange si je vous laisse farfouiller ? C'est que j'ai
encore du classement à faire.

– Oh, allez-y, s'empressa de répondre Keren. On va regarder.»

Le vendeur retourna à ses disques, tandis que Keren et Roujol entreprenaient d'examiner les revues de la pile. Celles-ci étaient fort anciennes, et dataient, pour la plupart, du début du xxᵉ siècle. Keren tordit la bouche en découvrant les illustrations souvent effrayantes des couvertures : crimes passionnels, accidents en tout genre... Bientôt, l'espoir commença à quitter Keren. Il y avait des pendus, des maris jaloux, des explosions, des naufrages en haute mer, mais de lions, point.

Il ne restait plus que trois magazines à examiner. Keren, le cœur battant, écarta le premier, puis le deuxième, et poussa une plainte de déception en découvrant le dernier. «Bon, gémit-elle. C'est raté. Il va falloir chercher ailleurs. Et nous n'avons presque plus de temps.

– Je suis désolé, mademoiselle Keren, dit Roujol. J'aurais tant aimé vous aider.

– Vous m'avez mis sur la bonne piste, Watson, c'est déjà ça. Enfin, je suppose que c'est la bonne piste. Mais c'est l'heure de retrouver Cornelia et Nathan, maintenant. J'espère qu'ils auront eu plus de chance que nous.»

Keren reprit l'une des revues, la feuilleta et la jeta sur la pile en murmurant :

«Ah, la barbe!»

Le geste de Keren souleva un petit nuage de poussière qui s'engouffra dans le nez de Roujol. Ce dernier entrouvrit la bouche, les narines frémissantes, et il poussa un éternuement si puissant que son dos alla heurter l'étagère à laquelle il s'appuyait. Celle-ci vacilla sur sa base, et quelques magazines posés sur la planche supérieure tombèrent au sol. Keren se pencha machinalement pour les ramasser, et étouffa un cri de stupeur :

« Non ! Je n'y crois pas, je n'y crois pas !

– À quoi donc, mademoiselle Keren ? demanda Roujol en cherchant un mouchoir dans sa poche.

– Regardez ça ! »

Keren tenait dans la main une revue appelée *L'Œil de la police*. Sur la couverture, on pouvait lire le titre suivant : « Malheureux en amour, il se livre aux fauves ». Quelques vignettes encadraient une illustration montrant un jeune homme assaillis par deux lions. La première légende indiquait : « Jean Grollier, employé du cinématographe Glassner, aimait éperdument une jeune fille ».

Keren exultait.

« C'est ça ! C'est ça que nous cherchons, j'en suis sûre ! Bien joué, Watson ! »

Roujol déclara timidement :

« Je vous l'avais dit, mademoiselle Keren. Je ne suis pas un grand enquêteur… mais j'ai toujours eu beaucoup de chance. »

Keren réfléchit, puis annonça :

« Je suppose que nous savons tout. La recette disait : "Découpez une feuille de chou / Trempée dans le sang d'un homme mangé par un lion, / Et avec toute l'ardeur du second, / Retenez bien le nom du jeune fou !" Nous avons son nom, c'est Jean Grollier. Mais la recette demande de découper la feuille…

– C'est peut-être juste… pour la poésie ? hasarda Roujol.
– Peut-être bien, oui, dit Keren. Mais dans le doute…
Désolée par avance ! »
Sans s'expliquer, elle agita la revue devant le nez de Roujol
comme un éventail. Un nouveau nuage de poussière vint
chatouiller les narines du détective, qui se mirent à frémir.
Roujol plissa les yeux, ouvrit la bouche, et au moment
où un nouvel éternuement retentissait dans la boutique,
Keren arracha la couverture de la revue. Le son du déchi-
rement fut parfaitement couvert par le barrissement de
Roujol. Keren plia son butin en quatre en jetant des coups
d'œil inquiets derrière elle, mais le vendeur était bien
trop affairé pour remarquer quoi que ce soit. Finalement,
Keren traîna Roujol hors de la boutique.
Au bout du passage des Panoramas, le serpent de métal
rougeoyait sous le soleil de la fin d'après-midi.
Keren avait le pressentiment que le plus difficile était
encore à venir.
Et elle ne se trompait pas.

Journal de Frédéric Weiss
Neuvième partie

Paris ?, été 1870

Je n'aurais jamais pensé être en mesure d'écrire à nouveau dans ce journal. Je ne crois pas aux miracles, et pourtant je ne sais comment qualifier autrement ce qui s'est produit tout à l'heure.

Après notre chute, Hans était du parti d'avancer tant que nous avions de la lumière, et j'abondais dans son sens; Gisela, elle, préconisait de rester sur place en attendant d'éventuels secours. Mais, j'en suis persuadé, elle-même n'y croyait guère et sans doute préférait-elle attendre paisiblement la mort. Son frère et moi réussîmes cependant à la convaincre, et nous progressâmes dans le ventre de Paris, sans le moindre repère. Hans souffrait toujours de la cheville, mais portait son fardeau sans mot dire : seule une imperceptible crispation de la mâchoire trahissait sa douleur.

Le paysage qui se dévoilait à nous, petit à petit, était fort singulier. Loin des boyaux étroits que j'avais imaginés, le Paris souterrain comportait d'imposantes voûtes de gypse qui se dressaient au-dessus de nos têtes, telles des cathédrales accidentelles. Était-ce le travail des Romains ou celui de la nature ? Toujours est-il qu'au cœur de notre angoisse nous ne pouvions nous empêcher d'être émerveillés par ce décor insensé.

Peu à peu, je perdis totalement la notion du temps. La lampe que portait Hans commença à présenter un premier dysfonctionnement : un vacillement qui dura plusieurs longues secondes. Je frémis : l'heure fatidique approchait.

Nous laissâmes les grottes de gypse derrière nous pour patauger dans une eau glauque, qui dégageait une odeur désagréable. Hans marchait quelques mètres devant Gisela et moi, après s'être désigné lui-même éclaireur. Soudain, je l'entendis pousser un cri de stupeur.

« *Gisela ! Das ist unglaublich ! Schau mal !* » rugit-il.

Gisela, qui ne semblait plus importunée outre mesure par son épaule, se rapprocha de son frère. Je me pressai derrière elle, et vis alors une route pavée, en parfait état, large de cinq mètres environ, qui filait devant nous, à perte de vue.

« Voilà peut-être notre salut ! s'écria Hans. Les Romains sont déjà passés par ici : s'ils ont réussi à paver ainsi un chemin, nous avons un espoir.

– Quelle volonté ils avaient ! dis-je avec admiration.

– Nous chanterons les louanges des Romains une autre fois, s'inquiéta Gisela. Le temps nous est compté. »

Nous acquiesçâmes et nous remîmes en route.

La catastrophe tant redoutée ne tarda plus à arriver.

La lampe que portait Hans se mit à grésiller de manière inquiétante, et de petites étincelles vinrent danser à l'intérieur du globe, comme si des lucioles y étaient emprisonnées et essayaient de s'en échapper. Un arc lumineux jaillit de la poignée et Hans lâcha prise dans un cri de douleur. La lance lumineuse tomba sur les pavés, et le globe s'y brisa dans un petit sifflement, tandis que du gaz s'en échappait.

Il faisait désormais totalement noir sous Paris.

Nous restâmes un long moment sans rien dire, dans l'obscurité, sans autre bruit que celui de nos respirations irrégulières. J'entendis ensuite un léger bruissement d'étoffe. Puis des doigts vinrent se poser sur mon bras, et descendirent, hésitants et glacés, jusqu'à ma main. Gisela venait de la prendre et la serrer avec douceur. Je demeurai muet ; puis, je compris, à un bruit identique, qu'elle avait également saisi la main de son frère. Finalement, elle se mit à parler ; et alors qu'elle se tenait tout près, sa voix me semblait venir de partout à la fois.
« Nous savons ce qui va sans doute se passer à présent, dit-elle. Mais nous avons trop avancé désormais pour en rester là. Marchons, tant que nous sentons les pavés sous nos pas. S'ils viennent à disparaître, eh bien… »
Elle ne finit pas sa phrase, et je dois avouer ne plus me rappeler si quoi que ce soit lui fut répondu ; toujours est-il que nous partîmes ainsi, main dans la main, tels trois aveugles, sur cette route vieille de plus de mille

ans. Chaque pas était une épreuve qui nous obligeait, du bout du pied, à vérifier si c'était toujours les pavés que nous foulions ou de nouveau la roche ; chaque mètre parcouru pouvait être le dernier, et nous redoutions le moment où nous allions rencontrer un obstacle ou un vide fatal.

Étourdi par l'obscurité, vidé de tout espoir, je crus que je rêvais les yeux ouverts ; ce qui se trouvait devant moi ne pouvait être que l'équivalent souterrain d'un mirage.
Et pourtant, non : au sol, devant nous, il y avait bien une tache de lumière.
Ce ne fut d'abord qu'un point, qui se transforma bientôt en un disque lumineux. Nos yeux s'habituèrent petit à petit à cette lumière, et nous pûmes enfin nous voir les uns les autres. Gisela serra son frère contre elle, le visage ravivé par l'espoir.
La lumière s'échappait d'une ouverture pratiquée à la toute fin de la route pavée, et nous nous pressâmes pour en connaître la source. Il y avait là un escalier de pierre qui plongeait plus profondément encore dans le sol. Un escalier monumental, incroyablement raide, baignant dans une lumière si pure qu'on eût dit qu'il y faisait jour.

Je fis le premier pas, et la lumière m'enveloppa. Je n'avais plus le moindre doute : cette tiédeur, cette luminosité uniforme et presque aveuglante ne pouvaient venir que du soleil. Mais que faisait donc le soleil à des dizaines de mètres sous Paris ?

Je n'étais pas au bout de mes surprises.

En bas de l'escalier, là où je me serais attendu à trouver une grotte semblable à celles que nous avions laissées derrière nous, un spectacle impossible nous attendait.

Devant nous se dressait une *ville*.

Une ville presque intacte, bâtie de toute évidence pendant l'occupation romaine, dans laquelle je reconnaissais tout ce que mon père m'avait raconté de son voyage à Rome. Une ville déserte, mais qui avait dû autrefois être le théâtre d'une activité intense.

Toutefois, le plus incroyable n'était pas cette ville. Non, ce qui défiait la physique, ce qui était une insulte à la raison, c'est qu'au-dessus de cette ville, là où auraient dû se trouver des stalactites, il y avait un ciel.

Et dans ce ciel, d'un bleu impeccable, je distinguai des nuages et le disque du soleil.

Cette vision était à la fois si belle et, en un sens, si terrifiante que j'en tombai à genoux. Avais-je perdu la tête ? Étais-je mort ? Je ne pouvais plus détacher mon regard de cette scène irréelle. Je me rappelai alors ce manuscrit dont m'avait parlé le Maître, où un soldat romain décrivait un paysage semblable.

« Je ne comprends pas, entendis-je dire Gisela derrière moi. Comment est-ce possible ? Hans ?

– Je ne comprends pas non plus », répondit le jeune officier d'une voix calme. Il regarda tout autour de lui, sourit et ajouta :

« Ou plutôt, si : je crois que notre ami Frédéric a trouvé ce qu'il cherchait. »

Je ne répondis rien, et les deux Prussiens s'assirent près de moi.

« C'est incroyable, incroyable, répéta Gisela. Où sommes-nous ? Qui a construit cet endroit ? Et ce... ciel ? Comment... ? »

Hans leva les yeux vers le ciel mystérieux auquel nous devions notre salut et répondit :

« Je ne suis pas un scientifique. Mais comme je le disais à l'instant, je suppose que le fameux minéral que cherche M. Robert-Houdin se trouve au-dessus de nos têtes... et se fait passer pour le ciel ! »

Je scrutai les environs. La ville avait été bâtie dans une grotte, immense, dont on pouvait néanmoins apercevoir les limites. De fait, on se serait cru dans un cratère à ciel ouvert.

L'attention de Hans se porta sur une borne en pierre sur laquelle une inscription était encore lisible.

« SVBLVTETIA, lut-il. Les Romains avaient donc donné un nom à cet endroit. Je ne suis pas facile à impressionner, mais... je reconnais que je n'en crois pas mes yeux. J'en oublierais presque cette cheville. »

Il grimaça en tournant son pied et, l'air satisfait, déclara :

« En tous les cas, nous sommes sauvés. »

Ma prudence naturelle revint vite.

«Sauvés ? J'ai quelques vivres, mais nous ne tiendrons pas des semaines ainsi. Deux ou trois jours, tout au plus. D'autant que nous n'avons que très peu d'eau.

– Je pense que nous en avons bien plus que cela, fit Hans d'un ton assuré.

– Comment cela ? m'étonnai-je.

– Vous aviez l'esprit plus vif à la surface, mon brave Frédéric. Regardez, entre les pavés... Et là-bas! Que voyez-vous ?

– De l'herbe, répondis-je.

– Précisément. Et pousserait-elle s'il n'y avait pas d'eau quelque part ? Non, ne levez pas la tête : il ne pleut pas, ici. Il y a, forcément, un cours d'eau souterrain. Et si la ville s'est établie ici, c'est qu'il n'est pas loin.

– Vous avez probablement raison. Et pour la nourriture ?

– Je n'en sais rien, admit-il. Mais si les Romains se sont installés à cet endroit, je suis certain qu'ils avaient aussi trouvé un moyen de s'y nourrir.»

J'opinai du chef.

«Souhaitons que votre bel optimisme soit payant, Hans. Je vous propose de reprendre quelques forces, puis d'explorer plus en détail cet endroit.

– De reprendre des forces ? Vous ne vous êtes pas assez reposé, déjà ? Ah, vous n'avez décidément rien d'un soldat, mon ami.»

J'encaissai le sarcasme sans rien répondre et nous nous remîmes en route.

*

* *

Je peux, après notre exploration, donner de plus amples informations sur le lieu où nous nous trouvons, et que les Romains semblent avoir nommé Sublutetia.

Pour commencer, il n'y a pas une seule grotte disposant de cette étonnante voûte lumineuse, mais trois. Les Romains n'ont pas bâti leur ville dans la plus grande d'entre elles, mais, au contraire, dans la plus petite, dont la voûte est la plus basse. Et quand bien même j'en comprends mieux la nature, désormais, je ne me suis toujours pas habitué à la présence de ce « ciel » prodigieux. Un escalier montant à même la paroi de la grotte m'a permis de l'approcher et de constater qu'il est bien constitué de cristaux, qui, par je ne sais quelle bizarrerie de la nature, reflètent l'image du véritable ciel. J'en ai prélevé un fragment : c'est grâce à ces cristaux que le Maître pourrait, je le suppose, mettre la dernière main à son Cogitomètre.

Nous avons pu constater que, fort logiquement, la voûte de cristal obéit au rythme des jours et des nuits. Mon fragment a cessé de luire à la nuit tombée, comme le ciel. Je ne crois nullement à la sorcellerie, mais j'avoue être dépassé par tous ces phénomènes.

Dans la partie sud de Sublutetia, on trouve le bras d'un cours d'eau qui se poursuit à travers les autres grottes. L'intuition de Hans était la bonne. Les Romains avaient même creusé des canaux d'irrigation, inutilisables aujourd'hui.

La ville en elle-même n'est pas gigantesque, loin de là. Mais on ne peut qu'admirer le travail fourni par les Romains, qui ont dû rapporter des blocs de pierre de la surface. Cependant, de nombreuses constructions d'habitation semblent faites non pas de pierre, mais de gypse, que l'on trouve en abondance sous Paris. Celles-ci ont moins bien survécu au ravage des siècles, et sont pour la plupart à l'état de ruines.

Hans et Gisela semblent bien se porter, mais se parlent beaucoup entre eux. Je ne comprends pas l'allemand, et j'avoue en nourrir une certaine appréhension. L'attitude de Gisela a changé à mon endroit. Elle est toujours douce, mais je sens maintenant en elle une forme de pitié. Suis-je donc tant à plaindre ? Que me cache-t-elle ?

12

L'Escalopier

Nathan, Cornelia et Keren accompagnée de Roujol s'étaient retrouvés à l'endroit convenu une heure après leur séparation. « Il s'appelle Roujol, il est détective. Il est là pour nous protéger », s'était contentée de lancer Keren en arrivant au point de ralliement. Roujol dut une fois encore fournir les preuves de sa bonne foi. Le nom d'Auguste Fulgence agit comme un sésame sur Nathan, dont les soupçons s'évanouirent immédiatement. Puis, alors que l'atmosphère se détendait, le garçon demanda à la cantonade :

« Si on en venait au vif du sujet ? Tout le monde a trouvé ce qu'il cherchait ?

– J'ai ma feuille de chou, en tous les cas, annonça fièrement Keren.

– Pour ma part, j'ai l'œil d'ours, déclara Nathan.

– C'est l'ours qui t'a coupé les cheveux ? l'interrogea Keren. Ça pourrait, hein. Surtout s'il lui manquait un œil. Tu peux m'expliquer pourquoi tu es allé t…

– Pas maintenant, par pitié, fit Nathan d'un ton las.

– Tu ne perds rien pour attendre. Bon, et vous, Cornelia ? »

Les deux enfants tournèrent la tête vers la magicienne avec anxiété. Nathan sut, à cet instant, que Cornelia n'allait pas dire toute la vérité : il avait trop souvent rencontré cet air à la fois concentré et fuyant chez les adultes.

«*Si*, j'ai au moins l'œuf», finit par déclarer Cornelia.

Keren poussa un soupir de soulagement. Nathan, toujours en proie à son pressentiment, attendit d'en savoir davantage.

Cornelia saisit quelque chose dans sa poche, mais garda le poing fermé. Puis elle fit signe à la petite troupe de la suivre. Elle s'engouffra dans une brasserie située à quelques mètres, salua l'un des serveurs qu'elle semblait bien connaître, et s'assit, bientôt imitée par les autres, à la table la plus isolée de la salle principale.

«Nous serons plus tranquilles ici, dit-elle. Il faut que je vous explique précisément ce qui m'est arrivé.»

Elle demanda au serveur de leur apporter une carafe d'eau et poursuivit :

«Je suis arrivée à la conclusion que… l'œuf que nous cherchions était en réalité le pommeau d'une canne. Et non pas l'œuf d'une cane, comme je le pensais. Le français est une langue subtile, *vero ?*

– *Si, è vero !* rétorqua fièrement Roujol.

– Vous parlez italien, vous ? demanda Cornelia.

– *Un poco*, répondit benoîtement le détective, en souriant.

– Tant mieux pour vous, alors. Bon. Il existe dans le passage Jouffroy une très belle boutique de cannes, comme vous avez dû le remarquer. Des cannes très chères, pour la plupart, avec des pommeaux sculptés. *Magnificii !* Des cannes-épées, des cannes vieilles de cent ans ou plus… Le marchand est immédiatement allé me chercher quatre ou cinq modèles. Le problème, c'est que ça ne pouvait être aucune de celles-ci.

– Pourquoi ? fit Keren, intriguée.

– Si elles sont en vente, hasarda Roujol, c'est qu'elles peuvent être achetées, n'est-ce pas ? Or, si j'ai bien compris, ces objets devaient être disponibles à tout moment.

– Dites donc, Watson ! Je suis impressionnée ! » lança gaiement Keren.

Roujol rougit.

« Mon œil d'ours n'était effectivement pas à la vente, dit calmement Nathan.

– Hum… Ma feuille de chou est tombée du haut d'une étagère, reconnut la jeune fille. Je pense qu'on avait oublié son existence. »

Cornelia acquiesça d'un mouvement de tête et reprit son récit :

« C'est ce que j'ai pensé, oui : ces cannes ne pouvaient pas être les bonnes. Alors j'ai insisté. Le vendeur s'est énervé et m'a dit que c'est tout ce qu'il avait. J'étais un peu déçue, évidemment. Et c'est alors que j'ai entendu un bruit. Un bruit de pas, très lourd, et puis le son de quelque chose qui frappe le sol.

– D'où est-ce que ça venait ? demanda Keren.

– De l'arrière-boutique. Le son était très étouffé, mais il s'est fait plus fort au fur et à mesure. Le vendeur ne me disait plus rien. Lui aussi entendait le bruit, mais il avait l'air de savoir ce que c'était. »

La carafe d'eau arriva sur la table à ce moment-là, et Cornelia se servit un verre qu'elle avala d'un trait. Elle poursuivit :

« L'arrière-boutique était séparée du reste du magasin par un rideau, poursuivit-elle. Le rideau s'est ouvert et j'ai vu arriver une très vieille dame. Elle avait des splendides cheveux blanc et gris, et un visage encore très beau et fin. Elle était toute voûtée et s'appuyait sur une canne. En la voyant arriver, le vendeur a crié : "Maman ! Tu ne dois pas descendre les escaliers toute seule !" Mais la dame n'a rien répondu. Elle a dépassé son fils et elle est venue vers moi lentement, en souriant. Quand elle a été toute proche, j'ai vu ses yeux ; une couleur étonnante, un bleu presque violet. On aurait dit deux pierres précieuses.

– Et après ? s'impatienta Keren.

– Elle était si près de moi que je sentais son souffle. Je pense qu'elle voyait très mal. Et elle m'a dit : "Jeune femme, pourriez-vous m'aider à marcher jusqu'à ce fauteuil, là-bas ?" Je lui ai pris le bras. Son fils nous regardait, complètement abasourdi. J'ai aidé la dame à s'asseoir. Et là, elle m'a dit : "Merci beaucoup, jeune femme. Pour vous remercier, je vous donne ma canne. Si vous êtes là, c'est que vous en avez plus besoin que moi, je crois." Elle m'a alors tendu sa canne et a ajouté : "Le pommeau devrait vous suffire, n'est-ce pas ? Mon fils m'en montera un autre." Et comme vous vous en doutez, c'était bien un pommeau en forme d'œuf. Je l'ai dévissé sans aucun problème. Le fils protestait après sa mère, mais elle lui a fait comprendre que ce n'était pas la peine de s'énerver.

Et voilà… Je suppose que cette dame en savait plus qu'elle ne m'en a dit sur toute cette histoire. »

Cornelia marqua une nouvelle pause, puis annonça :

« *Bene.* Nous avons chacun trouvé quelque chose. Mais il manque le quatrième élément. Je vous rappelle l'avant-dernière strophe de la recette :

> *Pour que tous les ingrédients soient bien liés,*
> *Cherchez une cloche, ou quelque chose d'approchant*
> *– Dans le Littré, pas chez le fromager ! –,*
> *Et une fois cela fait, demandez gentiment*
> *Quand, après le siège qui mit Paris à genoux,*
> *Il fallut vingt-cinq centimes pour se dire des mots doux.*

– Quel charabia, gémit Keren.

– Le Littré, c'est quoi, déjà ? Je connais ce nom, dit Nathan.

– Aucune idée, fit Cornelia.

– Oh, c'est un dictionnaire », intervint Roujol.

Trois paires d'yeux se braquèrent sur lui.

« Je… Enfin… Vous n'êtes pas française, Cornelia, ça ne doit rien vous dire. Et il est un peu passé de mode pour que Nathan et Keren le connaissent. Mais c'était un dictionnaire très populaire au XIXe siècle. Et pour être franc, cette partie de l'énigme me semble plutôt simple. »

Le petit public de Roujol était désormais pendu à ses lèvres.

Rouge de confusion, il poursuivit :

« C'est que… c'est que j'aime beaucoup faire des mots croisés. Et c'est un classique, cette histoire de cloche. Une cloche, on appelle ça aussi un timbre. C'est une cloche sans battant. C'est ce que nous apprendrait un dictionnaire, d'où l'allusion au Littré.»

L'audience retenait son souffle.

«Je pense donc que nous cherchons, tout simplement, un timbre. Ce sont ces vingt-cinq centimes qui m'ont mis la puce à l'oreille. Le prix à payer "pour se dire des mots doux" : avant, les mots doux, on se les envoyait par la poste. Et vingt-cinq centimes, ça ressemble au prix d'un timbre. Je... Si je puis me permettre...

– Permettez-vous, Watson, vous m'avez l'air bien parti, là ! fit Keren, enthousiaste.

– Le siège de Paris dont il est question, je suppose que c'est celui de la guerre de 1870. Il faut donc savoir quand, après cette date, les timbres simples sont passés à vingt-cinq centimes. J'imagine que n'importe quel philatéliste de la galerie nous renseignera. V... voilà ma suggestion.»

Les trois comparses avaient écouté Roujol avec passion. Finalement, Cornelia partit d'un petit rire et déclara :

«Vous êtes un sacré détective Roujol ! On va avoir notre information tout de suite.»

Elle claqua des doigts, et le serveur qui les avait accueillis accourut.

«Oui, *bella* ?» demanda-t-il avec un sourire doucereux.

Cornelia griffonna quelques mots sur un coin de serviette en papier et la tendit au serveur.

«Tu peux me trouver une boutique de philatélie où quelqu'un saurait répondre à ça ?»

Le jeune homme laissa échapper un sifflement.

«Tu veux… que je quitte mon service ? Comme ça, pour tes beaux yeux ?

– *Si.*

– Je vais me faire tuer par le patron.

– Dépêche-toi et il n'en saura rien. Et puis, si tu acceptes, je t'épouse.

– Quand ?

– Oh, disons samedi prochain…

– Si tu mens, ça me brisera le cœur.

– Mais tu vas me rendre ce service quand même, pas vrai ?

– Oui, parce que je suis un crétin et que tu es la plus jolie fille de Paris», fit le serveur avec lassitude.

Il s'éloigna au pas de course.

Une fois le calme revenu, Nathan prit une grande inspiration et s'attrapa la tête à deux mains.

«Bon… On a presque toutes les pièces du puzzle, à présent. Mais on en fait quoi ?» demanda-t-il d'une voix faible.

Il posa sur la table l'œil d'ours en peluche. Cornelia balaya la salle du regard et dévoila enfin ce qu'elle tenait dans la main. C'était une sculpture de couleur blanche, un peu jaunie, qui évoquait la forme d'un œuf. Une série de perforations parfaitement rondes en ornaient le pourtour. La base, quant à elle, était percée d'un trou, du diamètre de la canne d'origine. L'ensemble était creux et peu épais.

Un vent de perplexité souffla sur la tablée.

«Que faire avec ça ? se lamenta Nathan de plus belle. J'ai l'impression que c'est encore une devinette.

– De mon côté, précisa Keren, c'est assez simple. La recette demandait de retenir le nom du jeune fou. Il s'appelle Jean Grollier, c'est marqué noir sur blanc. J'ai la couverture de la "feuille de chou".

– Va pour toi, oui. Mais mon œil, on en fait quoi ?

– Et mon œuf, soupira Cornelia.

– Je peux le toucher ? demanda Nathan.

– Bien sûr, je t'en prie. »

Nathan fit rouler l'œuf dans la paume de sa main, le soupesa, puis l'attrapa entre deux doigts.

Il porta à un œil l'ouverture inférieure, ferma le second, et s'écria :

« Il y a quelque chose de dessiné à l'intérieur ! Tout au bout !

– Montre-moi ça ! » s'exclama Keren, qui lui arracha l'œuf des mains.

Elle le reposa bientôt sur la table en faisant la grimace.

« On ne voit rien. C'est une espèce de tache colorée ! »

Cornelia essaya à son tour, avec la même conclusion.

« Je suppose, dit-elle, que nous sommes sur la bonne piste : les petits trous sur la coquille servent à laisser passer la lumière. Mais ce qu'il y a au fond, c'est incompréhensible. »

Nathan ouvrit alors la bouche pour faire une remarque, puis se ravisa et se frappa le front, l'air satisfait. À cet instant, le serveur revint, essoufflé, et, tout en dévorant Cornelia du regard, déclara fièrement :

« Cornelia, prépare ta belle robe blanche. Ta réponse est : le 1er septembre 1871. C'est le vieux Paulo qui m'a renseigné. »

Cornelia décocha un sourire ravageur au garçon.

«*Grazie mille!* Tu m'as rendu un immense service! Et tu avais raison de te méfier, je t'ai menti: pas question de t'épouser. J'avais promis à mon chat avant.

– L'amour est cruel, fit le serveur dans un soupir. Tu ne me donnes même pas un baiser?

– J'y réfléchirai. Tiens, tu as des clients qui attendent, là-bas!»

Le serveur fit un clin d'œil à Cornelia, secoua la tête et s'en alla.

Après cet interlude, Nathan toussota pour attirer de nouveau l'attention et déclara:

«Je pense avoir résolu notre autre problème.

– On est entouré de génies, hein, Cornelia? fit Keren.

– J'en ai bien l'impression, oui, admit la jeune magicienne. Peut-être que mon cerveau est déjà ramolli par les années? Nathan, nous t'écoutons.»

Nathan saisit l'œuf d'une main et l'œil d'ours en peluche de l'autre. Puis il enfonça l'œil, à plat, dans l'ouverture inférieure de l'œuf, comme s'il s'agissait d'un bouchon. Les diamètres coïncidaient parfaitement et l'œil resta en place. Nathan approcha l'ensemble de son œil droit, resta immobile quelques secondes, sourit, puis tendit l'étrange instrument à Keren. Celle-ci l'imita et poussa un cri émerveillé.

«On peut savoir? s'impatienta Cornelia.

– Mais oui, dit Keren. Regardez donc! Ah, Nathan… Tu mérites souvent des claques, mais il faut reconnaître que tu es un petit futé.»

Cornelia procéda elle aussi à l'observation et reposa l'œuf sur la table.

« L'œil d'ours agit comme un filtre de couleur et une loupe, dit-elle. Ce que c'est malin ! Les opticiens se servent parfois de choses dans ce genre. Cela permet d'isoler un mot ou un dessin d'un fond pratiquement de la même couleur.

– Comme avec la statue de Carlosbach, tout à l'heure, précisa Nathan, je me suis douté que c'était encore une histoire d'optique. Tout a l'air de tourner autour de ça, dans notre affaire. Et puis, un œil, ça sert à voir. C'est assez logique. »

Cornelia ne commenta pas et demanda :

« Vous avez lu la même chose que moi ?

– "Choiseul", répondit Keren.

– C'est ce que j'ai lu aussi, confirma Nathan.

– Choiseul, c'est le nom d'un autre passage, tout près d'ici, expliqua Cornelia.

– On cherche un M. Grollier, passage Choiseul ? C'est cela, je suppose ? réfléchit Nathan à haute voix.

– Il est temps d'arrêter de supposer ! déclara Cornelia d'une voix martiale, tout en se levant. En route. Nous verrons bien. »

*

* *

Le passage Choiseul ne se trouvait pas bien loin. Pour le rejoindre, il fallait emprunter le réseau de petites rues étroites qui couraient entre les grands axes. Là, la circulation n'était pas meilleure qu'ailleurs. Toutefois, à l'approche de la soirée, les automobilistes pris au piège semblaient désormais résolus à prendre leur mal en patience.

Tandis que Cornelia filait comme un bolide sur le trottoir, Nathan se rapprocha de Keren et lui dit :

« Euh, Keren...

– Oui ? répondit la jeune fille, le souffle court.

– Je voulais te dire quelque chose maintenant. Parce que j'ai le pressentiment qu'après ça ne sera plus possible. Enfin, pas avant longtemps.

– Je t'écoute.

– Eh bien, je... Je voulais m'excuser.

– De quoi ? s'étonna Keren.

– Je crois que je ne suis pas très sympa avec toi.

– Mais...

– Non, je sais que c'est vrai. Ni avec toi ni avec personne, d'ailleurs. Je m'en suis rendu compte aujourd'hui.

– Ah oui ? dit Keren en levant un sourcil. Et pourquoi aujourd'hui ?

– Je me rends bien compte de tout ce que tu as encore fait aujourd'hui, pour moi, pour mon père... Et moi, je...

– Oui, toi ?

– Je suis... bah, je suis comme je suis d'habitude, quoi. Maladroit. Mais ça n'empêche pas que... »

Keren leva les yeux au ciel.

« Nathan, tu peux essayer de finir une phrase ? »

Nathan déglutit.

«Euh, oui, pardon. Je voulais dire que ça n'empêche pas que je tiens beaucoup à toi. Tu es... comme une euh... comme une sœur, pour moi.»

Le sourire qui avait commencé à se peindre sur les lèvres de Keren se figea tout net. Elle plissa les yeux et répondit :

«Comme une *sœur*, hein ?

– O... oui, bafouilla Nathan.

– Mettez-m'en douze comme lui, fit Keren dans un soupir. Merci, Nathan. Merci *beaucoup*...»

Nathan n'eut aucun mal à comprendre qu'il avait tout intérêt à ne rien ajouter sur ce chapitre. Keren, renonçant à battre froid son ami, lui demanda alors :

«Tu m'as l'air contrarié par autre chose. Qu'est-ce qui se passe ?»

Nathan fit signe à Keren de baisser la voix et, en chuchotant presque, répondit :

«Cornelia nous cache quelque chose. Je ne sais pas quoi, mais j'en suis sûr. Je le sens.

– C'est vrai que tu es tellement psychologue!» souligna Keren avec une pointe d'agacement.

Nathan ne parut pas comprendre la pique et poursuivit :

«Elle est nerveuse depuis tout à l'heure.

– Tu n'es pas nerveux, toi ? Moi, si.

– Tu as bien vu comment elle était avant qu'on se sépare. Un contrôle total sur les événements! Là, je ne la sens pas à l'aise.

– Eh bien moi, je pense que tu te fais des idées.

– J'espère», maugréa Nathan.

La troupe se trouvait à l'une des entrées du passage Choiseul, non loin de la bouche de métro Quatre-Septembre. Il se dégageait du lieu une douce torpeur qui avait attiré quelques passants à la recherche de calme.

«Des gens habitent ici, vraiment ? s'étonna Keren.

– Oui, regardez, au-dessus des boutiques. Vous voyez ? Ce sont de vrais appartements.»

Keren, Nathan et Roujol levèrent la tête pour aviser un alignement de fenêtres sales, que l'on aurait pu prendre pour de simples éléments de décoration.

«J'imagine qu'il nous faut trouver un interphone, quelque chose comme ça… proposa Nathan.

– *Si*, exactement, acquiesça Cornelia. Je ne vois que ça.

– On sonne et il nous ouvre, quoi ? s'étonna Keren. C'est aussi simple que ça ? Avec notre super chance, il va encore nous arriver deux ou trois trucs, non ? Après les singes, les gangsters magiciens… Bah, je suppose que votre Escalopier, il a un lion ou des tigres comme animaux de compagnie…»

Le nom «Grollier» n'apparut qu'à l'autre bout du passage Choiseul – du reste le plus long de Paris. Une simple étiquette sur une sonnette, à côté d'une porte en bois sombre.

Keren, qui avait été la première à repérer le nom, se retourna vers les autres et demanda :

«Alors ? On sonne ?

– Je ne vois rien d'autre à faire, avoua Cornelia.

– Moi non plus, dit Nathan.

– Cela me paraît le plus judicieux !» crut bon d'ajouter Roujol.

Keren n'attendit guère et appuya sur la sonnette, un petit bouton de laiton à l'ancienne. Un curieux ronflement s'éleva alors, évoquant un signal radio brouillé. Et puis, un déclic très sec retentit et la porte d'entrée vint bâiller de quelques centimètres, d'un mouvement net.

«Allons-y !» fit Cornelia.

Roujol hésita, puis annonça :

«Je vais rester ici. On ne sait jamais, quelqu'un peut nous avoir suivis !»

Cornelia en parut contrariée et rétorqua vivement :

«Mais on a besoin de forces, Roujol ! On ne sait pas ce qui nous attend dedans. Et puis, je suis sûre que nous n'avons pas été suivis. Venez !

– N… non, insista le détective. Non, je crois qu'il est plus prudent que je reste là.

– Comme vous voudrez, fit Cornelia le visage fermé. Mais vous en assumerez les conséquences.»

Nathan donna un coup de coude discret à Keren, mais celle-ci avait déjà la tête ailleurs et ne s'en aperçut pas.

Keren, Nathan et Cornelia poussèrent la porte et découvrirent alors une cage d'escalier tout à fait ordinaire, qui menait à un entresol. Mais pas de «Grollier» sur l'unique porte du palier. Ils montèrent encore, avant de se retrouver devant une nouvelle porte, qui, au premier regard, apparaissait tout aussi banale que l'escalier. Une plaque cuivrée portait le nom «Grollier» cette fois. Pas de heurtoir ni de sonnette.

«On... peut frapper, je suppose ? demanda Keren.

– Ce serait plus poli, sans doute, oui», répondit Nathan.

Le garçon frappa trois coups à la porte, mais rien ne se passa ; derrière le panneau de bois, le silence était complet. Il attendit quelques secondes, puis recommença ; mais personne ne vint ouvrir.

«Bon... Il a dû sortir, dit Nathan dans un soupir d'agacement.

– Ce n'est vraiment pas de chance, renchérit Keren. Tout ça pour ça.

– Je suis vraiment étonnée, *molto stupita*...» fit à son tour Cornelia.

Nathan passa la main sur la porte à la recherche d'un indice, puis sur la poignée. Il tâcha de la faire jouer, mais elle refusa de tourner d'un seul millimètre. Il fit alors pivoter, machinalement, la plaque en métal qui recouvrait la serrure. Il retira vivement sa main comme s'il venait d'être mordu par un serpent et poussa un cri de stupeur qui fit sursauter Cornelia et Keren :

«Hey ! La serrure !

– Quoi, quoi, la serrure ? cria Keren soudain survoltée.

– Il n'y en a pas ! Enfin, je veux dire, il n'y a pas de trou de serrure, regardez !»

À la place de la fente classique se trouvait une découpe rectangulaire à l'intérieur de laquelle était enchâssée une serrure à combinaison, comme sur les coffres-forts ou les valises.

«Bon... j'imagine que c'est là que le timbre intervient, dit Nathan avec assurance. 1er septembre 1871, n'est-ce pas ?»

Keren et Cornelia acquiescèrent toutes deux d'un mouvement de tête parfaitement synchronisé. Nathan se pencha vers la serrure, et du bout de l'ongle fit glisser les cylindres de façon à former la série 01091871. Une série de bruits aigus se fit alors entendre. La porte s'ouvrit en grand sur un corridor plongé dans la pénombre ; à peine pouvait-on distinguer de grandes tentures pourpres accrochées aux murs.

Cornelia, Keren et Nathan se regardèrent sans dire un mot, puis avancèrent dans le couloir.

La porte se referma dans un fracas métallique. Pendant qu'ils avançaient dans la demi-obscurité, sur un épais tapis, le ronronnement régulier d'un moteur vint briser le silence. Les tentures, de chaque côté du couloir, étaient en train de se lever comme le rideau d'un théâtre.

Et c'est alors que l'orchestre se mit à jouer.

Journal de Frédéric Weiss
Dixième partie

Paris, le 8 octobre 1870

C'est à la lumière du jour que j'écris ces lignes. Le vrai jour, celui qui vient des cieux et non pas de cristaux accrochés à la voûte d'une grotte. Je suis blessé, mes vêtements sont sales et en partie déchirés, mais avant de reprendre figure humaine – si j'y parviens –, il est important que je consigne dans ce journal la fin de mon histoire.

Contrairement à ce que nous craignions tous les trois, Hans, Gisela et moi, nous ne sommes pas morts de faim à Sublutetia. Notre salut est venu d'un champignon, qui pousse en abondance autour des trois grottes.
Avec un fragment de cristal que nous avions fixé à nos lampes électriques, nous avons pu explorer les zones adjacentes aux grottes, et qui ne bénéficiaient pas toutes du même éclairage miraculeux. C'est ainsi que nous sommes tombés sur ces champignonnières naturelles, gigantesques. Méfiants, nous n'avions cependant guère le choix. Ce fut moi qui, le premier, me fiant à de vagues souvenirs de cueillette, goûtai à l'un de ces champignons. Quelle surprise ! Il

avait le goût d'un succulent rôti de veau. Gisela et Hans, constatant après une petite heure que je ne me roulais pas par terre de douleur, goûtèrent à leur tour, mais trouvèrent au champignon une saveur différente. Nous en conclûmes que ce champignon était capable de prendre le goût de ce que nous souhaitions le plus manger (car quand j'en croquai à nouveau un morceau, il avait cette fois le goût d'une tarte aux pommes).

Nous avions désormais de quoi boire, manger, nous abriter et, surtout, nous éclairer lors de nos explorations. L'espoir revint : il n'était plus question de mourir dans ces grottes, et il nous semblait évident que nous allions trouver une issue très prochainement. Quelques bâtisses étaient encore en bon état. Notre campement fut établi dans une sorte de *villa urbana*, ceinte d'une vaste cour, dont le bâtiment principal possédait plusieurs pièces importantes. Dans certaines d'entre elles se trouvaient encore, remarquablement conservés, des meubles et objets de la vie quotidienne. Tout semblait avoir été abandonné du jour au lendemain, dans une relative hâte.

Le changement d'attitude que j'avais noté chez mes deux compagnons ne fit que s'accentuer au fil des jours. Hans, très vite remis de sa blessure, me considérait avec arrogance. Il est plus grand et plus robuste que moi, et c'est aussi un soldat ; aussi étais-je sur mes gardes.

Il veillait aussi jalousement sur le baluchon qu'il portait le jour où lui et sa sœur étaient venus frapper à ma porte. Je me doutais que son contenu était de nature à lever un voile sur ses intentions. De même, sa nervosité quand j'avais, par pure facétie, retiré une lettre de la poche intérieure de sa veste ne m'avait pas échappé. Je m'étais donc promis d'examiner le baluchon dès que l'occasion se présenterait ; mais même pour un apprenti escamoteur, la tâche n'était guère aisée. Hans ne le laissait jamais hors de sa surveillance, et allait jusqu'à l'emporter avec lui lorsqu'il partait explorer les environs.

Les jours passaient, d'abord fiévreux et fatigants, puis paisibles et monotones. Nous étions comme trois naufragés sur une île déserte, pareils au Robinson Crusoé de M. Defoe. Nous pouvions vivre à Sublutetia éternellement, sans aucun espoir de revoir le vrai ciel ou d'autres êtres humains. Cette pensée me donna envie de mourir, mais mon naturel volontaire finit par reprendre le dessus.
Les semaines filèrent, et nous assistâmes à la fin de l'été, impuissants, ignorant tout de l'issue de la guerre qui se jouait au-dessus de nos têtes. Était-elle terminée ? La France était-elle vaincue ? Nous évitions soigneusement d'en discuter entre nous.

Et puis, hier, tout s'est précipité.
Alors que nous étions, Hans et moi, dans un demi-sommeil, Gisela leva un doigt vers le « ciel » pour nous montrer une étrange apparition. Quelque chose, qui n'était pas un nuage, se déplaçait à belle allure.
« Un ballon dirigeable ! » fit Hans entre ses dents.

255

Je n'en avais encore jamais vu en vol, pour ma part. Cette image nous procura, à tous, un curieux sentiment : c'était la première fois, depuis plusieurs mois, que nous avions la preuve que le monde d'en haut existait toujours. Cette vision nous redonna, à tous les trois, l'espoir qui nous avait abandonné. Sans même nous concerter, nous repartîmes, plus motivés que jamais, à la recherche d'une voie de sortie.

Comment ne pas l'avoir vue plus tôt ? Il y avait bien une issue, dont la dissimulation était si simple et si belle que je ne sus si je devais me maudire de ne pas avoir compris avant ou simplement applaudir.
Initialement, notre hypothèse était de remonter le cours d'eau qui traversait les grottes ; mais celui-ci se terminait en une sorte de cascade à pic. Et alors que nous passions pour la millième fois à proximité de cette dernière, je réalisai que, conformément à ce que M. Robert-Houdin m'avait appris, les supercheries les plus grossières en apparence sont celles qui fonctionnent le mieux.

La cascade coulait à l'envers.

Elle montait au lieu descendre. Le débit d'eau était très faible, et le phénomène en soi suffisamment impensable pour que le cerveau rectifie cette anomalie de lui-même. Pourtant, il n'y avait aucun doute : l'eau *montait* le long de la paroi. Je m'en approchai et compris. Les Romains avaient prélevé de la voûte puis réduit en poudre un grand nombre de cristaux. De toute évidence, cette manipulation leur avait ôté le pouvoir de transmettre de la lumière. Cependant, les cristaux ainsi pilés puis agglomérés conservaient un pouvoir réfléchissant. En fait de cascade, ce que nous avions vu n'était qu'un immense miroir, dressé sur un panneau en bois, réfléchissant la partie inférieure du cours d'eau. L'angle était absolument parfait, et l'illusion complète. Une fois mise à nu, elle semblait presque enfantine ; mais il en va ainsi des plus beaux tours de magie. J'informai Gisela et Hans de ma découverte ; restait encore à déplacer le miroir gigantesque, dont le poids ne devait pas être négligeable. Hans, tout heureux, me signifia que cela ne poserait aucun problème. Quant à Gisela, elle me serra contre elle de bon cœur.

Nous retournâmes au camp dans la précipitation, à tel point que je faillis oublier le but premier de mon expédition. Je glissai dans ma besace quelques échantillons de cristaux enveloppés dans de la toile, rassemblai mes rares effets personnels et mes outils, et partis rejoindre Gisela et Hans.

Une fois revenus au niveau de la cascade, je demandai à Hans comment il comptait déplacer le miroir.

« Le déplacer ? ricana-t-il. Il n'est pas question de le déplacer. Nous allons le faire sauter.

– Le faire sauter ? m'étonnai-je. Mais… comment ? »

Hans posa à terre son baluchon et en sortit, à ma grande stupeur, deux bâtons de dynamite et un petit détonateur. Voilà donc ce qu'il dissimulait avec tant de soin !

« Aidez-moi à installer tout cela, fit-il avec autorité. Je vais vous montrer. »

Je me penchai vers les explosifs et suivis les directives de Hans. Mais une fois que tout fut installé et que je me relevai, j'eus la désagréable vision de Hans me faisant face, un revolver à la main. Je n'en fus pas totalement surpris : je savais que, tôt ou tard, nous en viendrions là. J'attendis que le Prussien prît la parole, ce qu'il ne tarda pas à faire.

« Mon cher Frédéric, je suis navré, mais je pense que vous comprenez notre position.

– Non, je ne la comprends pas, Hans. Expliquez-moi.

– L'invention de votre maître est une arme trop précieuse pour la laisser à des… humanistes.

– Vous ne savez pas à quoi elle sert, objectai-je.

– Oh, si, nous le savons. Et sachez que si tout se passe bien, nos hommes sont peut-être déjà au Prieuré de Saint-Gervais, en sa possession. »

Je rougis de rage.

« Vous ne comptez quand même pas faire du mal à M. Robert-Houdin ?

– Pas si l'on peut s'en passer. Mais imaginez ! Une machine à lire les pensées : les officiers capturés nous révéleraient tout des stratégies adverses, sans que l'on ait à les y forcer.

– Le Cogitomètre ne lit pas les pensées, protestai-je. Il se contente de capter des images qui…

– Oh, cela sera bien suffisant », m'interrompit Hans.

Je me tournai vers Gisela, et entre mes dents lançai : « Gisela ? Vous saviez depuis le début ? Vous n'avez jamais été sincère avec moi, n'est-ce pas ? »

Elle fuit mon regard et répondit :

« Je vous aime beaucoup, Frédéric. Vous êtes un garçon courageux et intelligent.

– Est-ce une réponse ? demandai-je.

– Non, sans doute. Mais comprenez que mon frère et moi sommes avant tout des patriotes.

– Bien sûr, fis-je. Mais dites-moi : rien de tout cela n'était dû au hasard, j'imagine ?

– Nous surveillions depuis longtemps les découvertes de votre maître, répondit Gisela. Nul n'est prophète en son pays, n'est-ce pas ? En France, M. Robert-Houdin n'est qu'un habile amuseur à la retraite ; mais en Prusse, certains ont pris très au sérieux ses inventions. Nous n'avons personne sur place, bien sûr, mais... Nous avons pris les dispositions qui s'imposent, et sa correspondance ne nous est pas inconnue. »

Je ne dis plus rien et attendis le verdict, qui ne tarda pas à tomber.

« Frédéric, annonça solennellement Hans, voulez-vous transmettre un message à quelqu'un, à la surface ? Nous le ferons avec fierté. Et je ferai savoir que vous êtes mort en héros. »

À ces mots, je vis que Gisela changeait d'attitude.

« Hans, dit-elle, attends... Qu'as-tu l'intention de faire ? Il était question de le laisser là, pas de le tuer !

– Ne sois pas stupide, petite sœur, grinça Hans. Comment veux-tu l'empêcher de nous suivre ? Je suis sûr que même Frédéric comprend très bien la situation. N'est-ce pas ?

– On ne peut mieux, soupirai-je.

– Hans, je m'y oppose ! insista Gisela. C'est un déshonneur.

– Gisela, voyons…

– Tu es un soldat, Hans ! Pas un meurtrier ! Nous sommes en guerre et tu veux tuer un homme désarmé ? Où est passée ta fierté ? »

Hans parut touché par l'argument. Il baissa son arme et me dit alors :

« Fort bien. J'ai un deuxième revolver. »

Il fouilla dans son baluchon et en sortit une nouvelle arme, identique à celle qu'il tenait. Il en vida le barillet au sol, à l'exception d'une balle, et fit de même avec la première. Il déclara alors :

« Gisela n'a pas tort. Je n'ai aucune haine envers vous, Frédéric, et vous méritez de mourir en gentilhomme. Je vous propose ce duel. Sachez bien que vous n'avez aucune chance, je suis aussi fin tireur que brillant escrimeur. Mais au moins vous serez mort en vous battant. Acceptez-vous ? »

Le sang qui battait dans mes tempes comme un torrent me rendait la concentration difficile. Mais malgré la terreur du moment, je fis un effort pour me rappeler une histoire que M. Robert-Houdin m'avait racontée, liée à ses exploits en Algérie. Tout me revenait, morceau par morceau, dans un chaos mental indicible. Je devais jouer le tout pour le tout et annonçai :

« Hans, j'accepte l'issue que vous me proposez. »

Gisela protesta :

« Cela ne change rien, Hans, et tu le sais !

– La mort du taureau est plus belle dans l'arène que dans l'abattoir, petite sœur. »

Gisela recula, horrifiée.

« Hans, demandai-je, puis-je néanmoins examiner les armes ? Afin de choisir celle qui me convient le mieux ?

– Elles sont rigoureusement semblables, répondit-il.

– Je voudrais m'en assurer. Je crois que le code du duel m'y autorise, non ?

– Bien sûr. Je ne peux vous le refuser », rétorqua mon ennemi.

Je m'approchai, mais une fois parvenu tout près de lui, trébuchai. Comme je l'espérais, Hans eut le réflexe de reculer. Je me relevai en prenant appui sur le sol, et m'excusai :

« Je ne suis pas un soldat comme vous, Hans. Pardonnez-moi si j'ai, en cet instant, des difficultés à rester debout.

– Je comprends parfaitement, répondit-il. Voici les revolvers. »

Je les pris à tour de rôle dans ma main et fis mine d'examiner le mécanisme du barillet et du percuteur. J'optai pour le second.

« Parfait, Hans. Je choisis donc celui-ci.

– Très bien, Frédéric. Ne tardons pas, maintenant, si vous le voulez bien. »

Je notai que Hans s'était adouci depuis le début de notre confrontation ; il n'avait de fait plus aucune raison de faire la démonstration de sa supériorité : bientôt, il serait débarrassé de moi.

« Gisela, reprit Hans, peux-tu servir d'arbitre ?

– Je ne serai pas complice de cet assassinat, Hans. Ton

attitude est indigne d'un von Arnim. Pourquoi nous priver de la possibilité, une fois la guerre finie, de trouver un ami en Frédéric ? Si…

– Gisela, l'interrompis-je. Tout va bien. Votre frère fait ce qu'il a à faire… comme *vous* avez fait ce que vous aviez à faire. Je suis touché que vous souhaitiez devenir mon amie, mais je crains que vous n'ayez rien fait pour en me mentant depuis des mois.»

Gisela ne répondit rien et resta immobile, une larme au coin de l'œil.

«Frédéric, en l'absence d'arbitre… Mettons-nous dos à dos et marchons chacun vingt pas. Puis nous nous retournerons et ferons feu. Je tâcherai de vous mettre une balle en plein cœur, vous ne souffrirez pas.

– C'est trop de générosité de votre part, fis-je. Allons-y.»

Le moment était venu. Hans vint se placer derrière moi, et comme Gisela ne se décidait pas à donner le départ, il me dit simplement :

«Allez. Vingt pas.»

Quatre pas, cinq pas.

J'avançai, en me faisant la réflexion qu'il était finalement un luxe de savoir combien de pas on pouvait encore faire sur cette terre avant de mourir.

Dix-huit, dix-neuf.

Vingt !

Je me retournai. Avec une rapidité et une souplesse inouïes, Hans avait déjà fait volte-face : il aurait pu tirer alors que je n'étais encore que de trois quarts. Son arme était pointée vers ma poitrine comme si mon cœur était un aimant qui attirait le canon. Je ne bougeai pas, le pistolet le long du corps. Un coup de feu retentit.
Hans était resté figé dans sa position, attendant que je m'écroule. Mais j'étais toujours debout.

Alors, je lui souris, dévoilant, coincée entre mes dents, la balle qui m'était destinée. Après quelques instants, jugeant mon effet réussi, je la crachai à mes pieds.

Hans blêmit, recula et finit par lâcher son arme.
« Vous… vous êtes un démon ! » bafouilla-t-il.
Gisela, qui avait caché son visage entre ses mains, me regardait avec une expression de soulagement et d'incompréhension.
« Je ne suis pas un démon, Hans, non. Mais maintenant, cependant, c'est moi qui suis armé.
– Comment avez-vous fait ? Comment ? grogna le Prussien.
– Oh, un magicien ne dévoile pas ses tours, en général. Mais je vais faire une exception. Votre pistolet était vide, je l'ai déchargé en l'examinant. Eh oui, que voulez-vous, c'est mon petit talent à moi. Et comme l'effet est plus réussi avec une vraie détonation, plutôt qu'un pitoyable *clic*, j'ai tiré pour ma part vers le bas, avec mon arme, au moment où vous avez pressé la détente. »

Hans fronça les sourcils.

« En ce cas, votre arme est vide aussi…

– Vous n'être pas très bon perdant, Hans ! Non, mon arme est encore pleine. Cinq coups prêts à tirer. Je me suis aussi permis de ramasser les balles que vous aviez fait tomber au sol, quand j'ai fait semblant de trébucher. Vous vous rappelez ? Pendant que nous faisions nos pas et que Gisela avait la tête entre ses mains, j'ai eu tout loisir de les glisser dans le barillet. »

Hans eut une moue admirative.

« Vous êtes un jeune homme plein de ressources, Frédéric. Je suppose que vous voilà maître de la situation. Bien joué.

– Tout le mérite en revient à mon Maître. Il s'était trouvé dans une situation similaire dans le passé, et n'avait bénéficié que d'un tout petit peu plus de préparation. Son expérience m'a évité d'avoir à trop réfléchir. Maintenant, n'attendons pas davantage, partons d'ici. Je vous laisse le soin de faire sauter la charge. »

Gisela se dirigea vers moi, un grand sourire aux lèvres, mais je pointai mon arme vers elle.

« Frédéric ! Qu'est-ce que…

– Rien, Gisela, mais je préférerais que vous restiez en retrait.

– J'ai fait ce que j'ai pu pour vous sauver la vie, Frédéric.

– Après l'avoir mise en danger ? Je ne pense pas que cela suffise pour regagner ma confiance. Reculez, je vous prie.

– Il va vous falloir reculer aussi, intervint Hans. Abritons-nous derrière un rocher, on ne sait jamais. Je suis prêt. »

Nous nous mîmes à l'abri pendant que Hans déroulait le câble du détonateur. Sans plus attendre, il abaissa le déclencheur, et un vacarme assourdissant résonna dans toute la grotte, tandis qu'une épaisse fumée grise se répandait autour de nous. Quand elle se fut dissipée, nous pûmes constater que l'explosion avait bel et bien dégagé un passage ; le cours d'eau s'y écoulait paisiblement, et au-delà de l'ouverture on distinguait aussi la terre ferme et ce qui ressemblait à un chemin. Peut-être, un peu plus loin, allions-nous enfin trouver une issue ?

Les cristaux lumineux se firent plus rares, et bientôt nous dûmes utiliser notre propre éclairage. Nous laissions derrière nous le plus étonnant vestige de Paris.

Je pris soin de conserver, toujours, suffisamment de distance entre Hans et moi. Il était trop fort et rapide pour que je lui offre la moindre occasion de m'arracher mon arme. Notre progression se poursuivit toutefois avec régularité. Hans me pria plusieurs fois de faire un arrêt, ce que je refusai : il était bien plus résistant que moi et n'attendait de ma part qu'un relâchement pour renverser la situation.

Je finis par perdre la notion du temps. Il nous fallut grimper, nous faufiler, toujours sans avoir la moindre idée de l'endroit où nous allions déboucher. Autour de nous, les paysages changeaient, parfois clairsemés, parfois hérissés de stalagmites. Nous montions des rampes rocheuses étroites, parcourions des défilés : qui aurait cru qu'un tel paysage se cachait sous la plus belle ville du monde ?

Après des heures, ou des siècles, nous nous retrouvâmes devant un nouveau cul-de-sac. Mais il était évident que ce qui nous barrait le passage n'était qu'un éboulis, dont la dynamite aurait raison.

«Vous reste-t-il de la dynamite, Hans ? demandai-je.

– Oui. Encore trois bâtons. Je pense que cela sera amplement suffisant.

– Nous n'avons guère d'endroit pour nous abriter, fit remarquer Gisela.

– Il y a ce renfoncement, un peu plus bas, indiquai-je.

– Nous n'avons rien à perdre, fit Hans. Allons-y.»

Une fois les charges explosives placées au cœur de l'éboulis, nous allâmes nous protéger ; une position qui ne me ravissait guère, car elle m'obligeait à être très proche de Hans. Sans attendre, il fit sauter les charges. Dans ce tunnel étroit, le bruit fut encore plus insupportable que la première fois. Je vis Hans et Gisela s'échanger des paroles vives, dont je ne percevais pas la moindre bribe. Je paniquai, mais tâchai de ne rien en laisser paraître. L'explosion m'avait rendu sourd. Hans se tourna vers moi, me parla, mais j'étais désormais comme enfermé dans un bocal. Je me contentai de brandir mon revolver avec le plus d'assurance possible, et lui ordonnai d'avancer. Il me dit encore quelque chose que je ne pus entendre et j'agitai mon arme dans un geste d'empressement. Devant nous, la route semblait dégagée. Mais au bout de quelques mètres, Gisela et Hans se figèrent. Gisela se tourna de côté, les mains levées, et ouvrit la bouche comme pour pousser un hurlement. L'absence de son était peut-être plus terrifiante encore :

il n'y avait que ce visage crispé, ces yeux affolés, perdus dans un silence total. Hans attrapa sa sœur par les épaules et la tira vers lui. Interloqué, j'observai la scène sans la comprendre.

L'explosion avait été si forte qu'une fissure fendait désormais le sol, filant comme un serpent enragé vers Hans et Gisela. Je courus à leur secours, mais il était trop tard. Le sol s'était ouvert sous leurs pieds. Je n'entendais ni cri ni fracas. Une fois parvenu à la crevasse, alors qu'une pluie de poussière et de gravats s'abattait sur moi, je constatai que Gisela et Hans s'étaient tous deux retenus à la corniche. Je me jetai à plat ventre et les saisis, chacun, par le poignet. Hans semblait hurler quelque chose, mais je ne voyais que ses lèvres s'agiter. Gisela, elle, me regardait sans rien dire, implorante. Je tirai de toutes mes forces, mais il fallait me rendre à l'évidence : je n'avais pas la puissance nécessaire pour tirer Gisela à moi, et encore moins Hans. Celui-ci ne cessait de me parler, les traits déformés par la panique, et ne pas l'entendre ne faisait qu'augmenter mon angoisse.

« Tenez bon ! Tenez bon ! criai-je sans discerner un son. J'ai une idée ! »

À cet instant, Gisela bougea les lèvres à son tour. Ses yeux plongés dans les miens, une curieuse expression de calme sur le visage, elle prononça des paroles qui resteront un mystère jusqu'à la fin de mes jours. Je me relevai et courus à notre abri rocheux. Dans mes affaires, il y avait un cordage qui me semblait suffisamment solide pour soutenir le poids de Gisela et Hans. Je l'enroulai autour d'un piton rocheux et tirai l'une des extrémités, à reculons, vers la crevasse.

J'imagine que Hans m'avait crié de m'arrêter plusieurs fois déjà, sans que je l'entende.

Quand je me retournai, il était à genoux, recroquevillé, les bras autour de sa tête, sanglotant. Il n'était pas difficile de comprendre ce qui venait de se passer. Si Hans, avec sa force naturelle, était finalement parvenu à se hisser hors de la crevasse, Gisela, elle, avait fini par lâcher prise. Je m'effondrai aussi à ses côtés et, après avoir hésité, posai une main sur son épaule. Il leva la tête dans ma direction et, comme un enfant, vint pleurer dans mes bras.
Et malgré la peine qu'il m'inspirait, et que je partageais, je gardais mon arme prête à tirer.

*

* *

Nous n'étions plus loin de la surface. La crevasse, qui n'était heureusement pas très large, fut rapidement franchie à l'aide de la corde, et nous retrouvâmes une piste à peu près tracée. J'évoluais pour ma part comme dans un rêve, totalement coupé du monde sonore. Peu importait : ni Hans ni moi n'avions envie de parler.
Nous sûmes que notre errance touchait à sa fin en voyant, devant nous, un escalier creusé à même la pierre. Sans nous concerter, épuisés, nous montâmes les marches pour

parvenir, finalement, à une trappe en bois. Une immense et très rudimentaire manivelle en métal forgé en commandait l'ouverture, et il nous fallut user de nos dernières forces pour l'abaisser tant elle était lourde. Je suppose qu'un grincement terrible se fit alors entendre, car Hans dut mettre les mains sur ses oreilles. La trappe, mue par un mécanisme presque deux fois millénaire, s'ouvrit vers le haut. De l'eau vint couler sur notre visage : c'était de la pluie.

Bientôt, nous fûmes étendus sur un lit d'herbe, entourés de grands arbres qui ployaient sous une averse. La trappe, recouverte de mousse, s'était refermée d'elle-même, parfaitement invisible à l'œil du promeneur. Nous ignorions où nous pouvions nous trouver, d'autant que la nuit commençait à tomber. Nous demeurâmes ainsi allongés sous la pluie battante, incapables de bouger, pendant plusieurs minutes. Et puis, Hans se leva en titubant et s'approcha de moi. Mon ouïe revenait, petit à petit, mais je ne pus entendre les trois phrases qu'il prononça avant de me tourner le dos et de s'enfoncer dans les bois. Je pensais en cet instant ne plus jamais le revoir.

J'ai beaucoup marché avant de retrouver mon chemin. Nous avions émergé dans le bois de Vincennes et il me fallut des heures pour rentrer à mon domicile. En me voyant livide, trempé et blessé, à cette heure de la nuit, la concierge eut l'air très agitée. Sans doute m'avait-elle cru mort, et voilà que je lui apparaissais comme un fantôme, arraché à sa tombe. Bientôt, un médecin fit son entrée. On me déposa sur le lit de ma chambre, et je perdis connaissance peu après.

Ce matin, je sais que nous sommes le 8 octobre. Je sais que la guerre n'est pas terminée, que les Prussiens sont en train de la gagner et qu'ils encerclent Paris. Je sais que je suis vivant.

Ce que je ne sais pas, c'est si le Maître, lui, l'est toujours.

13

Le Cogitomètre

Ils avaient surgi de tous les côtés, dans un déchaînement de cymbales, de tambours, d'instruments à vent et de cliquetis métalliques. D'abord sagement disposés derrière les tentures, ils s'étaient éparpillés dans un chaos complet à l'approche de Nathan, Keren et Cornelia.

Mais ces musiciens n'étaient pas de chair et de sang.

À la grande stupeur des intrus, l'orchestre se révéla exclusivement constitué d'automates. De forme à peu près humaine, avec une tête, un tronc et des bras, ils se déplaçaient à l'aide de roues, deux à l'arrière et une plus petite à l'avant. Leur inventeur les avait même dotés d'un visage, mais il ne s'agissait que d'un masque en laiton à l'expression figée. Toutefois, sous l'éclairage orangé et presque irréel, les automates paraissaient afficher une mine déterminée et cruelle.

Ce singulier comité d'accueil ne jouait pas un air de bienvenue. Agités de mouvements désordonnés, avec de brusques et imprévisibles changements de direction, pareils à des auto-tamponneuses, les automates étaient autant des musiciens que des gardiens. Le joueur de tambour laissait retomber ses énormes baguettes devant lui comme des massues, tandis qu'un autre interprète claquait ses cymbales avec rage, menaçant d'écraser quiconque se trouverait à sa portée. Le joueur de tuba n'était pas en reste, pointant l'orifice de son instrument vers le sol, prêt à s'abattre sur tout intrus. Quant aux flûtiste, trompettiste, guitariste et clarinettiste, ils se contentaient de zigzaguer dans la plus profonde pagaille ; mais le seul poids de leur carcasse en métal et leur vitesse les rendaient particulièrement dangereux. Dans ces conditions, traverser le couloir pour atteindre la porte opposée devenait aussi dangereux que de marcher au milieu d'une autoroute.

«C'est quoi encore, ça ? Cornelia ? hurla Keren.

– *Uffa !* Je n'en ai pas la moindre idée !»

La fanfare mécanique s'était mise à jouer un air de chasse ; un morceau on ne peut plus approprié.

Le joueur de cymbales fonça à toute vitesse vers Keren, qui venait juste d'éviter, pour la troisième fois, les assauts du trompettiste. Elle s'accroupit au dernier moment, et le *gong* manqua la rendre sourde. Cornelia, pour sa part, slalomait entre les automates, plongeant, se roulant en boule et bondissant comme une athlète.

«On voit que vous êtes du pays de la corrida ! lui lança Keren.

– Corrida ? Je suis italienne ! *Italienne !*» cria Cornelia en se baissant pour ne pas prendre un coup de trompette.

C'est alors que, horrifiées, Cornelia et Keren virent Nathan traverser la moitié du couloir en vol plané après avoir été heurté avec violence par le flûtiste. Le garçon s'écrasa au sol, inanimé, à la merci des allées et venues des machines. Keren, paniquée, sentit son cœur battre plus vite et ses oreilles bourdonner. Elle vit Cornelia revenir sur ses pas pour tâcher de porter secours à Nathan, mais la route lui fut vite barrée. Les automates virevoltaient comme des toupies ensorcelées, obéissant à un rythme imprévisible, toujours plus rapide.

Le trompettiste frôla de nouveau Keren ; elle s'arc-bouta, puis bondit sur son dos en s'accrochant à son cou. Elle pesa alors de tout son poids vers la gauche. Aussitôt, l'automate changea de direction et fonça vers le tambour, qui s'apprêtait à rouler sur Nathan ; ils se percutèrent dans un bruit de tôles froissées, et la note la plus fausse jamais produite par un instrument à vent déchira l'harmonie. Le tambour se renversa sur le dos ; neutralisé comme une tortue, il continua de fendre l'air avec ses baguettes.

Cornelia obtint bientôt l'ouverture suffisante pour rejoindre Nathan, qui peinait à recouvrer ses esprits. Le joueur de cymbales vint se fracasser sur la carcasse échouée de l'automate au tambour, subissant le même sort que son acolyte. Keren, toujours à dos d'automate, tâcha de réitérer sa manœuvre pour percuter le guitariste. Mais cette fois l'angle n'était pas assez direct, et si le guitariste se retrouva effectivement couché au sol, la monture de Keren, elle aussi, fut déséquilibrée. Sentant que l'automate menaçait de s'effondrer, Keren lâcha prise et se jeta aussi loin qu'elle put. Un véritable carambolage s'ensuivit. À chaque choc, les machines se lançaient dans un morceau différent, et bientôt la musique qui s'élevait dans le couloir dépassa en termes de dissonance les pires délires du plus audacieux compositeur de partitions dodécaphoniques. Cornelia fut enfin assez proche de Nathan pour le soulever, comme un sac de pommes de terre. Mais le garçon pesait déjà son poids, et le visage de la magicienne se crispa sous l'effort. Keren, impuissante, se contenta de marcher à reculons en guettant la contre-attaque des automates. Celle-ci ne se fit pas attendre : le joueur de tuba paraissait mieux équilibré que les autres et, après avoir rebondi contre la carcasse de ses congénères, il fila en direction de la petite troupe tout en traçant des Z.

Keren fut parcourue par un courant électrique.

« Cornelia ! Dépêchez-vous ! Il ne va pas nous louper, lui !

– *Che credi ?* Tu crois que je m'amuse ? » répliqua la magicienne entre deux halètements.

La porte était désormais toute proche. Le joueur du tuba, qui n'obéissait à nulle intelligence, opéra un demi-tour. Ce petit miracle fit gagner de précieuses secondes à Keren, qui put atteindre la poignée. Elle tourna de quelques degrés, mais refusa d'aller plus loin.

« Keren ? fit Cornelia avec inquiétude. La porte est verrouillée ?

– Non, je ne crois pas, mais elle est coincée !

– *Uffa !* »

L'automate au tuba changea encore de direction et repartit vers Keren à toute allure. La jeune fille serra la poignée à deux mains et, le visage écarlate, la tourna de toutes ses forces. Un claquement de bon augure résonna dans le couloir, et la porte s'ouvrit. Keren s'engouffra la première dans la pièce ainsi dévoilée, suivie de Cornelia – portant toujours Nathan –, qui claqua la porte derrière elle d'un coup de talon. Une seconde plus tard, on entendit un choc infernal, un concert de fausses notes et de ressorts démantibulés, et la porte trembla si fort qu'un peu de plâtre tomba tout autour du montant. Le joueur de tuba venait d'interpréter sa dernière partition.

Cornelia posa Nathan à terre, et Keren s'approcha de son ami.

«Hey, le gros dur, comment tu te sens?» s'inquiéta-t-elle en dégageant délicatement son front de quelques mèches collées par la sueur.

Sans parvenir à ouvrir les yeux, Nathan tourna la tête sur le côté en gémissant et serra la main de Keren dans la sienne. La jeune fille se raidit.

Cornelia, à son tour, se pencha sur Nathan. Avec deux doigts, elle lui entrouvrit une paupière et fit tournoyer une clé devant son œil.

«C'est bon, déclara-t-elle après un instant. Il réagit. Il est juste sonné.»

Elle lui tapota les joues en disant:

«Allez, *il piccolo soldato!* Réveille-toi!»

Nathan grogna et se mit à bouger lentement. Il ouvrit les yeux, vit les deux visages tournés vers le sien, et réalisa soudain qu'il tenait la main de Keren. Cette révélation eut l'effet d'un électrochoc; il écarta sa main et se redressa comme un pantin jaillissant hors de sa boîte.

«Qu... Qu'est-ce que... la fanfare... On... bredouilla-t-il.

– C'est bon, c'est bon, annonça Keren en soupirant.
Pendant que tu faisais ta petite sieste, on leur a réglé leur
compte. Pas vrai, Cornelia ?

– *Si* », acquiesça la magicienne.

Nathan se frotta le crâne.

« Oh là... J'ai... J'ai encore la... la tête qui tourne. Vous
parlez d'un comité d'accueil ! »

Il essaya de se redresser, et tituba. Keren et Cornelia lui
saisirent chacune un bras.

« Doucement, *soldato* ! Attends de retrouver ton équilibre
avant de marcher. »

Après avoir accompli deux ou trois pas ainsi soutenu,
Nathan indiqua qu'il était capable de poursuivre sans
aide. Tous trois purent alors prêter davantage attention
à la pièce dans laquelle ils avaient pénétré.

Immense, de forme curieuse, elle comportait une série
de fenêtres recouvertes d'un voilage poussiéreux. Une
épaisse moquette pourpre, à la propreté tout aussi douteuse, recouvrait le sol. Il n'y avait pas une parcelle de
mur qui n'arborât une étagère ou une vitrine, toutes
chargées de livres ou d'objets aux usages incompréhensibles. Au centre de la pièce, des présentoirs vitrés
au contenu mystérieux, des appareils métalliques, des
piles de livres anciens formaient les piliers de cet étrange
temple. C'était un bureau, mais aussi un musée miniature ; personne ne semblait y vivre, mais on y percevait
pourtant une activité.

« Cet endroit me flanque la chair de poule, dit Keren. Et
personne pour nous accueillir. Où est l'Escalopier ?

– Si seulement je le savais ! » fit Cornelia.

Elle eut un imperceptible mouvement de tête vers la porte et consulta nerveusement son bracelet-montre.

Nathan s'approcha d'un secrétaire et y glissa le doigt. Il en décolla une épaisse couche de poussière et annonça :

« En tous les cas, il ne fait pas souvent le ménage. Personne n'est entré ici depuis longtemps !

– Oh non ! s'écria Keren. Je sens qu'on va devoir encore jouer aux devinettes. Elle est longue, cette journée. »

Quelques secondes après, un vrombissement s'éleva du fond de la pièce, suivi d'une série de cliquetis, secs et irréguliers. Les bruits provenaient d'une machine, dont ils se rapprochèrent. Sur une tablette, ils aperçurent une pile de feuilles, ainsi qu'une pile équivalente d'enveloppes. Un bras articulé, telle une grue, vint saisir la feuille la plus basse de la pile et la plia en quatre. Un deuxième bras se déploya et, par un mécanisme très ingénieux, attrapa une enveloppe avec un rabat en V, et l'ouvrit. Le premier bras glissa ensuite la feuille dans l'enveloppe et la ferma. Un tapis roulant se mit en branle et l'enveloppe disparut quelques instants dans les entrailles de la machine. Quand elle reparut, elle comportait une série de timbres. Une brosse poussa l'enveloppe jusqu'à une fente. On entendit un bruit de succion et l'enveloppe y disparut. La machine redevint silencieuse. Cornelia s'approcha de la table et examina ce qui ressemblait fort à des lettres.

« Que se passe-t-il ? demanda Nathan. Vous avez l'air troublée, Cornelia.

– Je ne comprends pas ce qui se passe ici ! Ces lettres… elles portent toutes l'écriture de l'Escalopier. Elles sont comme celles qu'on reçoit au Songe éveillé depuis des années.

– Attendez, fit Keren. Vous n'êtes pas en train de nous dire que… que les lettres que vous recevez de votre Escalopier sont déjà toutes écrites, et que cette machine se charge de les mettre sous pli et de les poster automatiquement ? »

Cornelia passa une main dans ses cheveux et soupira.

« Encore un mystère ! Mais je pense que ça n'a plus beaucoup d'importance. Ce que j'aimerais savoir, c'est si… l'Escalopier est toujours vivant.

– Il faut croire que non, dit Nathan. Et qu'il a pris ses précautions pour qu'on croie le contraire. Personne n'habite ici à part cette drôle de machine.

– Je me demande ce qu'il y avait de marqué dans la lettre qui vient de partir, ajouta Keren avec une moue rêveuse.

– On le saura sûrement un jour ou l'autre, la rassura Nathan. En attendant… Cornelia, je n'ose pas poser la question, mais… on fait quoi ? »

Cornelia ne répondit rien, jeta un coup d'œil par-dessus son épaule en direction de la porte, consulta de nouveau sa montre, puis continua à explorer l'étrange cabinet. Elle poussa un petit cri de satisfaction en découvrant, sur un présentoir, une corde enroulée sur elle-même.

Keren eut l'air intéressée.

« Ça a l'air de vous faire plaisir. Qu'est-ce donc ?

– Un tour extraordinaire. La corde sans fin.

– En quoi ça consiste ?

– Ce n'est pas un tour de M. Robert-Houdin, mais c'est tout aussi étonnant. Cela vient de Chine. Je sais comment elle fonctionne, mais je n'avais jamais eu l'occasion de l'utiliser. Regarde!»

La corde, relativement fine, mesurait deux mètres environ. Cornelia en tendit une des extrémités à Keren et entreprit quelques passes incompréhensibles au-dessus de celle qu'elle gardait. Puis elle se rapprocha de Keren et lui fit un clin d'œil. La longueur de la corde avait doublé, sans que son épaisseur ne change.

«Je n'y comprends rien, avoua Keren. Ça m'énerve.»

Cornelia rit de bon cœur et fit une boule de la corde. Quand elle tira à nouveau les extrémités, elle ne mesurait plus qu'un mètre.

Keren bouillait sur place.

«Il y a vraiment un truc, hein, pas vrai? Vous n'avez pas des pouvoirs extraterrestres?

– Non, je te promets, il y a une explication. Mais tu n'as pas à la connaître!

– Évidemment.

– Je l'emprunte, en tous les cas, on ne sait jamais.»

Cornelia fourra la corde magique dans sa besace. Elle tourna alors la tête et tressaillit.

Au milieu du capharnaüm se dressait un petit guéridon en acajou, surmonté d'une imposante cloche en verre. Sous la cloche, elle put distinguer un assemblage curieux de poulies et de miroirs, quelque chose entre un vieil appareil photographique et un instrument d'ophtalmologie. Elle s'approcha à pas feutrés et du coin de sa manche, avec un infini respect, elle frotta une plaque gravée. Elle put lire :

Cogitomètre, par Robert-Houdin, 1870
Propriété du comte de l'Escalopier

Keren et Nathan s'étaient approchés eux aussi, et observaient en silence l'objet de leur quête.

Une voix s'éleva alors derrière eux. Une voix de femme, douce et distinguée.
« Merci de vous être donnés tout ce mal, fit la voix. L'aventure se termine ici pour vous. Enfin, presque. »
La personne qui venait de prononcer ces mots était une femme grande et élégante, qui se tenait dans l'encadrement de la porte. De longs cheveux châtains tombaient en écume légère sur ses épaules, et ses yeux, bleus comme une fleur d'orcanette, paraissaient presque irréels. À son visage, d'une grande beauté, était accrochée une expression à la fois ferme et avenante. Elle serrait dans sa main droite un revolver chromé, mais ne le brandissait pas.
« Cornelia, poursuivit-elle, je vous remercie de votre collaboration. Je n'ai qu'une parole : si vous voulez partir maintenant, vous le pouvez.
– Quoi ? s'insurgea Keren. Quelle collaboration ? De quoi elle parle ? Et c'est qui, elle, d'ailleurs ? »
La femme fit deux pas en avant et exécuta une ébauche de révérence.

«Je m'appelle Silke von Blücher. Mais vous avez entendu parler de moi sous le nom que j'ai emprunté à mon aïeule : le nom de von Arnim.»

Nathan et Keren ouvrirent des yeux ronds.

«Cornelia, bredouilla Nathan, vous ne nous aviez pas dit que...

– Eh non, l'interrompit la femme, "von Arnim" n'est pas un homme. C'est bien moi. Mais votre grande amie Cornelia le savait déjà.»

Cette dernière baissa la tête.

«Dites-leur, Cornelia, ils ont le droit de savoir, vous ne pensez pas ?»

Mais la magicienne gardait le silence.

«Comme vous voudrez, très chère... consœur. Je vais le leur dire moi, alors ? Chers enfants, si je me tiens devant vous en ce moment, c'est parce que votre protectrice porte sur elle un émetteur, grâce auquel j'ai pu vous suivre. Et elle n'en ignorait rien.»

Nathan tourna la tête vers Cornelia, l'air inquiet et furieux.

«Cornelia, c'est vrai ?

– *Si*, dit la jeune femme.

– Mais pourquoi ? Après nous avoir aidés ? Je ne comprends pas.»

Gisela von Arnim coupa court à l'échange et déclara :

«Les raisons de Cornelia sont on ne peut plus nobles. Son père est très malade, en Italie. Et ce n'est pas avec ses maigres revenus qu'elle peut lui apporter les soins dont il a besoin. Je lui ai juré d'envoyer à sa famille une somme plus qu'honorable. Et puis, je lui ai garanti qu'aucun mal ne vous serait fait, à vous.

– C'est trop gentil, tempêta Keren.

– Cornelia, insista Nathan, mais… quand avez-vous décidé cela ? Vous étiez avec nous tout le t…»

Il s'arrêta tout net, puis s'exclama :

« Le magasin de cannes ! Vous ne nous aviez pas tout dit, n'est-ce pas ? Ça ne s'est pas passé comme vous l'avez raconté ? »

Cornelia secoua la tête.

« Si. En partie. Mais von Arnim était déjà là, cachée. Et elle a surgi au moment où j'ai été en possession de la canne.

– Ma propre enquête m'avait permis d'apprendre qu'un élément permettant d'atteindre l'Escalopier se trouvait dans cet endroit, précisa von Arnim. Je ne savais rien des autres indices, mais… il me suffisait d'y attendre que l'un de vous paraisse.

– Ce qu'elle ne vous dit pas, précisa Cornelia avec colère, c'est que le marché n'est pas tout à fait celui qu'elle vient de vous… comment dit-on ? de vous dévoiler.

– Ce sont des détails ! Des détails ! lança von Arnim d'une voix gaie.

– Des détails, eh ? Les enfants, elle a en effet promis de soigner mon père… mais aussi de le tuer si je ne l'aidais pas. »

Nathan attrapa Keren par l'épaule et la serra contre lui. Ils demeurèrent ainsi blottis, évitant soigneusement de croiser le regard de Cornelia.

Von Arnim s'approcha d'eux d'une démarche souple et braqua son arme vers Cornelia.

«Pourquoi faites-vous tout cela, von Arnim ? demanda celle-ci. Vous avez déjà tout ce que vous voulez.

– Il me manque quelque chose.

– Q… quoi donc ? bafouilla Keren. Si ça se trouve, j'ai ça sur moi et on n'en parle plus, hein !»

Von Arnim éclata de rire.

«Le plus drôle, ma petite, c'est que tu as raison ! Tu as ça sur toi !»

Elle reprit un air sérieux et ajouta :

«Maintenant, si vous voulez connaître mes raisons… Pourquoi pas ? Mais, Cornelia, s'il vous plaît, enlevez cette cloche en verre, préparez la machine… et disposez le cristal comme il se doit. Vous savez comment faire, n'est-ce pas ? Vous avez lu, *vous aussi*, le journal de Frédéric Weiss ?

– *Si*, fit Cornelia en s'exécutant.

– Plus vite ! Ce que vous êtes lente, ma chère amie.

– C'est que je ne veux rien casser, rétorqua Cornelia. Et vous n'avez toujours pas répondu à ma question : pourquoi ? Pourquoi voulez-vous le Cogitomètre ?

– Pour le plus vieux motif du monde, ma chère Cornelia. Pour me venger.»

Cornelia arrêta ses manipulations et fixa von Arnim, qui la fusilla du regard.

«Vous ai-je dit de vous arrêter ? Continuez !» hurla-telle en mettant Cornelia en joue.

La magicienne se remit à l'ouvrage, en mesurant chacun de ses gestes. Malgré la menace de l'arme, elle se risqua à demander :

«Je ne comprends pas de qui ou de quoi vous voulez vous venger.

– Ne faites pas l'innocente! ricana von Arnim. Vous savez ce que votre Frédéric Weiss a fait à mon aïeule Gisela. Il est trop tard pour qu'il paie, lui... Mais je réserve l'enfer à tous ses héritiers!

– Weiss n'a rien fait à votre ancêtre! protesta Cornelia. C'est elle qui l'a trahi et pas l'inverse! Si elle est morte, ce n'est pas à cause de lui!

– Morte? Ça, c'est ce que vous croyez, ricana von Arnim. Allez, dépêchez-vous!»

Cornelia, avec d'infinies précautions, sortit le cristal de sa poche, toujours recouvert d'un linge. Von Arnim agita son revolver en signe d'empressement, puis reprit:

«Gisela von Arnim n'est pas morte dans cette chute. C'est vrai, Frédéric Weiss et son propre frère Hans l'ont cru. Mais cette pauvre Gisela, la jambe brisée, moribonde, a réussi à sortir de la crevasse où elle était tombée. Sans matériel, rien. À la force de ses mains. Hans est tombé peu de temps après sur un champ de bataille, et n'a jamais su la vérité.

– Vous délirez, lança Cornelia. Nous devrions peut-être en parler plus calmement. Posez ce...

– Vous osez mettre ma parole en doute? l'interrompit von Arnim. Si elle était morte ce jour-là, je ne serais pas devant vous, petite sotte! Gisela a fini par trouver, à son tour, la trappe menant à la surface. Une famille, qui passait par là l'a trouvée mourante, allongée dans l'herbe, et l'a prise sous sa protection. Et des mois plus tard, après avoir été soignée à La Salpêtrière par M. Charcot, elle aussi a pu écrire ses Mémoires.

– Et ? souffla Cornelia tout en s'agitant autour du Cogitomètre.

– Et dans ses Mémoires, elle révèle que Weiss n'a pas du tout tenté de lui porter secours. Ni à elle ni à Hans. Il les a laissés accrochés à leur corniche, pendus dans le vide, et a pris la fuite.

– Ça n'est pas très logique, protesta Cornelia. Hans aurait laissé Weiss en vie après ça ? Vous le pensez vraiment ?

– C'est Weiss qui tenait le revolver, au moment de leur fuite. Comme moi aujourd'hui, d'ailleurs. Et maintenant, arrêtez de gagner du temps, je perds patience. Est-ce que tout est prêt, Cornelia ?

– Je crois, soupira l'Italienne. Mais personne ne sait si cette invention fonctionne réellement.

– Nous allons vite le savoir. »

Le cristal de Sublutetia, l'objet de toutes les convoitises, trônait désormais au centre du Cogitomètre, sa luminosité contenue par un jeu de miroirs. Von Arnim fit signe à Cornelia de reculer et s'approcha de la machine.

« Mes enfants… commença-t-elle. Depuis des années, je cherche le moyen de venger mon ancêtre. Mais pour cela j'avais besoin de savoir quelque chose de très important. Quelque chose qui me donnerait le moyen d'accomplir mon but. Et ce quelque chose, vous l'avez. En vous. »

Nathan, les sourcils froncés, la fixait d'un air de défi.

« Tu es courageux, mon garçon, mais ça ne servira à rien, désormais. Vois-tu, ce que je cherche, ce n'est qu'une information. Je veux savoir où se trouve Sublutetia.

– Si je le savais, je ne vous le dirais pas, rétorqua Nathan. Et de toutes les manières, je n'en sais rien. Keren et moi, on y est allé, c'est vrai. Mais le chemin est trop compliqué. On ne saurait pas y retourner même si on voulait.

– Oh, mais je ne veux pas que tu me le dises ! Je veux que tu me le *montres*. Je n'ai besoin, en réalité, que d'une petite confirmation de quelque chose que je soupçonne déjà. Et à cette condition, je pourrai enfin passer à l'étape finale de mon plan. »

Nathan et Keren se figèrent. Von Arnim poursuivit :

« Vous voulez connaître la suite de l'histoire de Gisela von Arnim ? Sa jambe brisée n'a pu être sauvée et a dû être amputée. Cela n'a pas empêché Gisela d'épouser un von Blücher, d'une très noble famille. Mais Gisela n'a pas supporté longtemps d'être infirme. Lors d'un séjour au bord de la mer, alors que son fils Ralf n'était âgé que de trois ans, elle s'est jetée d'une falaise. Tout ça à cause de la lâcheté de Weiss. Tout ça à cause de l'invention diabolique de Robert-Houdin ! Tout ça à cause de Sublutetia ! »

Les gestes de von Arnim s'étaient faits plus brusques, et ses mots se heurtaient les uns aux autres. Elle continua, de plus en plus agitée :

« Ma famille va avoir sa revanche. Gisela ne sera pas morte pour rien.

– V… vous savez que la guerre est finie, hein ? osa Keren. On pourrait peut-être discuter de tout ça devant un bon cho…

– Silence ! hurla von Arnim. Et maintenant, vous allez tout me révéler. Je veux savoir où, sous Paris, se trouve la voûte de cristal.

– Je vous ai dit qu'on ne pouvait p… commença Nathan.

– Oh si, vous pouvez. C'est même très simple ! »

À ces mots, elle se mit à tourner la poignée latérale du Cogitomètre. Cornelia, nerveusement, regarda vers la porte. Une lumière magnifique s'échappa alors de la machine. Une lumière d'une pureté extraordinairement apaisante.

« Où se trouve Sublutetia ? Comment y êtes-vous allés ? » demanda simplement von Arnim.

Keren et Nathan restèrent muets. Mais leurs yeux avaient parlé pour eux. Un cône de lumière laiteuse et tremblante s'éleva de la partie supérieure du Cogitomètre et vint s'étaler au plafond. Von Arnim ajusta un cadran, et de la tache de lumière naquit une succession d'images. Elles n'étaient pas à proprement parler floues, mais d'une granulosité curieuse, bien différente de celle d'une photographie. Cependant, c'était leur succession qui était la plus étrange : les transitions s'effectuaient par métamorphoses, un objet s'étirant, se vrillant, pour en devenir un autre l'instant d'après.

« Fermez les yeux ! cria Cornelia.

– N'y pensez même pas, dit von Arnim en pointant son arme vers les enfants. Le premier qui ferme un œil ne le rouvrira jamais.

– Vous aviez donné votre… commença l'Italienne.

– S'ils collaborent, il n'y aura aucun souci, l'interrompit von Arnim. Allez, les enfants. Pensez à ce que vous avez vu. Pensez à Sublutetia. Pensez à comment vous y êtes allés.»

Nathan comme Keren tâchèrent de faire le vide dans leurs pensées. Peine perdue : impossible de ne pas penser à un crocodile quand quelqu'un vous dit « Ne pense pas à un crocodile ». Et cela, von Arnim le savait bien. Sur le plafond, on vit les portes d'un métro se refermer devant Nathan s'accrocher au poteau d'une rame de métro ; Keren se pencher vers un garçon, de dos, en train de refaire son lacet ; puis, à un rythme infernal, se succédèrent une station de métro appelée Nerval, un orang-outan à l'air féroce, une vieille rame de métro… Puis on distingua l'éclat d'un ciel somptueux, et sous lui une ville majestueuse où s'agitaient des hommes costumés… Von Arnim observait tout cela avec un grand sourire, en s'écriant :

«Merveilleux, merveilleux ! J'avais donc tout deviné. Plus rien ne peut m'arrêter, à présent !»

Une chaleur importante se dégageait du Cogitomètre, et bientôt la lumière commença à perdre en intensité alors qu'une fumée grise s'échappait des entrailles de l'invention.

Tout à coup, un bruit sourd retentit, et von Arnim poussa un cri. Elle lâcha la poignée du Cogitomètre et, son arme toujours à la main, tomba à genoux avec une expression de douleur. La lumière et les images s'évanouirent aussitôt.

« Vous avez mis le temps, *uffa !* » lança Cornelia à l'endroit de l'homme qui venait de faire irruption dans la pièce. C'était un individu à la carrure imposante, portant une barbe poivre et sel bien fournie. Il tenait à l'épaule un airolver aussi long qu'un fusil.
« Fulgence ! » s'écrièrent Keren et Nathan en chœur.

C'était bien lui.

Auguste Fulgence, celui que les deux enfants avaient pris pour un ennemi et qui s'était révélé le plus précieux des alliés quand, un an plus tôt, ils s'étaient égarés à Sublutetia. Fulgence, le sage irascible ; Fulgence, le colosse qui, l'espace de quelques jours, avait rappelé à Nathan ce qu'était un père. Que faisait-il à la surface ? Comment avait-il su ce qui s'y tramait ? Mais Keren et Nathan n'eurent guère le loisir de laisser leur esprit divaguer : une détonation retentit, et une balle siffla aux oreilles du nouvel arrivant. Von Arnim, déjà debout, le bras assuré et son arme fumante au poing, rugit :
« Posez votre pistolet ou la prochaine balle ne vous ratera pas ! »
Mais elle eut à peine le temps de finir sa phrase : sans hésiter, Fulgence utilisa de nouveau son arme et, dans un bruit sourd, un nouveau projectile vint percuter l'Allemande à l'estomac. Elle chancela, et cette fois fit tomber son pistolet avant de s'écrouler à quatre pattes. En un bond, Cornelia fut près d'elle et chassa l'arme au loin d'un coup de pied.

« Mon père va très bien et il habite aux États-Unis, maintenant, *strega !* cria-t-elle. Il va même courir le marathon de New York. Tu n'es pas une très bonne espionne, finalement !

– C… co… comment ? demanda von Arnim, le souffle à moitié coupé.

– On a tout fait pour que tu t'intéresses à quelques-uns d'entre nous. Et il a été très simple de multiplier les fausses pistes ! Nous sommes des *illusionnistes*, tu te rappelles ? »

Keren et Nathan coururent vers Fulgence, qui, s'il avait baissé sa garde, observait toujours avec méfiance la silhouette recroquevillée de von Arnim.

« Je suis très heureux de vous revoir, les enfants, fit-il. Même si j'aurais préféré que cela se passe dans d'autres circonstances.

– J'imagine que tout est fini, désormais », dit Nathan.

Il se tourna vers Cornelia, des dizaines de questions au fond du regard. Il ajouta :

« Enfin, *presque* tout. »

Le trouble du jeune garçon n'échappa pas à Fulgence, qui déclara :

« Je sais ce qui vous tracasse, tous les deux. Rassurez-vous. Cornelia a joué un jeu dangereux, mais elle ne vous a pas trahis. Nous allons discuter de tout cela ensemble.

– Oui, ça serait pas mal, laissa échapper Keren. Je veux bien comprendre un peu ce qui se passe. Et d'où vous sortez, comme ça, tout à coup. Ça nous fait plaisir aussi, hein, ne croyez pas ça. C'est juste qu'on… ne vous attendait pas, quoi !

– Je vais tout vous expliquer, rien ne presse, à présent. Cornelia ?

– *Si ?* fit la magicienne.

– Vous avez un moyen de me saucissonner cette cinglée ? J'ai deux mots à lui dire, et on n'est jamais trop prudent ! Encore qu'elle ne me paraît pas si dangereuse, vue comme ça. »

Von Arnim releva la tête, les traits crispés, et ses yeux de glace transpercèrent Fulgence à travers la pénombre où elle se tenait désormais accroupie. Il y avait dans ce regard tant de détermination, de dureté, que l'imposant Sublutetien eut un mouvement de recul. Von Arnim était pareille à un loup dont la patte se serait prise dans un piège ; ses lèvres rouges, délicatement dessinées, tremblaient comme les babines d'un animal sauvage, et sa chevelure frémissait doucement. Nullement impressionnée, Cornelia s'approcha d'elle.

En une seconde à peine, ce fut à nouveau le chaos.

Avant que Cornelia ne fasse le moindre geste, von Arnim bondit sur elle, et l'éclat d'une lame déchira les ténèbres. La lame vola encore une fois, deux fois, projetant une pluie de gouttelettes sinistre dans les airs.

Cornelia, la main posée sur son ventre, expira bruyamment tout en reculant. Un filet de sang vint couler entre ses doigts. Elle vacilla et, sous le regard horrifié de Keren et Nathan, s'écroula.

«Voilà pour la magicienne de pacotille, le petit rejeton de Robert-Houdin!» s'écria von Arnim.

Fulgence ne tarda pas à reprendre ses esprits et épaula son airolver. Mais von Arnim avait déjà sorti de sa poche une bille qu'elle jeta au sol. Il s'en échappa une fumée âcre et épaisse qui la dissimula totalement. Fulgence tira au jugé, mais manqua sa cible. Alors, on entendit un bruit de verre brisé, un froissement d'étoffe, puis plus rien.

Quand la fumée se dissipa, von Arnim avait disparu, ainsi que le Cogitomètre et le cristal. Il n'y avait plus qu'une fenêtre brisée.

Le silence était devenu morbide. La poussière soulevée lors de l'affrontement retombait doucement sur les objets anciens. Là, au milieu des ressorts et des poulies, gisait Cornelia, la main sur sa blessure. À ses côtés, une flaque de sang grossissait un peu plus chaque seconde.

Keren s'était collée à Nathan, les yeux fermés. Le jeune garçon, lui, ne pouvait détacher son regard de cette image terrible.

«Ce n'est pas possible, dit-il à voix basse. Je ne veux pas. Ça ne peut pas arriver.»

Fulgence, tout aussi choqué, se fit violence et lança :

«Nathan, va voir où cette folle est partie! Je m'occupe de Cornelia.»

Il courut vers elle.

«Cornelia, comment vous sentez-vous ? demanda-t-il avec empressement.

– *Non lo so…* murmura la magicienne.
– Faites-moi voir ça, levez votre main. Laissez-vous faire. »
Le visage de Fulgence ne trahit aucune émotion quand il
découvrit les blessures ; mais celles-ci étaient larges, pro-
fondes et sérieuses. Von Arnim avait agi avec vitesse et
une parfaite maîtrise de son geste.
« *E serioso ?* demanda Cornelia.
– Oui », répondit simplement Fulgence.
Cornelia ferma les yeux.
Keren, impressionnée par la vue du sang, finit par passer
outre sa répulsion et s'approcha à son tour de la jeune
femme étendue.
« Vous n'allez pas flancher pour une égratignure, hein ! Ça
ne se voit même pas, votre truc. »
Elle baissa le regard vers la blessure, verdit, déglutit et
ajouta :
« Bon, ça se voit un peu. Tenez bon, on a besoin de vous ! »
Tandis que Fulgence cherchait de quoi faire une compresse de fortune, Nathan revint auprès d'eux, la mine
défaite.
« Rien ! fit le jeune garçon. Je ne comprends pas où elle est
passée.
– Comment ça ? demanda Keren.
– La fenêtre donne dans une cour. Mais on est au premier
étage ! Si elle avait sauté, elle aurait dû se casser quelque
chose. Il n'y a rien, aucune trace d'elle. Je ne comprends
pas comment elle a fait ! »
Cornelia essaya de dire quelque chose, mais ses paroles
s'égrenaient en un hoquet pénible.

« Ne faites aucun effort, par Pluton ! commanda Fulgence. Tenez-vous tranquille. Il vous faut un médecin de toute urgence.

— Je vais appeler une ambulance tout de suite », déclara Nathan en se dirigeant vers le vieux téléphone à cadran posé sur une console, croisant les doigts pour qu'il fonctionne.

Tandis qu'il téléphonait, paniqué, Fulgence gronda à l'attention de Keren :

« Dis à Roujol de monter, il est resté posté en bas. Il attendra l'arrivée des secours avec Cornelia. C'est elle qui lui avait demandé de m'avertir, à votre insu. Elle a joué la comédie, parce qu'elle se savait surveillée.

— Bon, alors je fais vite ! » lança-t-elle avec entrain.

Elle partit à toute allure rejoindre le détective.

Nathan, lui, venait de raccrocher. Il s'approcha de Fulgence, l'air dubitatif.

« Hum… Vous n'avez quand même pas mis très longtemps à arriver. C'est curieux…

— Disons que je me tenais prêt. Il se trame des choses qui dépassent ce que vous imaginez, les enfants. Il faut que nous retrouvions cette folle de von Arnim avant qu'il ne soit trop tard !

— Mais qu'est-ce qu'elle prépare ? » s'inquiéta Nathan.

Fulgence ne répondit pas, et lui demanda à la place :

« Cornelia ?

— *Si ?* fit la magicienne d'une voix étouffée.

— Vous allez tenir le coup ? »

Elle leva le pouce d'un geste aussi assuré qu'elle le put.

Nathan lui sourit et s'agenouilla auprès d'elle.

Puis la main de Cornelia retomba sans force au sol ; elle fut agitée d'un soubresaut, et ses yeux se fermèrent.

Journal de Frédéric Weiss
Onzième partie

Paris, le 9 octobre 1870

Il importe que je retrouve bientôt suffisamment de forces pour quitter Paris.

L'image de Gisela accrochée au rebord de la crevasse me hantera à jamais. Quels qu'aient pu être ses sentiments à mon endroit, sa disparition m'a plongé dans une douloureuse mélancolie. J'imagine qu'il me faudra désormais vivre avec.

Une pile de lettres de M. Robert-Houdin m'attendait à mon retour, encore cachetées, posées sur mon secrétaire par la logeuse. J'ai consacré une bonne partie de cet après-midi à les lire. Les premières dataient du début de mon périple souterrain; le Maître s'y enquérait de l'avancée du projet. Au fil des jours, les lettres ont pris un ton plus inquiet. L'absence de nouvelles a perturbé le Maître au-delà de tout ce que je pouvais imaginer. Il se croit responsable de mon sort, mais le seul responsable, c'est moi : j'ai été fou de croire en la bonne foi de Hans et Gisela.

Voici l'avant-dernière lettre que j'ai reçue :

Saint-Gervais, au Prieuré, le 11 août 1870

Mon cher Frédéric,

Dieu seul sait où vous pouvez bien être en ce moment. Comment ai-je pu vous lancer dans une pareille expédition ! J'en éprouve le plus grand des remords. J'ignore quand ou si vous lirez ces lignes un jour, mais je tenais néanmoins à vous informer d'un événement terrible.

Mon fils Eugène, tout jeune capitaine, a été blessé à Reichshoffen. Dans le billet que je viens de recevoir, il m'assure qu'il ne s'agit « que d'un bobo », mais le mot a été rédigé sur une carte de visite tachée de sang, d'une écriture maladroite. Je sais que sa situation est bien plus grave qu'il ne veut le dire.

Je tâche de faire jouer mes appuis, actuellement, pour pouvoir le rejoindre aussi vite que possible. S'il devait m'arriver quoi que ce soit, sachez que j'ai laissé quelque chose pour vous au Prieuré. Mon épouse vous le confiera.

Je ne peux hélas être plus long, car des préparatifs pénibles m'attendent. Je souhaite de tout cœur que vous vous portiez bien, et que la raison de votre silence n'ait pas d'autre cause que la prudence.

Que Dieu vous garde,

Jean Eugène Robert-Houdin.

La dernière lettre était encore plus brève :

Saint-Gervais, au Prieuré, le 17 août 1870

Mon cher Frédéric,

Il m'est parvenu hier un nouveau mot d'Eugène, où il me disait ceci : « Cher père, j'ai reçu une balle qui m'a traversé la poitrine, le docteur ne répond de rien, je vous embrasse tous. »

S'il y a un moment où les illusions doivent se dissiper, quand bien même elles ont bercé toute ma vie d'artiste, c'est bien maintenant. Mon fils est mort, cela ne fait désormais plus aucun doute.

On m'a assuré qu'il était stupide, voire inconscient, de chercher à rallier Reichshoffen maintenant. Je vais donc demeurer au Prieuré en attendant d'en savoir davantage, le cœur brisé.

Jean Eugène Robert-Houdin.

Ma décision est prise : il me faut retourner au Prieuré aussitôt que possible. Mais cela ne sera pas chose aisée : le maillage des Prussiens autour de la ville est sans doute lâche, mais les voies de communication classiques, elles, sont coupées. Impossible de prendre le train à la gare d'Orléans. Et partir à pied serait une folie. À cheval ? Si seulement. Mais que faire si je croise un détachement de Prussiens ? Pour l'heure, il est tard et j'ai de nouveau sommeil. Peut-être y verrai-je plus clair demain.

*
* *

Paris, le 20 octobre 1870

Les choses ne se présentent pas le mieux du monde pour moi et mes projets d'évasion. J'ai sondé un locataire de l'immeuble, le militaire à la retraite dont le fils s'est enrôlé dans les troupes qui défendent Paris. Pour le moment, ces troupes n'ont pas été mêlées à de trop importants affrontements (en revanche, j'ai ouï dire que non loin, de Saint-Denis à Châtillon, des batailles sérieuses font rage actuellement). Le fils du vieux soldat est formel : impossible de prendre la route à cheval, d'autant qu'il sera bientôt très compliqué d'en trouver dans Paris. En effet, tout le fourrage est réquisitionné auprès des marchands pour nourrir les chevaux de cavalerie. En conséquence, les Parisiens vendent leurs chevaux aux boucheries. De deux cents à deux cent cinquante francs s'il est bien portant, m'a-t-on dit. Le ravitaillement n'est pas encore trop problématique, mais tout cela ne présage rien de bon.

À vrai dire, une seule solution semble se profiler. La gare d'Orléans a été transformée en une sorte d'usine à assembler des ballons dirigeables. Des personnages importants ont pu rejoindre Tours par ce moyen[1]. Qui

---

1. C'est de la gare d'Orléans, aujourd'hui gare d'Austerlitz, que partaient les dirigeables officiels (pour le courrier et le transport de certains dignitaires) pendant la guerre de 1870.

sait ? Voilà peut-être la seule échappatoire. J'imagine cependant que le nombre de ces dirigeables est limité, et qu'on ne laissera pas un inconnu comme moi prendre la place de quelque dignitaire. Il va falloir que je me renseigne plus avant.

*

* *

Paris, le 1ᵉʳ novembre 1870

Hier soir, des insurrections ont eu lieu un peu partout dans la capitale ; une batterie d'artillerie a été installée non loin de mon immeuble, rue Drouot ; la délégation gouvernementale de Tours a fait passer un décret ordonnant la réquisition de l'argenterie des civils pour la faire fondre en monnaie. Le chaos grossit de jour en jour et je crains que les Parisiens ne cèdent à la panique. Comme il me tarde de pouvoir rejoindre le Maître ! J'ai contacté un Écossais du nom de Cassilis, qui pourrait être en mesure de me venir en aide. L'individu se fait discret, fuyant même, et il ne m'a pas été possible de le rencontrer directement. On dit qu'il pratique la contrebande. Peu importe ses occupations s'il arrive à me sortir de Paris ! Sa réponse ne devrait pas tarder.

J'ai bien entendu donné de mes nouvelles au Maître, sans toutefois révéler trop de détails quant à mon équipée : il m'importait qu'il sût que j'étais en vie, mais je craignais que le courrier ne fût intercepté par l'ennemi. À mon grand bonheur, M. Robert-Houdin m'a répondu, m'assurant de sa bonne santé, mais dans un style beaucoup moins enthousiaste qu'à l'accoutumée. Il m'a enjoint à la plus grande méfiance, car les Prussiens, à ses dires, risquaient de marcher sur Blois d'un moment à l'autre.

On vient à l'instant de me faire monter un mot dans ma chambre. La logeuse m'a affirmé qu'elle ignorait qui l'avait déposé. Voici ce que dit le message :

(La carte a été collée dans le journal intime de Frédéric Weiss.)

Monsieur Weiss,
Je serai heureux de vous aider, car vous m'avez été recommandé par des gens en qui j'ai toute confiance. Retrouvons-nous pour parler de tout ça au café Lemblin, ce soir, à huit heures. Le café se trouve dans la galerie de Chartres du Palais-Royal. Je saurai qui vous êtes. Si vous venez accompagné, vous n'aurez plus jamais de mes nouvelles.
À ce soir, donc.

Cassilis.

Il me reste quelques heures encore avant le rendez-vous : allons repérer les lieux sans attendre.

*

* *

Paris, le 2 novembre 1870

Il me faut absolument raconter ma rencontre avec Cassilis.
Hier soir, donc, je me rendis au rendez-vous en avance,
dans l'espoir de surprendre mon mystérieux contact à son
arrivée. Le café était déjà rempli, et l'atmosphère bien
échauffée. Je me postai à une table en face de la porte d'entrée, scrutant chaque nouvel arrivant. On y voyait mal,
car les éclairages au gaz, pour cause de pénurie, avaient
cédé la place à de simples bougies, si bien qu'on se serait
cru en plein Moyen Âge. Bientôt, il fut huit heures, huit
heures trente. Cassilis allait-il vraiment venir ? Et puis,
je sentis une main se poser sur mon épaule, alors qu'une
voix me disait :
« Je vous aurais bien observé encore un peu, jeune homme,
vous étiez fort drôle à regarder la porte ainsi. Mais les plai-
santeries les plus courtes sont les meilleures. »
L'homme qui avait parlé s'assit face à moi, et posa une
chope à côté de la mienne. Il était mince et affichait le
teint hâlé d'un marin. Ses cheveux blonds, très soignés,
tombaient juste au-dessus de ses épaules et encadraient
un visage aux traits tellement fins qu'ils en devenaient
étranges et vaguement inquiétants. Je fus tout de suite
frappé par l'énergie qui se dégageait de lui. À quoi cela
tenait-il ? À ses avant-bras noueux comme une liane ? À

l'intensité de son regard ? J'avais l'impression d'avoir face à moi un serpent prêt à frapper.

« Je suis Cassilis, me dit-il en souriant. En quoi puis-je vous aider, monsieur Weiss ?

– J'aimerais rejoindre Blois », répondis-je simplement.

Son visage demeura impassible, et il m'observa plusieurs longues secondes sans dire un mot. Puis il déclara :

« Bien sûr, je peux vous y emmener. Mais cela n'est pas gratuit, et vous me pardonnerez de m'inquiéter de votre... solvabilité. Combien êtes-vous prêt à payer, monsieur Weiss ? »

Je fis mentalement mes comptes. La petite solde que me versait M. Robert-Houdin n'avait pas été entamée durant mon séjour à Sublutetia, mais elle n'avait rien d'important. Du bout des lèvres, je déclarai :

« Je pense pouvoir réunir cent francs. »

Cassilis eut un imperceptible mouvement de tête puis sur le même ton neutre, me répondit :

« Ce fut un plaisir de vous rencontrer, monsieur Weiss. Votre boisson est pour moi, j'y tiens : vous devez être bien pauvre pour me proposer une somme aussi misérable. Bonne chance, et adieu. »

Il se leva et fit tomber quelques pièces sur la table. Je bondis alors et le saisis par le poignet. Cassilis me scruta avec dédain, et me dit doucement :

« Monsieur Weiss, je vous suggère de retirer votre main, avant que je ne la coupe.

– Me couper la main ? Avec quoi ? »

Je plantai sur la table le poignard qu'il avait caché sous son manteau, beaucoup moins habilement qu'il ne l'imaginait sans doute. L'Écossais eut un sourire imperceptible.

«Je pourrais vous arracher la langue sans toucher une arme, monsieur Weiss, mais… vous ne manquez ni de talent ni de culot. Auriez-vous autre chose à me dire ?

– Oui, j'ai quelque chose qui peut vous intéresser. Discutons encore un peu.

– Fort bien.»

Cassilis se rassit et commanda une autre bière. Puis, tout en rangeant son arme, il me demanda :

«Alors ? De quoi s'agit-il ?

– Je n'ai certes pas beaucoup d'argent, mais je possède… comment dire… un objet très précieux, dont vous tirerez certainement un bon prix.

– Dites-m'en plus. Rien ne m'oblige à vous croire.

– Je ne vous demande pas de me croire sur parole, car je peux vous le montrer.

– Très bien. L'avez-vous ici ?

– Non. Il est chez moi.

– Pourquoi ne l'avez-vous pas apporté si vous comptiez faire affaire avec moi ?

– Parce que je n'imaginais pas que vous étiez un voleur pareil.»

Cassilis éclata de rire.

«Ah, j'apprécie votre franchise, monsieur Weiss, vraiment, fit-il entre deux hoquets. Et vous avez de l'esprit. Seulement, je crois que vous ne mesurez pas bien les

risques que je vais peut-être prendre pour vous. Cela vaut
bien plus de cent francs ! »

Il retrouva son sérieux et me dit :

« Bien, comment allons-nous procéder ? Où puis-je voir cet
objet précieux ?

– Derrière le café, au lever du jour. Si vous le voulez bien.

– Il y a ici suffisamment de jolies femmes et de bière pour
que je ne trouve pas le temps trop long, monsieur Weiss.
Faites ce que vous avez à faire, je serai là à votre retour.
Rejoignons-nous vers six heures du matin. »

Je pris congé et retournai à ma chambre d'un bon pas. Là,
je sortis de sa cachette le cristal que j'avais rapporté de
Sublutetia. Il était enveloppé dans un linge, mais comme
il faisait déjà nuit, il ne rayonnait pas. Je me saisis de
quelques outils d'horlogerie et entamai la pierre de façon
à en prélever un fragment de la taille de mon pouce. Je
l'enveloppai à son tour, le fourrai dans ma poche et partis
m'allonger sur mon lit.

Quand, au petit matin, je me rendis à l'arrière du café,
Cassilis s'y trouvait déjà, adossé à un mur. Je m'approchai
de lui avec prudence : l'individu était sympathique, mais
n'avait encore rien fait pour mériter ma confiance.

« Eh bien ? lança-t-il. Avez-vous ce que vous m'avez
promis ?

– Oui, je l'ai.

– Nous n'allons rien y voir, ici, monsieur Weiss. Cherchons
de la lumière.

– Cela ne servira à rien. L'expérience n'en sera que meilleure si nous restons ici, patiemment.

– J'espère que vous n'êtes pas en train de me faire perdre mon temps, monsieur Weiss. Je n'apprécie guère que l'on s'amuse à mes dépends.

– N'ayez crainte, je pense que vous serez surpris. Agréablement. »

Avant que Cassilis n'ait eu le temps de poser une autre question, je sortis de ma poche le fragment de cristal et le posai à mes pieds. Je m'assis, dos au mur, et invitai Cassilis à faire de même. Il craqua une allumette et observa le cristal.

« Est-ce ce caillou qui est supposé payer votre voyage ? demanda-t-il avec une pointe d'agacement. Je n'y vois guère, mais cela m'a tout l'air d'être un cristal tout ce qu'il y a de banal.

– Attendez un peu. Vous n'aurez pas besoin d'allumette. »

De longues minutes passèrent, et je sentis l'impatience de Cassilis croître. Et puis, le jour commença à se lever. Au départ, ce fut imperceptible : le cristal n'émettait qu'une lumière faible, moins intense encore que la flamme d'une bougie. Mais après quelques minutes, il se mit à rougeoyer comme un brasier, si bien que la rue se trouvait désormais envahie par cette lumière chaude. Quelques minutes passèrent encore. La lumière perdit en couleur ce qu'elle gagna en intensité. Il y avait, ce matin-là, deux soleils. L'un au-dessus de nos têtes, un autre à nos pieds.

« C'est prodigieux, prodigieux ! » murmura Cassilis.

Bientôt, l'éclat du cristal se confondit avec la lumière du jour. Cassilis ramassa le cristal, qui diffusait une lumière bleu pâle d'une pureté presque émouvante. Il le fourra dans sa poche et se tourna vers moi.

« Marché conclu. Je suppose qu'il est inutile de vous demander où vous avez trouvé cette pierre extraordinaire ?

– En effet, répondis-je sèchement.

– Je le découvrirai par moi-même s'il le faut. En attendant, je vous amènerai à Blois. Vous avez ma parole de gentleman.

– Vous en êtes donc un ?

– Bien sûr ! affirma-t-il en me lançant un sourire carnassier. Toutefois, sachez que mon emploi du temps est déjà bien rempli, et que pour d'autres raisons il ne sera pas possible de rejoindre Blois avant plusieurs semaines. Début décembre, est-ce que cela vous convient ?

– Début décembre ! m'étouffai-je. Mais… c'est dans un mois ! C'est impossible !

– Dans ce cas, je dois vous rendre ce qui vous appartient. »

Il mit la main à sa poche, et de guerre lasse je dis :

« Non, non… Va pour décembre. Que dois-je préparer ?

– Rien, en fait. Le moins de choses possible. Nous voyagerons léger. Je vous ferai signe, n'essayez pas de me joindre dans l'intervalle. C'est entendu ?

– C'est entendu.

– Alors, à dans un mois, monsieur Weiss. »

Cassilis s'éloigna et ne tarda pas à s'évanouir au sein de la foule qui commençait déjà à se répandre autour du Palais-Royal.

Voilà donc un mois à attendre avant de rejoindre Blois, puis le Prieuré. J'espère que la situation ne se dégradera pas trop à Paris d'ici là. J'envisage de me faire le plus discret possible, en souhaitant que les barrages autour de la capitale tiennent bon.

*

* *

Paris, le 17 novembre 1870

Comme je le craignais, les événements se sont accélérés au cours des quinze derniers jours. L'arrivée des premières neiges, samedi dernier, a été de triste augure. La viande commence à se faire rare, et passé l'horreur des premiers jours, la consommation de chiens, de chats et de rats ne choque plus personne. Il y a même des restaurants qui affirment que leur civet de chat est plus succulent encore qu'un civet de lapin !
Les combats sont relativement rares en journée. La nuit, en revanche, les affrontements reprennent de plus belle : Charenton, Montrouge, Créteil… Je doute que les fortifications puissent tenir longtemps, mais l'un des pensionnaires de l'immeuble affirme que les Prussiens entendent nous affamer, et non pas nous attaquer de front. La stratégie, si elle se confirme, commence à être payante.
On parle d'une victoire importante pour notre armée à Orléans. Tant mieux ! Mais les communiqués qu'il m'a été

donné de lire sur les affiches placardées à l'initiative du gouvernement ne sont guère précis. Et puis, depuis cette rumeur, l'armistice envisagé un moment semble ne plus être une option valable.

J'ai eu la chance d'avoir des nouvelles de M. Robert-Houdin il y a deux jours, par le biais d'un pigeon voyageur. Le mot était laconique, m'enjoignant de ne pas prendre de risques inconsidérés et me rassurait sur son état de santé. Je le croirai quand je le verrai, enfin, à nouveau !

Cassilis s'est manifesté. Je dois le retrouver le 2 décembre à trois heures du matin, près de la gare d'Orléans. Il reste encore deux semaines à attendre : tâchons de survivre.

*

* *

Saint Gervais, au Prieuré, le 4 décembre 1870

Me voilà parvenu à destination, mais le moins que je puisse dire, c'est que cela ne fut pas sans mal.

Le 1er décembre, la journée fut très calme. Mais dans la nuit, les tirs reprirent de plus belle : un enfer se déchaînait tout autour de la ville, et même, parfois, à l'intérieur. Je me hâtai vers mon rendez-vous dans un froid glacial, craignant à chaque pas d'être cueilli par une balle perdue ou écrasé par un obus.

En route, un spectacle pathétique s'offrait à moi, avec des rues où ne circulaient plus guère que des convois de blessés et de cadavres troués de mitraille. Nos troupes avaient été massacrées en passant la Marne.

Cassilis m'avait fait parvenir des détails plus précis sur notre lieu de rendez-vous : il s'agissait d'une grande cour, bordée de très hauts murs, à deux pas de la gare. Un ballon dirigeable y était amarré, et tout près de la nacelle, dans le halo de lumière projeté par un bec de gaz, Cassilis discutait avec une jeune femme. Il me fit signe d'avancer.

« Monsieur Weiss ! Quel bonheur de vous savoir en vie. Je n'aime pas encaisser l'argent d'autrui sans faire mon travail. Si vous êtes prêt, nous pouvons partir. »

Je désignai la jeune femme.

« Une autre passagère ? demandai-je.

– Oui, mais mon voyage à moi est terminé », répondit la jeune femme.

Constatant mon air étonné, elle ajouta :

« Mon fiancé est dans Paris. Je n'ai plus de nouvelles depuis des semaines. Je ne supportais plus ce silence, et j'arrive tout droit de Bourges grâce à M. Cassilis. »

Je hochai la tête et déclarai :

« Mademoiselle, vous savez que la situation dans Paris est devenue terrible. Vous courez un grand danger, sans parler de la famine qui grandit.

– Peu importe, fit-elle. Je préfère mourir de faim que de chagrin. »

Malgré moi, pour la première fois depuis des semaines, ces paroles me firent penser à Gisela et à sa trahison. L'amour sincère que cette jeune femme portait à son fiancé, curieusement, lava l'amertume qui ne m'avait pas quitté depuis mon retour à la surface.

«Je vous souhaite tout le courage possible, mademoiselle, dis-je. Je suis sûr que vous retrouverez votre fiancé. Savez-vous où loger ? Je veux dire, dans l'hypothèse où... Enfin...»

La jeune femme coupa court à mon embarras :

«Non, monsieur. Si jamais je ne parvenais pas à retrouver Charles, je ne sais où loger.

– Je vais vous noter une adresse, où vous pourrez vous recommander de moi. Pouvez-vous me prêter votre crayon, mademoiselle ?

– Je n'en ai pas.

– Vraiment ? Il me semble que vous en cachez un à un endroit bien singulier, au contraire !

– Pardon ?» s'offusqua-t-elle.

J'agitai les doigts, me penchai vers elle et, d'un mouvement vif, fit mine de faire apparaître un crayon de derrière son oreille. D'abord surprise, elle finit par pouffer de rire. Une main devant sa bouche, elle me demanda : «Comment avez-vous fait ça ?

– Secret de professionnel, répondis-je. Laissez-moi vous noter l'adresse dont je vous parlais.»

J'écrivis quelques mots au dos d'une enveloppe et la lui tendis.

«C'est l'adresse où je logeais. Vous y serez bien. Moi, je pense que je n'y retournerai plus jamais.»

Elle me dit alors :

« Merci pour votre recommandation, monsieur, et merci également pour votre joyeux tour. J'en avais bien besoin. » Cassilis, qui avait observé tout l'échange sans rien dire, finit par intervenir :

« Si vous avez fini votre numéro et que Mlle Darras n'a plus besoin de rien, je vous suggère, monsieur Weiss, de prendre place dans la nacelle, et vous, mademoiselle, de vous diriger vers la sortie. Nous ne pouvons demeurer ici trop longtemps.

– Bonne chance, mademoiselle, ajoutai-je en prenant place.

– Bonne chance à vous aussi, monsieur le magicien. »

L'explosion d'un obus embrasa le ciel nocturne, au loin. La jeune femme marcha d'un pas décidé, et disparut dans le noir. Je détournai le regard, et Cassilis me tira à lui par la manche d'un geste brusque.

« Allez, à bord ! Pas le temps de rêvasser, jeune homme ! On ne peut pas rester ici à loisir. Je connais bien l'un des gardiens, et il garde le silence en échange de quelques services. La proximité de la gare d'Orléans fait qu'un envol de ballon depuis cette position n'attire pas la curiosité, mais ne tentons pas le diable.

– Combien de temps durera le voyage ? demandai-je.

– Deux jours tout au plus si tout se passe bien, et si le vent nous est favorable. Cela étant, mon *Bonnie Prince Charlie* n'est pas un ballon comme les autres. »

Cassilis me désigna un appareillage complexe qui courait sur le plancher et remontait le long d'un court mât, au milieu de la nacelle, sur lequel étaient fixées deux poignées.

«Avec un peu d'huile de coude, nous pouvons nous jouer des vents contraires s'ils ne sont pas trop violents. Ces poignées, une manivelle améliorée en fait, sont reliées à une hélice et à un gouvernail, et peuvent imprimer la bonne direction au ballon.

– Voilà qui est ingénieux, fis-je on observant le mécanisme. Votre invention ?

– Oui. Je n'ai pas toujours été un bandit de grand chemin.

– La guerre suscite des vocations, observai-je.

– La guerre oblige à être ingénieux. Bah, nous aurons l'occasion d'en reparler. Maintenant, accrochez-vous, nous allons monter.»

Cassilis s'agita autour de la nacelle, défaisant du lest, et le ballon débuta son ascension. Bientôt, je fus au-dessus des toits de Paris. Cassilis s'affaira autour des poignées, et le ballon amorça une courbe en direction du sud. Tout se passa bien pendant un quart d'heure et, tel un enfant émerveillé, je m'abandonnai à la contemplation de la ville plongée dans l'obscurité. Et puis, plusieurs coups de feu déchirèrent le silence, tandis que le paysage se hérissait de pointes lumineuses.

«On nous tire dessus, dit calmement Cassilis. Vous connaissez une prière, monsieur Weiss ?

– Je ne suis guère porté sur les prières, admis-je.

– Moi non plus, rétorqua-t-il. Puis-je vous offrir un cigarillo ?

– Non merci.

– Alors serrez les dents.»

Et les tirs reprirent de plus belle.

14

D'un ballon à un autre

Roujol, accroupi près du corps inanimé de Cornelia, appliquait une compresse de fortune sur ses plaies. Et alors que Fulgence poussait Keren et Nathan vers la sortie, il s'exclama :
« Un instant ! Cornelia essaie de parler ! »
Nathan, vif comme une anguille, fit volte-face et courut s'agenouiller aux côtés de la magicienne. Celle-ci avait entrouvert les yeux et, remarquant la présence de Nathan, murmura deux mots inintelligibles. Le jeune garçon approcha son oreille de la bouche de Cornelia, qui répéta ses paroles.
« … ounal… eiss…
– J'ai entendu, mais… je ne comprends pas… » fit Nathan d'un air paniqué.
Les yeux de Cornelia se refermèrent, et Roujol annonça :
« Elle est dans un état très grave. Elle ne devrait pas faire plus d'efforts, monsieur Nathan.
– Je sais, mais… vous avez entendu ce qu'elle a dit ?
– À peine. »
Nathan se releva. Fulgence le fusillait du regard, bouillant d'impatience.

«Nathan! On n'a pas de temps à perdre! Les secours seront là d'une minute à l'autre. Et il faut retrouver von Arnim avant qu'il ne soit trop tard. Dépêche-toi, par Pluton!

– Non! protesta Nathan. Encore un moment! Je suis sûr qu'il y a quelque chose à trouver dans cette pièce!

– Ce n'est pas le moment de jouer à la chasse aux trésors, Nathan! Tu veux que je t'attrape par la peau du cou?»

Nathan n'écoutait pas et regardait autour de lui avec une expression paniquée. Puis, avisant un pan de bibliothèque, il s'y précipita et se mit à suivre du doigt les titres inscrits sur les dos. Fulgence, furieux, l'avait rejoint, et posa son énorme main sur l'épaule de Nathan.

«Je ne plaisante plus, mon garçon!

– Encore un moment! protesta Nathan.

– Non et non! Il faut que je te le dise comment?»

Nathan échappa à la main de Fulgence et grimpa sur la première étagère, qui se mit à ployer. Fulgence hésita à cueillir le garçon et, perplexe, attendit un instant avant de clamer:

«Mais que cherches-tu, à la fin?

– J'ai compris ce qu'a dit Cornelia, monsieur Fulgence. Elle a dit "journal Weiss".

– De quoi parles-tu?»

Nathan gravit un étage de plus dans son ascension de la bibliothèque. Puis, tout en continuant à examiner les dos des ouvrages, il répondit:

«Weiss, c'était l'assistant de Robert-Houdin, celui qui a inventé le Cogitomètre. Cornelia nous a parlé de son journal dans la journée. Il y a sans doute une information importante à l'intérieur. »

Nathan poussa un cri de victoire.

« Le voici ! Aidez-moi à descendre, monsieur Fulgence ! »

Le colosse saisit Nathan à la taille et le posa au sol comme s'il s'agissait d'un sac de plumes. Nathan tenait un mince volume relié en cuir noir, qu'il se hâta d'ouvrir à la première page. Il lut :

Journal de Frédéric Weiss
(fac-similé)
assistant de Jean Eugène Robert-Houdin.
Éditions du Songe éveillé, Paris, 1926

« C'est bien ça ! s'exclama Nathan.

– Ah oui ? Eh bien, tant mieux ! tonna Fulgence.

– Une seconde ! »

Nathan retourna auprès de Cornelia et ramassa sa besace. Fulgence, à deux doigts d'imploser, attrapa Nathan sous son bras et alla rejoindre Keren pendant que le garçon s'agitait comme un beau diable. Ils laissèrent Roujol et Cornelia derrière eux et dévalèrent les marches qui les ramenaient dans le passage. Dehors, le jour commençait lentement à décliner. La journée avait été longue, et l'heure était plus avancée que les enfants ne l'avaient cru.

« Que fait-on, maintenant ? demanda Keren. Si vous nous expliquiez ce qui se passe ? »

Fulgence hésita et, en grommelant, répondit :

« Retournons sur les boulevards. Je vais tout vous dire, mais je vous préviens : je ne répéterai pas. »

Ils avancèrent d'un bon pas, et constatèrent que la circulation n'avait pas évolué d'un iota. Désormais, les automobilistes ressemblaient à des morts-vivants, errant entre les voitures abandonnées sans plus attendre aucune amélioration.

Fulgence s'éclaircit la gorge, puis commença :

« Bien. La première chose que j'ai à vous dire, les enfants, c'est que la situation à Sublutetia a beaucoup changé depuis un an. Votre... aventure n'a pas laissé notre petite ville intacte.

– Comment cela ? s'enquit Keren.

– Nous pensions que Sublutetia était une citadelle à l'abri de tout danger. Or, nous avons pu constater que le danger guettait aussi bien de l'intérieur que de l'extérieur. Mais il n'y a pas que ça. Peu après votre départ, le rythme des jours et des nuits s'est retrouvé complètement chamboulé. À certaines périodes, il a fait nuit pendant vingt-quatre heures, quarante-huit heures... Et parfois davantage. Plus tard, il faisait nuit une heure, jour l'heure suivante, et ainsi de suite. Actuellement, il fait jour depuis l'équivalent d'une semaine. Comme si nous étions au pôle ! C'est plus facile à vivre que l'inverse, mais tout de même...

– Comment est-ce possible ? demanda Nathan.

– Le choc survenu il y a un an n'a pas été sans conséquence. D'après nos savants, les cristaux essaient désormais, en permanence, de se synchroniser avec d'autres cristaux éparpillés sur la Terre, qui sait où, sans pouvoir se stabiliser.»

Fulgence s'assura que Keren et Nathan comprenaient bien ce qu'il disait, puis reprit :

«Ces fluctuations ont complètement déstabilisé la population, qui a désormais plus peur que jamais d'une extinction définitive de la voûte de cristal. Beaucoup considèrent qu'il faut abandonner Sublutetia avant qu'il ne soit trop tard.»

Keren, après avoir hésité un moment, osa :

«Et vous, monsieur Fulgence ? Qu'en pensez-vous ?»

Il soupira, avant de répondre :

«J'ai trop donné à cette ville pour l'abandonner comme ça. Je veux encore y croire.

– Quel rapport avec von Arnim et le Cogitomètre ? s'impatienta Nathan. J'ai bien compris qu'il fonctionnait avec un fragment de voûte, mais…

– Il y a un rapport direct, le coupa Fulgence. Von Arnim a utilisé le Cogitomètre sur vous, n'est-ce pas ?

– Oui, confirma Keren.

– Et qu'est-il arrivé au cristal dont elle se servait ?

– Il s'est mis à fumer, fit pensivement la jeune fille.

– C'est cela, acquiesça Fulgence. Si von Arnim a utilisé le Cogitomètre sur vous, c'est parce qu'elle voulait que vos souvenirs l'aident à localiser la position approximative de Sublutetia sous Paris. Pour puiser sa source d'énergie directement depuis la voûte de cristal ! Vous comprenez ?»

Nathan et Keren fixaient Fulgence d'un air dubitatif.

« Cela veut dire que... la voûte risque de "griller" ? se décida à demander Keren.

– Exactement, fit Fulgence d'un ton navré. Nous surveillons les activités de cette folle depuis quelque temps déjà, et nous savions qu'elle connaissait l'existence de Sublutetia. De toute évidence, elle a deux objectifs : semer le chaos dans Paris, d'une part, et plonger Sublutetia dans l'obscurité, d'autre part. Pourquoi ? Nous l'ignorons. »

Nathan s'était plongé dans la lecture du journal de Weiss tout en avançant, au risque de bousculer un passant.

« Apparemment, dit-il sans cesser de lire, elle a un vieux compte à régler. Avec les Parisiens, et surtout avec Weiss et Robert-Houdin...

– Elle ne lésine pas sur les moyens, observa Keren.

– Si nous ne l'arrêtons pas à temps, poursuivit Fulgence, et qu'elle arrive à puiser l'énergie de la voûte, les conséquences à Sublutetia pourraient être très graves. Elle ne fera probablement que l'endommager, sans la détruire totalement... Mais l'abandon de Sublutetia pourrait alors être voté. »

Keren, jusqu'alors songeuse, déversa alors un flot de questions :

« Attendez, il y a plein de choses que je ne comprends pas, moi ! Comment connaissiez-vous Cornelia ? Et comment nous avez-vous trouvés ? Et j'ai beau être allée à Sublutetia, je ne sais pas où c'est ! Comment nos souvenirs pourraient-ils aider von Arnim ? »

Fulgence lui fit signe de se calmer, alors qu'ils arrivaient au boulevard Poissonnière. Puis, le plus posément qu'il put, il déclara :

« Nous avons été avertis de ce danger par des... contacts à la surface. Et nous y avons naturellement cherché de l'aide. C'est ainsi que nous avons pu échanger avec les membres du Songe éveillé, dont fait partie Cornelia. Et puis, pour être très franc, voilà quelque temps déjà que nous vous... hum...

– C'est "espionnons", le mot que vous cherchez ? demanda Keren.

– Hein ? Mais je... Non, pas du tout, enfin... Oh, la barbe, appelez ça comme vous voudrez ! Toujours est-il que nous savions que le père de Nathan allait se manifester, et mettre le feu aux poudres. »

Nathan leva la tête du journal de Frédéric Weiss, l'air crispé.

« Vous saviez depuis toujours que mon père était parti avec un fragment de la voûte, n'est-ce pas ?

– Nous l'avons vite soupçonné, mon garçon.

– Et pourquoi a-t-il été banni ? Je peux quand même savoir, non ? »

Fulgence secoua la tête.

« Non. C'est à lui de te le dire, quand il estimera que le moment est venu.

– Je...

– N'insiste pas, Nathan ! gronda Fulgence. Ce n'est vraiment pas le sujet. »

Nathan haussa les épaules et poursuivit sa lecture ambulante, passant rapidement les pages qui lui semblaient sans rapport avec la situation. Keren posa une main sur l'épaule de son ami, ce qui n'eut pas l'air de le calmer. Embarrassé, Fulgence reprit :

« Je ne sais pas exactement comment von Arnim veut utiliser le Cogitomètre, et pour quoi faire, mais j'en ai une très vague idée. Et cela expliquerait cet embouteillage infernal. »

Il marqua une pause, et continua :

« Par ailleurs, pour ce qui est de localiser Sublutetia à partir de vos souvenirs, faites-lui confiance : cette femme est d'une intelligence diabolique. Les bribes de parcours, votre remontée à la surface… Tout ça doit lui suffire pour se faire une idée. Et il faut arriver avant elle.

– Ah, parce que *vous*, vous savez ? s'étonna Keren. Oui, je suis bête. Vous savez tout, pas vrai ?

– J'en sais suffisamment, la corrigea Fulgence.

– Et je crois que moi aussi, maintenant », grinça Nathan entre ses dents.

Fulgence et Keren tournèrent la tête vers le garçon, toujours plongé dans le journal de Frédéric Weiss.

Fulgence bomba le torse.

« Que veux-tu dire, mon garçon ?

– Je sais… enfin je crois que je sais comment von Arnim a fait pour s'enfuir, tout à l'heure. Et comment elle se déplace à l'heure où nous parlons, malgré l'embouteillage.

– Comment, alors ? s'impatienta Keren.

– Comme ça», fit Nathan en lui mettant le livre sous le nez.

Keren put alors lire :

Saint-Gervais, au Prieuré, le 5 décembre 1870

Je n'ai pas eu le temps de finir, hier, le récit de mon échappée en ballon. Maintenant que je suis plus au calme, il est temps de condenser rapidement ces événements.

Je n'oublierai jamais l'habileté de Cassilis à manœuvrer son ballon. Alors que nous essuyions un tir nourri, il parvint à nous faire passer entre les balles avec une aisance déconcertante. Toutes les balles, sauf une : un tir bien ajusté perfora la paroi de la nacelle et traversa le veston de Cassilis au niveau de son épaule droite. Je ne me souviens même pas l'avoir entendu pousser un cri. Constatant la tache écarlate sur son vêtement, il se contenta de dire :

« Ce n'est qu'une égratignure, ne vous inquiétez pas. La balle n'a pas touché l'os. »

Par miracle, le Bonnie Prince Charlie *parvint à s'éloigner des batteries d'artillerie de l'ennemi, et mit cap vers le sud-ouest. Cassilis pansa sa plaie avec nonchalance, et m'invita à dormir. Comme s'il était simple de trouver le sommeil en pareille occasion !*

Nous dérivâmes heure après heure, sans survoler de scènes d'affrontements. Parfois, au loin, nous entendions des coups de feu, sans parvenir à les localiser avec précision.

Cassilis scrutait le sol avec un regard d'aigle, et me rassurait chaque fois qu'il me sentait nerveux.

En un petit peu moins de deux jours, nous fûmes en approche de Blois. Cassilis me dit alors :

« Nos routes se séparent bientôt, monsieur Weiss. Quoi que vous cherchiez ici, j'espère que vous le trouverez. Je vais vous poser dans le champ que nous apercevons au loin. »

Je reconnus la route qui menait à Saint-Gervais et répondis :

« C'est encore mieux, en réalité.

— Dans ce cas, c'est parti ! »

Cassilis manœuvra un ensemble de cordes et de clapets, et le ballon entama une lente descente. À deux mètres du sol environ, Cassilis sauta hors de la nacelle et vint planter une amarre au milieu de l'herbe humide. Je lui prêtai main-forte pour les suivantes.

« Monsieur Weiss, me dit-il après que le ballon fut stabilisé, j'ai pris plaisir à voyager avec vous. Vous avez de l'estomac, comme on dit en France. J'ai une arme dont je ne me sers pas, un colt qu'un de mes frères m'a rapporté des États-Unis d'Amérique. Si vous le voulez, il est à vous.

— Je n'aime guère les armes à feu.

— Seul un fou pourrait les aimer. Mais elles se révèlent parfois utiles. Prenez-le. »

J'hésitai, puis acquiesçai. Cassilis me tendit alors l'arme, enveloppée dans un linge. Je la fourrai dans ma poche.

« Bonne chance, monsieur Weiss.

— Frédéric, dis-je.

— Frank. »

*Cassilis me serra la main, après quoi nous nous sépa-
râmes. Sans doute pour toujours. Je me dirigeai alors vers
le Prieuré.*

Fulgence avait lu par-dessus l'épaule de Keren et tonna :
« Par Pluton, mais bien sûr ! Un ballon dirigeable ! Voilà
comment elle se déplace !
– Le ballon devait l'attendre, avec une échelle, au-dessus du bureau de l'Escalopier. Voilà pourquoi cela n'a
fait aucun bruit, ajouta Nathan. Et j'avoue que je n'ai
pas pensé à regarder *en l'air*. Je pensais qu'elle était
tombée. »
Keren, pensivement, déclara :
« Elle doit trouver très malin d'utiliser le moyen de
locomotion avec lequel son ennemi juré s'est enfui pour
se venger de lui.
– Elle sera en un rien de temps place de la Concorde,
grommela Fulgence. Il faut faire vite.
– Pourquoi le craignez-vous ? Qu'est-ce qu'elle sait ?
demanda Nathan. Qu'est-ce qu'il y a là-bas ? À part
l'obélisque, je ne vois pas ce qu... »
Il s'interrompit et regarda Fulgence fixement.
« L'obélisque... reprit-il. Est-ce qu'il a quoi que ce soit à
voir avec Sublutetia ? »
Fulgence se racla la gorge et, d'une voix solennelle,
annonça :
« D'après ce que nos savants ont pu expérimenter, à
Sublutetia, le granit rose dont est fait l'obélisque agit

comme une sorte d'antenne. Cette matière a la propriété de canaliser l'énergie d'un groupe de cristaux, et de la transmettre, le cas échéant, à des cristaux isolés ou endommagés. Or... la voûte se trouve juste en dessous de l'obélisque.

– Le cristal avait presque grillé, tout à l'heure, chez l'Escalopier, remarqua Nathan. Est-ce que von Arnim pourra encore s'en servir ?

– Le Cogitomètre fonctionnait encore quand je suis entré dans la pièce, rappelez-vous. Le cristal est donc... en partie déchargé, mais encore en état. Si von Arnim s'approche de l'obélisque, celui-ci va transmettre l'énergie de la voûte directement à son cristal. C'est une masse énorme, son champ d'action doit être d'au moins cent mètres sous la surface ! Dès que le Cogitomètre se remettra à fonctionner, son cristal va avoir besoin de plus en plus d'énergie. Il finira peut-être par flancher, mais il aura avant cela grillé une bonne partie de la voûte ! De plus...

– Oui ? releva Keren.

– Je pense qu'elle a autre chose en tête. Mais dans tous les cas, nous n'avons pas de temps à perdre. Il faut atteindre la place avant elle. Nous ne sommes pas trop loin de Saint-Lazare : la ligne 12 nous mènera à Concorde en quelques minutes.

– Ne le prenez pas mal, objecta malicieusement Keren, mais je ne suis pas rassurée de prendre le métro avec vous. »

Nathan se mordit la lèvre inférieure.

«Que ferons-nous une fois sur place ? Comment arrêter un ballon ?

– Il faudra improviser.

– C'est très rassurant, mais il faut dire qu'on a l'habitude», soupira Keren.

Sur ces échanges optimistes, ils filèrent, ventre à terre, en direction de la gare Saint-Lazare.

15

Chaos et lumière

Le quai du métro, bien entendu, était noir de monde. Épuisés, moites, compressés, les Parisiens s'étaient retrouvés en masse pour emprunter le seul moyen de locomotion envisageable pour échapper au monstrueux embouteillage. Une foule compacte se massait en bordure de la voie, et il n'aurait suffi que d'une légère poussée, à l'arrière du quai, pour qu'une marée humaine se déversât sur les rails.

« Nous n'arriverons jamais à monter dans le métro suivant ! se lamenta Keren. Impossible !

– En effet, en effet, grogna Fulgence. Voilà cinq bonnes minutes de perdues ! »

Nathan ouvrit le journal de Weiss et déclara :

« Cinq minutes que je vais mettre à profit ! Peut-être que j'y trouverai une info importante, une fois encore. »

Keren tira la manche de Fulgence, qui la fusilla du regard.

« Quoi ? Que veux-tu ?

– Dites-moi… Si c'est von Arnim la responsable de cet embouteillage, comment a-t-elle fait son coup ? »

Fulgence caressa son menton à travers son épaisse barbe et répondit :

«Von Arnim a étudié l'illusionnisme, elle aussi. Tu ne t'es jamais dit qu'un prestidigitateur pouvait être un voleur extraordinaire ?

– Si, bien sûr, confirma Keren. Mais quel rapport entre…

– Tu as entendu parler de ces magiciens qui font disparaître la statue de la Liberté ? Qui font apparaître des éléphants ? C'est exactement ce qui se passe en ce moment.

– Quoi ? Il y a des éléphants dans Paris ?

– Ce n'est pas le moment de plaisanter, Keren. Les grands axes semblent avoir été murés ; des rues entières se sont volatilisées ; le boulevard périphérique ressemble à une spirale sans fin, j'en passe, et des pires ! Voilà tout ce qu'on raconte, aujourd'hui.

– Mais comment ? s'étonna encore Keren. Comment fait-elle ça ?

– Je ne suis pas magicien, je n'en sais rien. Elle y est arrivée, je ne sais trop comment, et le résultat est là. Et tu sais, une fois que la panique est là, il est difficile de s'en dépêtrer. Ah, fichtre, voilà le métro. Nous prendrons encore le prochain je crois. Ce que cela m'énerve ! Au final, nous aurions peut-être dû marcher.

– Non, c'est très bien comme ça, s'empressa de répondre Keren qui ne sentait plus ses jambes. Hein, Nathan ? »

Celui-ci émit un vague son, dont Keren dut se contenter. Il venait d'entamer une nouvelle partie du journal de Frédéric Weiss :

Saint-Gervais, au Prieuré, le 5 décembre 1870

Ce fut Marguerite Robert-Houdin qui vint m'accueillir à la porte du Prieuré. Elle me prit dans ses bras et me serra avec chaleur. Puis elle me guida à l'intérieur, où m'attendait le Maître.

Quand j'entrai dans le salon, M. Robert-Houdin était assis, dos à l'entrée, face à la cheminée, dans son fauteuil préféré. En nous entendant entrer, il se leva et se dirigea vers moi. À cet instant, je fus choqué de constater chez lui un terrible changement de physionomie. Le poids des ans, qui l'avait épargné jusqu'à présent, s'était abattu sur ses épaules en quelques mois. Son visage était flétri, son regard moins intense, ses gestes étaient lents et tremblants. J'avais devant moi un vieillard, dont le chagrin avait accéléré le déclin physique. Qu'il doit être affreux de perdre un enfant ! Je m'approchai de lui, et il me serra la main, les larmes aux yeux.

« Frédéric, mon bon Frédéric, me dit-il, quel bonheur que de vous revoir. Me pardonnerez-vous de vous avoir envoyé en enfer ? Dieu sait quels tourments vous avez endurés ! Quel fou j'ai été…

– Ne vous tourmentez pas, Maître, le rassurai-je. J'ai accompli ma mission de mon plein gré. Tout cela est derrière nous, désormais. Nous voilà libres de poursuivre nos recherches ensemble. Enfin !

– Nos recherches… répéta pensivement le Maître. Bien sûr, nos recherches. J'y ai beaucoup réfléchi, bien sûr. Asseyez-vous, et acceptez un verre de liqueur : vous devez être gelé, mon pauvre. »

Nous prîmes place chacun sur un fauteuil, et j'avalai une gorgée de l'eau-de-vie que son épouse venait de m'apporter.

« J'ai ce que vous m'aviez demandé, Maître, annonçai-je sans plus attendre. J'ai dû me séparer d'un fragment, mais l'essentiel est là. Je ne vous ai pas donné de détails dans mes courriers récents, mais… je crois qu'il est temps de tout vous raconter, y compris ce que je vous ai caché jusqu'à présent. »

Je me lançai alors dans le long récit de ces derniers mois, que le Maître écouta avec un calme olympien, un léger sourire aux lèvres, sans trahir la moindre émotion. Quand j'eus fini, il me dit solennellement :

« Qui pourrait vous blâmer, mon ami, pour des erreurs de jeunesse, et pour avoir succombé à un joli sourire ? Et puis, si vous aviez été seul, peut-être seriez-vous mort à cet instant. J'aurais alors perdu, en quelque sorte, un autre fils. »

L'émotion me serra la gorge et je demeurai silencieux. Mon trouble n'échappa pas au Maître, qui aborda alors un sujet plus technique :

« Frédéric, je pense, en votre absence, avoir fait quelques avancées avec le Cogitomètre. Des avancées purement théoriques, car en l'absence de matière première il m'est compliqué d'en juger avec pertinence. Nous verrons cela demain, si vous le voulez bien. Je dois aussi vous avertir d'une chose : vous avez peut-être fui un guêpier pour en trouver un autre. Les Prussiens sont dans la région, et qui sait s'ils ne seront pas à nos portes dans quelques jours ou même quelques heures.

— Je vous protégerai ! » déclarai-je avec un peu trop d'emphase.
Le Maître me sourit avec gentillesse et posa une main sur
mon épaule.
« Maintenant, Frédéric, si vous voulez bien m'excuser,
je suis très fatigué. Reparlons de tout cela demain,
voulez-vous ? »
Il se retira, voûté, et je demeurai seul près de la cheminée.

Keren avait posé le menton sur l'épaule de Nathan, qui
avait accueilli cette initiative avec trouble, sans que cela
ne décourageât pour autant son amie.
« Dis donc, fit Keren, ce n'est pas facile à lire, ton machin !
Tous ces passés simples…
— C'est un problème, le passé simple ? objecta Nathan avec
un soupçon d'agacement.
— Non, non, mais on n'est plus habitué, c'est tout. Tu
apprends des choses ?
— Oui, mais rien de très vital, admit Nathan. Enfin, c'est
intéressant, sauf que je n'ai pas lu le début. Ah, zut, voilà
le métro ! Ça va être la guerre. »
La montée et la descente des voyageurs furent longues
et ponctuées d'invectives agacées. Au prix d'un effort
considérable, Keren et Fulgence parvinrent à prendre
place dans une voiture. Ils remarquèrent alors que Nathan
était parvenu à occuper une place assise en se faufilant
habilement. Il leur lança un petit sourire de victoire et se
replongea dans le journal de Weiss.

Saint-Gervais, au Prieuré, le 12 décembre 1870

Le cristal que j'avais rapporté de Sublutetia possédait des propriétés stupéfiantes. Nous avions compris qu'il reflétait, en quelque sorte, l'image captée par d'autres cristaux jumeaux, situés quelque part près de Paris. La distance ne semblait avoir aucune prise sur cette union, dont la nature physique laissait le Maître sans explication.
Quoi qu'il en soit, le résultat était là : le Cogitomètre fonctionnait. Le Maître fut le premier à expérimenter sa machine, sur lui-même. Je me prêtai au jeu aussi, et à la première tentative l'image du revolver que Cassilis m'avait confié se forma à travers la lanterne. Je réalisais alors que, par instinct, j'avais visualisé quelque chose que je comptais dissimuler. Mais le Maître eut la délicatesse de ne pas me questionner sur cette arme.
Pour parvenir à établir la tension suffisante au fonctionnement, le Maître utilisait une sorte de roue mue par un système de contrepoids, qui transmettait ainsi l'électricité au Cogitomètre. Ces expériences répétées, comme nous le craignions, épuisèrent considérablement les réserves d'énergie du cristal. Le moment approchait où il allait devenir inutilisable.

Le 10 décembre, ce que nous redoutions finit par arriver. Nous fûmes tirés de nos travaux par le bruit lointain d'une explosion. L'ennemi approchait. Vers deux heures de l'après-midi, nous entendîmes un tir nourri de canons. Le Maître, l'air grave, me dit alors :

« *Frédéric, regardez attentivement chacun de mes gestes. N'en oubliez aucun.* »
Sans que je puisse intervenir ou poser la moindre question, il se saisit de ses outils et entreprit de démonter, soigneusement, le Cogitomètre.
« *Cette invention ne peut tomber entre de mauvaises mains ! Si l'ennemi s'en empare, imaginez ce qu'ils pourraient apprendre de nos prisonniers.*
– J'ai peur qu'il n'y ait plus grand-chose à apprendre, me lamentai-je. Mais je vous entends, et je vous regarde, Maître. »
Celui-ci agissait dans une sorte de transe, au cours de laquelle sa faiblesse parut s'être envolée. Je ne perdais pas une miette de l'opération, mémorisant l'emplacement de chaque miroir, chaque axe, chaque vis. Quand le Cogitomètre fut réduit à l'état de pièces détachées, M. Robert-Houdin me dit :
« *Dissimulons tout cela à travers la maison. Cela n'attirera pas l'attention, de la sorte.* »
Les miroirs furent répartis qui dans un vase en verre, qui dans un lustre en cristal, et les parties mécaniques partout où elles ne risquaient pas d'être remarquées. Une heure plus tard, le Cogitomètre n'existait plus en tant que tel.
« *Bien. Il ne reste plus qu'à attendre, je suppose* », fit le Maître avec tristesse.
J'avisai le cristal, que nous avions enveloppé dans un linge.
« *Et le cristal ? demandai-je. Il n'est pas facile à dissimuler.*
– Ne vous inquiétez pas pour cela, mon jeune ami. Je suis, après tout, Jean Eugène Robert-Houdin. »
Nous retournâmes au salon, où nous attendait Marguerite.

Peu après, le pas des soldats se mit à résonner depuis le chemin qui longeait le Prieuré : ils avaient décidé de passer par l'entrée de service plutôt que par la porte principale. Le bruit des pas, étouffés par la neige encore épaisse dans le jardin, s'intensifia d'instant en instant. Des paroles échangées en allemand, le cliquetis des armes : l'Allemagne entrait au Prieuré.

Avec dignité, le Maître marcha à la rencontre du gradé qui, le premier, s'était avancé dans le salon.

« Je suis Jean Eugène Robert-Houdin, fit-il, le propriétaire des lieux. Nous n'opposerons pas de résistance, mais je vous prie de faire preuve de respect.

– Je suis le caporal Brinken », répliqua l'Allemand dans un français très correct.

Il tendit une main au Maître, qui la refusa. Brinken se raidit et déclara :

« Résister ne servira effectivement à rien. Il ne vous sera fait aucun mal si vous coopérez. Nous cherchons quelque chose, et nous le trouverons. »

Keren s'était faufilée jusqu'à Nathan.

« Alors, ça donne quoi, le journal ? demanda-t-elle.

– Je ne sais pas trop, admit Nathan. Je suppose que sur place les choses seront plus claires. »

La rame s'arrêta soudain, lumières éteintes. Un message d'alerte retentit : « En raison d'un voyageur sur la voie, le trafic est interrompu. »

Fulgence frappa du pied avec tant de force que toute la carlingue trembla, et poussa un juron tel qu'au fond de la voiture certains passagers se demandèrent si un mammouth ne voyageait pas avec eux.

«Et moi, je n'arrive même plus à lire, dans le noir, fit Nathan à l'attention de Keren. La barbe!»

Le voyageur qui se tenait à côté de lui, un jeune homme à l'allure d'étudiant, sortit de sa poche un téléphone portable qui, après quelques manipulations, émit une lumière blanche à la manière d'une lampe torche. Il le tendit à Nathan.

«Tiens, vieux. Si ça peut te dépanner...»

Nathan sauta d'enthousiasme sur son siège.

«Oh, merci! Et après, on dit que les Parisiens ne sont pas sympas!

– Je ne sais pas, je suis de Lille, répondit le jeune homme.

– Mais je ne vais pas décharger votre batterie?

– Si, mais je n'ai pas envie qu'on m'appelle. Profite, il y en aura au moins un qui s'amuse, dans ce wagon.»

Nathan remercia chaleureusement son voisin et, le téléphone dans la main, poursuivit sa lecture.

Le caporal commandait une douzaine d'hommes. Sur un signe de sa part, ils débarquèrent dans la maison et s'éparpillèrent rapidement dans toutes les pièces. L'un des soldats, m'apercevant, vint dire quelque chose au caporal. Celui-ci se rapprocha de moi et, après m'avoir observé de la tête aux pieds, déclara :

« Frédéric Weiss, n'est-ce pas ? »
J'acquiesçai d'un signe de tête.
« Les informations du capitaine von Arnim étaient dignes de
foi, alors. Cela veut dire que... l'objet se trouve ici. »
Il se retourna et cria :
« Sucht überall ! »
Puis, à l'attention du Maître :
« Vous ne m'offrez rien à boire ? Il fait terriblement froid,
aujourd'hui.
– Je ne peux pas vous empêcher de vous servir, caporal. Mais
n'attendez pas de moi davantage. »
Le soldat sourit et répondit :
« Le capitaine von Arnim a ordonné de ne pas vous tuer,
dans la mesure du possible. Mais n'éprouvez pas trop notre
patience. »
Il tourna les talons et se servit lui-même un verre d'eau-de-vie
depuis le petit meuble à liqueurs. Autour de nous, les soldats
s'affairaient comme de beaux diables. S'ils rencontraient
une porte fermée, ils ne cherchaient même pas à en tourner
la poignée : ils l'enfonçaient. Au bout de deux heures, deux
soldats revinrent de la cave en riant, les bras chargés de
bouteilles de vin. Brinken en sembla mécontent et hurla
quelques ordres. Les soldats protestèrent et Brinken tourna
les talons en haussant les épaules.

La mise à sac du Prieuré dura encore un bon moment,
avec des périodes plus calmes. Nous observions le triste
spectacle, impuissants, depuis le salon, et dûmes même
supporter une fouille corporelle. À la nuit tombée, le

caporal Brinken vint nous trouver, le visage livide et les traits tirés.

« Où est-ce ? demanda-t-il calmement.

– J'ignore de quoi vous parlez, répliqua le Maître.

– Vous le savez très bien. Le cristal… L'instrument… Où les cachez-vous ?

– Pardonnez mon étonnement, mais je ne comprends pas de quel cristal vous parlez. Quant aux instruments, il y en a partout dans cette maison.

– Ne me prenez pas pour un imbécile, monsieur Robert-Houdin, vous n'y gagnerez rien. Je n'ai rien contre vous, je n'ai même aucune haine particulière pour la France. Mais je suis ici pour que nous gagnions la guerre, vous comprenez ? Alors, je ferai ce qu'il faut. »

La providence nous sourit, car quelques minutes plus tard, cinq nouveaux soldats firent irruption dans le salon. Le plus gradé, un sergent, se dirigea tout droit vers Brinken et ils eurent un échange assez vif. Après quoi, Brinken, l'air pincé, rappela ses troupes.

Le Maître s'approcha de lui et l'attrapa par le bras.

« Vous ne reprendrez pas de liqueur, caporal ? » demanda-t-il.

Brinken libéra son bras d'un geste d'humeur, et tourna les talons. Le sergent s'approcha alors de nous.

« Monsieur Robert-Houdin, commença-t-il, je tiens à vous présenter mes excuses pour les dégâts occasionnés à votre domicile. Mon père avait vu un de vos spectacles, il en avait été… émerveillé ! Hélas, l'heure n'est pas à la magie. »

Il eut l'air pensif, puis reprit :

« Le caporal Brinken a agi de sa propre initiative, à la recherche de je ne sais quelle... Wie sagt man ? Chimère ? Peu importe : le fait est que nous avons besoin d'hommes pour nous battre, pas pour faire une chasse au trésor. Si vous permettez, nous nous retirons. Voulez-vous nous ouvrir la porte ? »

Le Maître s'exécuta, et quelques minutes plus tard, le silence retombait sur le Prieuré. Mme Robert-Houdin éclata en sanglots, et son mari la serra contre lui pour la réconforter. Quant à moi, je bondis dans le jardin. Je constatai avec horreur que les poules et les lapins avaient été soit volés, soit tués, que le verger avait été saccagé. De rage, je frappai un tronc, puis revins à l'intérieur.

« Maître... demandai-je. Le cristal, où l'avez-vous caché ?

– Il est ici, dans ma poche, me dit-il en souriant.

– Dans votre poche ? Ils nous ont fouillés, pourtant !

– Le cristal n'était pas dans ma poche à ce moment-là, mon ami, mais dans le barda du caporal Brinken.

– Comment ? Vous...

– Oui, je l'ai caché sur lui à son arrivée. Et je l'ai repris au moment où je lui ai proposé de la liqueur. La réflexion l'a bien trop agacé pour qu'il remarque quoi que ce soit. Mais vous êtes désormais maître dans l'art du détournement d'attention, vous aussi, n'est-ce pas ? »

Je me contentai de lui sourire. La vie pouvait reprendre son cours.

À nouveau, une annonce résonna dans la rame : « L'incident est terminé, le courant va être rétabli dans quelques instants. »

« Ah, zut ! protesta Nathan.

– Quoi, zut ? s'indigna Keren. Tu te rappelles ce qu'on fait ici ?

– Oui, bien sûr, mais je n'ai pas fini de lire.

– Tu sais que tu mérites des claques, parfois ? Pose ce livre !

– Bon, de toutes les manières, soupira le garçon, je pense que je sais tout ce qu'il y a à savoir. »

Les portes du métro s'ouvrirent, et Keren attrapa Nathan par le col, le tirant pratiquement de son siège.

« On est arrivé, Nathan, tu te dépêches !

– Je n'ai pas f…

– On n'a plus le temps, accélère ! »

Nathan referma le livre et le glissa dans le sac de Cornelia. Fulgence, déjà à quai, faisait de grands moulinets avec les bras, prêt à exploser. Keren et Nathan, à sa suite, avalèrent les marches qui les menaient à la surface, et sortirent à deux pas de la rue Royale.

Le ciel était désormais bleu marine, et quelques étoiles y brillaient déjà.

Il se dégageait de la place de la Concorde une atmosphère contrastée. Les voitures y étaient toujours entassées, à perte de vue, dans le désordre le plus complet. La plupart des moteurs étaient coupés, et certains véhicules, de toute évidence, abandonnés. Quelques jeunes automobilistes avaient élu domicile sur le toit ou le capot de leur véhicule, jouant de la guitare avec entrain. Des familles avaient résolu de dormir dans leur voiture, fenêtres ouvertes. La résignation s'était imposée : on verrait bien le lendemain. Cependant, ce que remarquèrent en premier lieu Keren, Nathan et Fulgence, avant même de lever la tête, c'est que de nombreuses personnes regardaient en l'air dans la même direction.

Le ballon était là, immobile, amarré à l'obélisque par un câble. À peine éclairé par les lampadaires qui illuminaient la place, il flottait avec arrogance, dissimulant sa menace au fond de sa nacelle. Fulgence étouffa un juron.

« Trop tard ! Elle est déjà là !

– De toutes les manières, rétorqua Nathan, même si nous étions arrivés avant elle, comment atteindre le ballon ?

– Ah, par Pluton, je n'en sais rien.

– Votre airolver ? demanda Keren. Vous pouvez crever la toile ?

– Ce ne sont pas des projectiles perforants que j'ai apportés. Et puis, cela serait trop dangereux. Ah, la diablesse, elle est vraiment rusée ! Tout ça est parfaitement orchestré.

– L'embouteillage… murmura Nathan.

– Oui, l'embouteillage. Elle voulait qu'un maximum de monde soit présent là où aurait lieu son petit manège, rumina Fulgence. Quel que soit l'endroit où elle irait au final. De toutes les manières, je crois qu'elle savait, pour l'obélisque. »

Keren fit un effort de mémoire, et renchérit :

« Oui, c'est vrai que tout à l'heure… elle a dit qu'elle ne voulait qu'une confirmation. Mais que va-t-elle faire, au juste ?

– Ça, je… »

Fulgence n'eut pas le temps de finir sa phrase, car à ce moment précis se produisit quelque chose qu'aucun Parisien présent, cette nuit-là, ne devait jamais oublier.

Le ballon tout entier se mit à luire, comme si un incendie s'était déclaré dans la nacelle. Puis la lumière se mit à croître de manière concentrique, en anneaux. Le ballon ressemblait à une petite Saturne miniature. « Encore un feu d'artifice ? » demanda un badaud à sa voisine. « C'est sûrement un concert : ils ont bien choisi leur moment ! » protesta une autre personne.

La lumière s'intensifia soudain ; les anneaux disparurent, et la Concorde fut placée sous un cône éblouissant. L'obélisque se mit à crépiter comme une guirlande.

Alors, une voix s'échappa du ballon, amplifiée par un mégaphone, crevant le silence qui venait de s'abattre sur la place.

« Parisiens, Parisiennes, je suis la voix de la vérité ! clama von Arnim. Une vérité que beaucoup rechignent à donner. Nous vivons dans le mensonge, la dissimulation, le secret.

– Elle ne va quand même pas faire ça ? cria Keren en enfonçant ses ongles dans le bras de Nathan.

– Je crois que si », répondit le garçon d'une voix tremblante.

Fulgence, lui, ne disait rien, et cherchait du regard un moyen d'enrayer le plan de von Arnim.

« Ce soir, je vous offre une occasion unique, continua von Arnim. Grâce à moi, dans quelques instants, plus personne n'aura de secret pour quiconque. Pensez à vos secrets, Parisiens, Parisiennes ! Pensez-y, et bientôt ils n'existeront plus !»

La lumière se fit plus vive encore.

Dans le ciel, près du ballon, une image géante apparut, comme suspendue dans les airs. Des mains d'enfants, floues, tenaient une feuille manuscrite sur laquelle on pouvait lire, en rouge, la mention «2/20». Une autre image montra les mêmes mains au-dessus d'une poubelle, en train de déchirer la feuille en petits morceaux. Puis, immédiatement après, une autre scène apparut, plus nettement cette fois : une file d'attente devant un cinéma, une montre-bracelet que l'on consulte, le sourire d'une jeune femme. Le bruit d'une gifle claqua comme un coup de fouet au milieu des Parisiens attroupés : de toute évidence, le propriétaire de la montre-bracelet n'aurait pas dû se trouver au cinéma en compagnie de cette jeune femme.

Le rythme des images s'accéléra : dans le ciel apparurent des images de coffres-forts dissimulés derrière des meubles ou des tableaux, de relevés bancaires, de rendez-vous mystérieux, de bagues, des lettres, des messages électroniques. Et à chaque nouvelle apparition, le mécontentement grandissait dans la foule. On entendit des cris de stupeur, des insultes ; une ou deux bagarres éclatèrent.

«On a tous plus ou moins quelque chose à se reprocher, fit Fulgence entre ses dents. Elle va créer une émeute généralisée.

– La police va venir, non ? demanda Keren.

– La police ? répéta Fulgence sans y croire. Aucune voiture
ne peut se déplacer ! Il y a toujours le recours de la marche
à pied, mais le temps qu'elle réalise ce qui se passe...
– Mais les gens ne peuvent pas fermer les yeux ? Et pourquoi ils pensent à leurs secrets ? »
Fulgence secoua la tête.
« Personne ne comprend la situation. Et l'embouteillage a
tellement fatigué les Parisiens qu'ils n'ont plus la volonté
de résister au Cogitomètre : il y a enfin quelque chose à
regarder après une journée à piétiner ! Quant à cette idée
de secrets, elle est dans leur tête, comme un poison. Ils y
pensent sans le vouloir.
– Mais je n'ai rien à me reprocher, moi ! insista Keren. Des
secrets, j'en ai, mais... »
Elle rougit et s'arrêta.
« Enfin bref, il faut arrêter ça avant que tout le monde
s'entretue ! s'inquiéta Nathan. C'était ce qu'elle voulait,
n'est-ce pas ? Une zizanie à grande échelle ?
– Elle est en train de faire un triplé, se lamenta Fulgence,
impuissant. Elle pompe l'énergie de notre voûte de cristal,
elle crée une émeute à Paris, et elle salit le nom de Robert-
Houdin à travers son invention. Je suppose qu'elle se
fera une joie de le faire savoir dès demain. Et, hélas, je ne
vois pas comment l'arrêter. Mais... où trouve-t-elle assez
d'électricité pour faire fonctionner le Cogitomètre ?
– Elle tournait une espèce de roue, chez l'Escalopier,
s'empressa de répondre Keren.
– Il faut bien plus qu'une petite roue pour créer un phénomène pareil, je le crains. »

À ces mots, Nathan parut lui-même traversé par un courant à haute tension.

« Attendez ! Une roue ! Oui, Weiss en parle dans son journal, également !

– Et alors ? l'interrogea Keren. Ça nous fait une belle jambe !

– Tu ne comprends pas, Keren ? Une roue ! Une *roue* !

– Oui, une roue, j'ai compris, mais je te le répète : et alors ?

– Alors ? Alors regarde, grosse maligne ! »

Nathan tendit un doigt en direction du jardin des Tuileries. Une immense grande roue de fête foraine se détachait de l'horizon.

« Rapprochons-nous ! cria Nathan. Il y a forcément un rapport. »

Il démarra en trombe, suivi avec peine par Fulgence et Keren.

« C'est bien ce que je pensais ! triompha Nathan. Regardez ! Il y a un autre câble qui part de la nacelle et va jusqu'à la roue ! Elle a dû l'accrocher en passant ! »

Fulgence tonna :

« Par Pluton, mon garçon ! Tu as entièrement raison. Elle utilise le manège comme une roue de dynamo géante !

– Vous comptez décrocher son bidule comment ? fit remarquer Keren. Je veux dire… Le câble a l'air d'aller vers le centre de la roue.

– Je peux essayer d'y grimper, annonça Nathan sans la moindre conviction.

– Mais oui, bien sûr. Ou d'y voler ? Dommage, tu as oublié ta cape et tes bottes rouges, ironisa Keren.

346

– Ah, la belle affaire, Hutan nous aurait fait ça en deux temps trois mouvements», grommela Fulgence.

Keren frappa dans ses mains.

«Oh, vous ne pouvez pas l'appeler ?

– Non, et quand bien même, je ne sais pas si la présence d'un orang-outan de deux mètres, en plein Paris, calmerait les esprits, jeune fille.

– C'est vrai. Alors ?

– Alors on va faire un tour de roue», s'empressa de répondre Nathan.

Sur la place de la Concorde, le Cogitomètre continuait à faire des ravages. Il y avait, parmi la foule, quelques fonctionnaires importants, des hommes d'affaires : les images de contrats embarrassants étaient apparues dans le ciel, ainsi que celle de rencontres «qui n'avaient jamais eu lieu». La tension montait, et prenait des proportions qui dépassaient la simple scène de ménage.

Bientôt, Nathan, Keren et Fulgence furent au guichet de la grande roue et, sous le regard médusé de ses compagnons, Nathan acheta deux jetons.

«Monsieur Fulgence, dit Nathan, à mon signal, débrouillez-vous pour faire arrêter la roue !

– Qu'est-ce que tu comptes faire, mon garçon ?

– Je compte détacher le câble.

– Je ne te laisserai pas faire, tu vas te tuer.

– Bien sûr que non.

– C'est hors de question !»

Le signal de démarrage d'un nouveau tour de roue retentit, et les passagers revenus au plancher débarquèrent.

Nathan s'écria :

« Quoi ? Mais que fait von Arnim ici ?

— Pardon ? » répliqua Fulgence en tournant la tête, aux aguets.

Nathan attrapa la main de Keren et, profitant de la distraction de Fulgence, se rua vers l'unique nacelle demeurée vide, dans laquelle il força son amie à s'installer. Le Sublutetien courut à leurs trousses, mais trop tard : la roue se remit à tourner, soulevant Keren et Nathan dans les airs.

« Bien, essaya de dire posément Keren, tu as donc décidé de te suicider, Nathan, mais aussi de me tuer avec toi, c'est bien ça ? »

Nathan haussa les épaules.

« Ne dis pas de bêtises. Ce n'est pas si haut, et je n'ai jamais eu le vertige.

— Si, c'est très haut, et je ne sais pas exactement ce que tu as en tête — quoi que je m'en doute, hein —, mais c'est une très mauvaise idée.

— J'ai pris mes précautions.

— Ah oui ? Super. Je suis rassurée. »

Leur nacelle montait doucement. Nathan se pencha et tâcha d'observer l'endroit où arrivait le câble. Il était fixé au moyeu de la roue, et partait d'un boîtier métallique sans doute tenu à l'ensemble par un puissant aimant, qui transformait les mouvements du manège en électricité.

« Elle utilise une espèce de… transformateur fixé à la roue, déclara Nathan.

— Bravo. Maintenant, on peut redescendre, tu penses ?

– Il faut absolument qu'on le détache !
– Mais oui, tu as raison. On peut essayer de souffler dessus ? »
Nathan eut une expression pincée.
« Essaie de trouver une idée intelligente, au lieu de te moquer.
– Oh, tu veux entendre quelque chose d'intelligent ? Alors accroche-toi.
– Je t'écoute ?
– Si tu étais le propriétaire de cette roue... et que quelqu'un se pointait en montgolfière au-dessus de ta tête, pour y aimanter je ne sais quel appareil, tu penses que tu laisserais faire ? »
Nathan eut une moue songeuse, et Keren poursuivit :
« Je ne pense pas ! Je crois que tu arrêterais la roue, ou je ne sais quoi, ou que tu essaierais de détacher l'appareil toi-même... Mais tu ne resterais pas comme ça !
– Tu veux en venir où ?
– Que les propriétaires de la roue sont sûrement complices de von Arnim, voilà !
– Ça va compliquer les choses, fit Nathan d'une voix tremblante.
– Et elles n'étaient déjà pas simples », soupira Keren.
La nacelle était presque parvenue au sommet de la roue. Fulgence, qui guettait ce moment, bomba le torse, ouvrit la porte de la cabine en bas et annonça d'une voix ferme :
« Mon brave, arrêtez la roue immédiatement ! »
Le machiniste leva un œil morne et grogna :
« Quoi ? Qu'est-ce que tu me veux ?

– Je vous ordonne d'arrêter la roue, monsieur! C'est très important.»

Le machiniste regarda fixement Fulgence et alluma une cigarette. Il lui rejeta une épaisse bouffée en plein visage. «Tu sors d'où, toi? Va-t'en de mon manège, ou il va t'arriver des bricoles.»

Fulgence avisa le tableau de commandes et abaissa un levier. Dehors, la roue s'arrêta tout net, et ses passagers poussèrent tous un cri en parfaite harmonie.

Rouge de colère, le machiniste actionna la manette en sens inverse, et la roue repartit tout aussi brusquement. Il fit alors signe à quelqu'un, derrière Fulgence, et déclara: «Je t'avais prévenu, mon coco.»

Un individu chauve et massif attrapa Fulgence par l'épaule et le tira violemment hors de la cabine. Le Sublutetien fit volte-face et attrapa son adversaire par le col; il le fit tournoyer et le poussa à l'intérieur. Le dos de l'homme chauve heurta le machiniste, qui perdit l'équilibre et se rattrapa à ce qu'il pouvait, à savoir la manette de commande. De nouveau, la roue cessa de tourner sans préavis, et un cri de détresse s'éleva dans le jardin des Tuileries.

Tout en haut, dans la nacelle, Keren dit: «Ça… n'a pas l'air de se passer très bien, pas vrai?»

Nathan confirma d'un mouvement de tête, puis ajouta: «La barbe: on n'est plus au sommet.

– Je ne me plains pas si on redescend, moi!

– Je n'arrive pas à voir Fulgence, zut.»

Dans la cabine, le machiniste, un peu sonné, actionna de nouveau le démarrage de la roue, qui repartit pour un nouveau tour. Le chauve, en garde de boxe, menaçait Fulgence.

« Tu n'aurais pas dû me toucher, le vieux. Tu vas te prendre la dérouillée de ta vie. »

Fulgence fit signe à son adversaire de se calmer.

« Doucement, inutile de vous énerver, nous ne sommes pas partis du bon pied. Tout ce que je veux, en fait, c'est que vous détachiez ce câble qui est accroché au ballon, là-bas. »

Le chauve ricana.

« Ha ha ! Détacher ce câble ? Une espèce de folle nous a donné une petite fortune pour qu'on la laisse s'amarrer à la roue avec son ballon pendant deux heures. Et elle nous en a promis autant après. On ne va pas cracher dessus, hein ?

– Je vois, je vois, marmonna Fulgence.

– Allez, assez attendu, reprit le chauve. Viens te battre ! »

Fulgence jeta un coup d'œil rapide à la roue, et constata que Keren et Nathan venaient de repasser au niveau du sol. Il déclara :

« Je n'ai pas envie de me battre avec vous. Pas maintenant.

– Trop tard, mon pote ! »

Le chauve lança son poing en direction du visage de Fulgence, qui n'eut pas le temps de l'esquiver complètement. Il émit un son indéfinissable, entre la corne de brume et le rugissement, et se frotta la joue.

« Tu en veux encore ? » demanda le chauve, triomphant.

Fulgence observa de nouveau la roue, et vit que Keren et Nathan avaient atteint les trois quarts du parcours. Il soupira et dit :

« On ne peut pas faire autrement ! »

Prenant cette remarque comme une invitation, le chauve lança un nouveau coup de poing, qui atteignit Fulgence au creux de l'estomac. Celui-ci se plia sous l'impact et reprit son souffle bruyamment.

«Vous ne comprenez pas... ce qui... est en jeu, haleta-t-il.

– Oh si, on comprend très bien. Ta tête, pour commencer!»

Voyant que Keren et Nathan approchaient de nouveau du sommet, Fulgence se dressa de toute sa hauteur et dit : «Bon! C'est le moment.

– Quel moment ? demanda le chauve.

– Celui où je veux bien me battre avec vous, pardi!»

Une seconde plus tard, le chauve atterrissait de nouveau sur son collègue dans un grand fracas. Cette fois, passablement sonnés, ils ne se relevèrent pas. Fulgence enjamba les deux forains et arrêta la roue pour la troisième fois. Il sortit de la cabine et adressa un signe des bras à Keren et Nathan.

«Bon, c'est le moment, annonça Nathan sur un ton qui se voulait rassurant et qui glaça Keren de terreur.

– Le moment de quoi ?

– De descendre.

– Comme ça, hein ?

– Non, pas comme ça.»

Il ouvrit la besace de Cornelia, qu'il avait ramassée avant de partir de chez l'Escalopier, et en sortit la «corde sans fin».

«Tu veux descendre avec ça, n'est-ce pas ? Tu es malade ? piailla Keren en faisant de grands gestes nerveux.

– Mais non! Elle peut s'étendre presque à...

– Nathan, tu es débile ou quoi ? C'est un tour de magie !
Cette corde n'est pas faite pour l'escalade ! »

Nathan la fit tourner entre ses mains.

« Ça devrait aller, affirma-t-il. Elle m'a l'air solide, même
si je ne comprends pas trop comment elle est faite. Tu…
tu as fait de la voile avec tes parents, je crois ? »

Keren était rouge comme une pivoine.

« Oui, j'ai fait de la voile. Tu ne veux pas qu…

– Si, tu pourrais m'accrocher la corde au montant de la
nacelle ? Avec un bon nœud marin ?

– Non.

– Ah ben, dans ce cas, je le ferai tout seul. »

Nathan commença à s'affairer avec la corde, mais Keren,
exaspérée, la lui arracha des mains.

« Voilà comment on fait un nœud de chaise, triple andouille.
Pourquoi est-ce que je t'aide ? Pourquoi ?

– Parce que… Non, je n'en sais rien. À tout de suite, hein.

– Oui, ou un peu plus tard à l'hôpital ! Je te déteste.

– De quoi ?

– De me faire des frayeurs pareilles. Bon, dépêche-toi, je
ne veux même pas regarder. »

Keren se cacha les yeux, et Nathan accrocha l'autre extrémité de la corde sans fin à sa taille. Puis il la tritura, comme
il avait vu Cornelia le faire, pour l'allonger au maximum
de ses possibilités. Il enjamba alors le rebord de la nacelle,
suscitant des cris d'épouvante de la part des autres passagers de la grande roue. En bas, Fulgence aussi fut frappé
de terreur.

Nathan saisit la corde à deux mains, une grande boucle pendant sous lui, et commença sa descente vers le centre du manège. Il n'y avait pas là une grande difficulté a priori, même si la hauteur de la roue rendait l'exercice passablement périlleux. La corde semblait résister à son poids. Il progressa avec prudence, sans se faire glisser, et fut bientôt à quelques mètres du moyeu.

Mais dans la cabine de commande, le chauve avait commencé à reprendre ses esprits. Chancelant, sans réfléchir, il redémarra la roue. Fulgence fut sur lui en un bond, et le replongea dans un sommeil profond avant d'arrêter la roue une fois encore. Une rumeur d'exaspération s'éleva du manège : les passagers commençaient à ne plus guère apprécier la plaisanterie.

La rotation de la roue avait été minime, mais suffisante pour que Nathan se retrouvât décentré. Désormais, il lui était impossible d'atteindre le moyeu en se laissant glisser. Plus haut, Keren, qui n'avait pas mis longtemps avant de se pencher pour surveiller la progression de son ami, s'arrachait les cheveux.

« Remonte ! lui cria-t-elle. C'est fichu, maintenant ! »

Nathan avait le regard braqué sur le câble et le petit transformateur. Il ferma les yeux, prit sa respiration, et se mit à balancer les jambes d'avant en arrière, pour faire osciller la corde à la manière d'un pendule. Une fois, deux fois, trois fois…

Keren, dans la nacelle, ne respirait plus, ne pouvait plus produire le moindre son. À la cinquième oscillation, alors que Nathan passait à l'aplomb du moyeu, il relâcha sa prise sur la corde et se laissa tomber de deux mètres. Les passagers de la roue poussèrent un cri où se mêlaient admiration et stupeur.

Nathan avait visé presque juste.

Presque.

Il dépassa de quelques centimètres le point d'atterrissage qu'il avait envisagé et, paniqué, s'accrocha à ce qui se présentait à lui, à savoir l'un des deux montants principaux de la roue. La réception fut douloureuse, et il laissa échapper un cri de douleur. Au prix d'un effort épuisant, Nathan put se placer à califourchon sur le montant et remonter jusqu'au moyeu. Comme il l'avait imaginé, la dynamo de von Arnim avait été aimantée à la structure de la roue. Une fois parvenu sur l'axe, qui n'offrait que très peu d'espace pour se poser, il s'agrippa à l'un des rayons de la roue, et de son autre bras attrapa le câble, qu'il tira à lui. L'aimant se décolla légèrement, mais tint bon. Nathan fit une courte pause, puis, de toutes ses forces, recommença. L'aimant céda, et Nathan lâcha le câble – et le transformateur –, qui alla traîner au sol, plusieurs mètres plus bas. Le jeune garçon fit alors signe à Fulgence de redémarrer la roue. Tout en se tenant à la corde, et après avoir vérifié que le nœud à sa taille ne s'était pas relâché, il fit un saut dans le vide et alla basculer sous la nacelle de Keren, à laquelle il était toujours attaché. Tout en ajustant la longueur de la corde au fur et à mesure de la rotation du manège, il finit par reposer enfin les pieds sur le plancher des vaches et se hâta de défaire le nœud. Une minute plus tard, Keren l'avait rejoint, accompagnée de Fulgence, fulminant.

« C'était de la folie, de la folie ! rugit le Sublutetien. Tu te
rends compte de ce que tu as fait ? Quoi qu'il arrive, *rien*
ne justifiait que tu te mettes ainsi en danger ! RIEN ! »
Nathan attendit patiemment que l'orage passât, ce qui
prit une bonne minute. Il osa alors regarder en direction
de Keren. Celle-ci fit mine de regarder ailleurs.
« Ben… quoi ? demanda maladroitement Nathan.
– "Ben quoi", hein ? répéta Keren. Écoute-moi bien : je
pense que là, on n'a pas le temps, mais dès que tout ça sera
fini, je te ferai la tête en bonne et due forme. Ah ça, tu va
les regretter, tes exploits, l'acrobate ! »
Fulgence avisa les deux forains, toujours avachis l'un sur
l'autre, puis la silhouette du ballon, au loin.
« Retournons-y ! hurla-t-il. Nous n'avons plus qu'à tirer le
câble qui pend, désormais. »

*
* *

Dès l'arrachage du câble électrique, von Arnim avait perçu
des perturbations dans le fonctionnement du Cogitomètre ;
mais le transformateur, qui était toujours attachée au
câble, comportait un accumulateur qui, pour l'heure,
donnait le change. Von Arnim se pencha par le rebord du
ballon et contempla son œuvre : on hurlait, on pleurait,
on se battait… Dans le ciel, de nouvelles images appa-
raissaient régulièrement, parfois floues, parfois d'une
netteté surprenante, capturant et exposant les craintes et
pensées profondes de tous ceux qui avaient le malheur de

regarder vers la lumière. Toutefois, l'intensité de celle-ci ne faisait que baisser. Von Arnim poussa un juron et vérifia l'ensemble des branchements. À cet instant précis, elle ressentit une secousse violente qui lui fit perdre l'équilibre. Quelque chose tractait le ballon vers le sol. Elle regarda en bas et comprit.

Fulgence, aidé de Keren et Nathan, était en train de tirer comme un beau diable sur le câble qui venait d'être arraché à la grande roue.

« Maudite taupe ! hurla-t-elle à l'endroit de Fulgence. Tu ne pouvais donc pas rester tranquille dans tes égouts ? »

Elle dégaina son revolver et fit feu : la balle siffla aux oreilles de Nathan et alla s'écraser sur le pavé.

« Elle est malade ! gémit Keren. Elle veut vraiment nous tuer !

– Nous n'y arriverons pas, fit Fulgence. La poussée contraire du ballon est beaucoup trop forte.

– On ne peut pas la laisser filer, pourtant ! » s'affola Nathan.

Von Arnim fit feu de nouveau, et la balle ne passa pas loin de la troupe une fois encore.

« On va finir par s'en prendre une », se lamenta Keren.

Tout à coup, le ballon connut une secousse plus puissante. Von Arnim fut bringuebalée dans la nacelle et lâcha son arme, qui tomba au pied de l'obélisque. Fulgence leva un sourcil, étonné lui-même de la force qu'il venait de déployer. Mais il n'y avait là aucun miracle.

Derrière Keren et Nathan, une file était en train de se former. Une file composée de ces hommes et femmes qui, pris au piège sur la place, après avoir vu exposés leurs secrets aux yeux de tous, avaient compris que derrière cet étrange manège se jouait un combat crucial. Le premier de la file, un homme d'une cinquantaine d'années aux cheveux poivre et sel, déclara sans certitude :

«Je… je ne comprends rien à ce qui se passe, mais vous avez apparemment besoin d'aide. Ma fille appelle la police.»

Keren, toute ragaillardie, se retourna et cria à la ronde :

«Venez tous nous aider! La folle, dans le ballon, là… Elle a essayé de nous tuer!»

Mais cette information n'eut pas l'effet escompté. Alors, Keren hurla :

«Ah, au fait! C'est à cause d'elle, l'embouteillage, dans Paris, aujourd'hui!»

Cette révélation eut un pouvoir de motivation bien supérieur sur les Parisiens. Une douzaine d'automobilistes jaillirent d'un peu partout et vinrent tirer eux aussi sur le câble dans un concert de protestations. Von Arnim vociférait des menaces en allemand, tout en défaisant la fixation du câble à l'intérieur de la nacelle pour se libérer de la traction. Nathan courut en direction du ballon.

«Et c'est reparti!» souffla Keren, exaspérée, avant de l'imiter.

Le garçon sauta la tête la première dans la nacelle, qui touchait désormais presque le sol, et fut accueilli par de violents coups de pied : von Arnim s'était mise dans un état de rage insensé. Le Cogitomètre, lui, tournait encore, mais ne rayonnait plus que sur quelques mètres. Keren, moins alerte que Nathan, essaya elle aussi de monter à bord du ballon, mais fut arrêtée dans son élan par une gifle qui l'envoya rouler sur le pavé. Pas découragée, elle se frotta les reins et fonça à nouveau vers la nacelle. Nathan, pendant ce temps, s'était relevé et, malgré la douleur, avait arraché la partie supérieure du Cogitomètre – celle où se trouvait le cristal –, qu'il leva au-dessus de sa tête. Von Arnim eut un mouvement de recul et s'écria :

«*Dumpkopf!* Tu ne sais pas ce que tu fais !

– Oh, si, je sais très bien !» rétorqua-t-il.

Keren profita de ce moment pour sauter à son tour dans la nacelle. Dans les mains de Nathan, le Cogitomètre ne brillait plus que d'un faible éclat. Keren et Nathan jetèrent un ultime regard au cristal à demi éteint.

À cet instant, deux images – les dernières – se formèrent dans le ciel l'une à la suite de l'autre ; ni Keren ni Nathan n'avaient pu s'empêcher de penser à leurs propres secrets. Dans le feu de l'action, toutefois, ils ne remarquèrent rien.

Et alors que von Arnim s'apprêtait à fondre sur le garçon, celui-ci lança le Cogitomètre sur le pavé. Le dernier secret de maître Robert-Houdin vola en éclats. Von Arnim poussa un cri de rage et, avec une force que sa constitution gracieuse ne laissait pas deviner, elle éjecta Keren et Nathan hors de la nacelle. Puis elle tira sur les attaches du câble. Sur le pavé, tous ceux qui s'escrimaient à maintenir la nacelle au sol tombèrent à la renverse.

Un arc électrique impressionnant se forma à l'extrémité du câble dénudé, et von Arnim recula alors que la nacelle reprenait de l'altitude. Une flamme commença à mordre la base de l'enveloppe du ballon.

«Ça va exploser ! cria Keren, que Fulgence avait rejointe.

– Je ne pense pas, fit le Sublutetien, l'hélium n'est pas inflammable. Mais la toile, si...»

Toute l'enveloppe du ballon était maintenant en feu. Von Arnim, entourée par les flammes, poussait des hurlements. Le ballon embrasé s'envola en direction de l'Assemblée nationale. Puis un vent providentiel le poussa vers la Seine. Il amorça alors une chute rapide, avant d'entrer en contact avec l'eau, sous le regard médusé des badauds. Il brûla encore un moment, et ne fut bientôt plus qu'une tache noirâtre à la surface du fleuve.

Fulgence, Keren et Nathan, suivis de nombreux badauds, s'étaient approchés des quais pour suivre la chute.

«Von Arnim, dit Keren, est-ce que vous pensez qu'elle est...

– Je ne sais pas, répondit Fulgence. Je ne vois pas comment elle aurait pu en réchapper.»

Il tourna les talons, tandis que les enfants restaient à observer le panache noirâtre qui s'élevait du fleuve.

«Les enfants ? Venez. Il vous faut partir, maintenant. Vous ne pouvez pas rester là.»

Nathan secoua la tête comme s'il voulait se réveiller.

– Monsieur Fulgence ? demanda-t-il. Quand saurez-vous pour Sublutetia ? S'il y a eu des dégâts importants, je veux dire...»

Fulgence prit un air grave.

«Dans quelques heures. Car je repars immédiatement.

– Vous nous tiendrez au courant ?

– Peut-être, Nathan. Peut-être. En attendant, je suis fier de vous, une fois encore. Tous ces gens ne savent pas ce qu'ils vous doivent. Rentrez vite chez vous. Et portez-vous bien.»

Keren sauta au cou de Fulgence, qui la serra avec chaleur. Nathan, quant à lui, fit un petit signe de la main. Fulgence s'enfonça au milieu de la foule compacte qui s'était amassée autour de l'obélisque, emprunta la bouche de métro la plus proche et disparut.

«C'est fini, alors ? demanda Keren à son ami.

– Je suppose. Von Arnim ne fera plus de mal à personne. Le Cogitomètre n'existe plus… Et le cristal a rendu l'âme. Tout est revenu à la normale. Et "la normale", pour moi, ça veut dire que je ne sais pas ce qu'est devenu mon père. Je commence à avoir l'habitude.

– Bon, allez, fit Keren en tapant dans le dos de Nathan. Je commence demain, finalement. Pas ce soir.

– Tu commences quoi ?

– À te faire la tête, comme promis. Là, c'est trop difficile !»

Nathan leva les yeux au ciel en souriant.

Ils restèrent un petit moment à contempler la Seine, puis se mirent en route.

*

**

Nathan eut recours à mille précautions pour ouvrir la porte de chez lui sans faire de bruit. Sa mère, si elle était rentrée, devait dormir, et il était trop fatigué pour affronter ses réprimandes. Mais à peine avait-il fait un pas dans l'appartement, ses chaussures à la main, que la lumière du salon s'alluma. Sa mère, la mine défaite, s'y tenait debout, un téléphone à la main. Nathan hésita et finit par annoncer timidement :

« Euh… bonsoir, maman. J… J'ai un peu de retard. »

Il serra les dents et attendit l'explosion.

Mais sa mère demeura muette. Elle posa son téléphone, se dirigea vers lui et le serra contre elle en sanglotant.

« Maman… Je n'ai pas pu te prévenir. Je suis désolé. Mais tout va bien ! Je te promets. Désolé que tu te sois inquiétée. »

Elle desserra son étreinte et essuya ses yeux. Puis, retrouvant son calme, elle dit :

« On en parlera demain matin, et je peux te dire que tu vas le sentir passer. En attendant, va vite te coucher. »

Nathan prit la direction de sa chambre. Sa mère lança alors :

« Nathan ?

– Oui ?

– Est-ce que ton père va bien ? »

Nathan poussa un soupir.

« Je n'en sais rien, maman. »

Elle passa une main sur son front et secoua la tête.

« Je vois. Tu me raconteras ça demain aussi.

– Oui, mais… Maman ?

– Quoi donc ? File ! Il est très tard.

– Je sais, mais ta journée ? Ça allait ? »

Elle eut un imperceptible sourire et répondit :
« Oui, ça allait. J'ai fini par marcher, tu vois. Je ne sens plus
mes jambes. Allez, bonne nuit, mon grand.
– Bonne nuit, m'man. »
Nathan s'écroula sur son lit et s'y endormit avant même
d'avoir pu retirer la deuxième jambe de son pantalon.
Quant à sa mère, elle demeura encore quelques minutes
assise dans le salon, à contempler une photo posée devant
elle. Soudain, elle l'attrapa à deux mains comme pour la
déchirer, mais se mit à trembler et finit par y renoncer. Elle
rangea la photo dans son sac à main et s'enferma dans sa
chambre.

Au milieu de la nuit, le serpent de métal disparut. Son
départ fut tout aussi mystérieux que son arrivée. Les
grands axes se vidèrent petit à petit, et le lendemain, sur le
coup des six heures, il n'était plus qu'un mauvais souvenir.
Les journaux du matin mentionnèrent l'étrange chute
d'un ballon dirigeable au milieu de la Seine, dont les
occupants n'avaient pas été repêchés. Mais il n'y eut que
quelques entrefilets à propos de la scène de panique collec-
tive qui avait eu lieu place de la Concorde. Tout le monde,
semble-t-il, tenait à oublier.

Accoudé à sa fenêtre, Auguste Fulgence profitait du
calme de la nuit qui était enfin retombée sur Sublutetia.
Ses concitoyens étaient allés se coucher la peur au ventre,
inquiets que cette nuit n'en annonçât une bien plus longue.
Pourtant, Fulgence souriait. Il porta à ses lèvres un verre

d'eau-de-vie, et repensa, une fois encore, aux deux dernières images que le Cogitomètre avait fait apparaître.

La première était un souvenir récent, celui du moment où Keren avait embrassé Nathan sur la joue, un peu plus tôt dans la journée.
La seconde image était la même…

Épilogues

À l'arrivée de Keren dans sa chambre d'hôpital, Cornelia chercha à s'adosser à son oreiller. Elle serra les dents sans rien dire.

« Hey ! Vous ne devriez pas bouger comme ça ! protesta Keren. Vous devez être encore toute faiblarde, ça ne fait que cinq jours.

– Oh, ça va déjà beaucoup mieux, je suis coriace. Ça ne m'empêchera pas de faire mes tours... Si je retrouve un emploi quelque part !

– Mmm... Ils n'ont pas trop apprécié nos petites aventures, au musée Grévin ? »

Cornelia secoua la tête.

« Je me mets à leur place, tu sais, Keren.

– Oui, oui. Dites donc, on vous a mis dans un drôle de pétrin. Mais, vous savez, mon père est dans le spectacle, aussi. Il pourra peut-être vous donner un coup de main ?

– Je ne dis pas non, ma grande... »

Cornelia eut alors un élancement douloureux. Elle posa la main sur son bandage.

« Essayez de tenir en place, enfin ! fit Keren sur un ton faussement indigné.

– Cesse de t'inquiéter pour moi. Au fait, comment va Nathan ? »

Keren sourit.

« Il va très bien. Il n'a pas pu venir, mais il vous passe le bonjour, il était ravi d'apprendre que vous étiez tirée d'affaire. Il est au chevet de son père, en ce moment. Il lui est encore arrivé un drôle de truc. Figurez-vous qu...

– *Lo so*, j'étais là, la coupa Cornelia.

– Ah ? Vous savez ? Mais il n'en a pas parlé ? Bon, peu importe. »

Après un instant, elle ajouta :

« Ah, tiens, au fait, ils m'ont donné ceci à l'accueil, pour vous. »

Keren tendit à la magicienne une grande enveloppe brune, qui contenait plusieurs autres enveloppes, plus petites.

« C'est mon voisin qui me renvoie mon courrier ici, précisa celle-ci. Bon, des factures. Forcément, elles ne vont pas se payer toutes seules. Ah, *che cosa è ?* »

Cornelia se saisit d'une enveloppe de format plus long, et constata qu'elle lui était parvenue via une tierce personne, et qu'elle avait été décachetée puis recachetée.

« Ça vient du Songe éveillé, fit-elle avec un soupçon d'inquiétude dans la voix. Ils l'ont sans doute lue, et ont jugé qu'elle était pour moi. Voyons donc... »

Elle lut :

Paris, peu importe quand

Chère visiteuse, cher visiteur,

Si vous lisez cette lettre, c'est que vous avez pu entrer chez moi ; peut-être même avez-vous eu l'occasion de voir ma postière automatique cacheter l'enveloppe et la poster ! Et si vous êtes entré chez moi, c'est que les valeurs que vous défendez, au Songe éveillé, sont encore en danger. Certains secrets, profitables à l'humanité, ne doivent pas tomber entre de mauvaises mains. Vous devez continuer à veiller sur eux en attendant le jour où, enfin, ils serviront au plus grand nombre.

Je n'aurai jamais le plaisir de converser avec vous, ami visiteur, car je suis mort depuis sans doute fort longtemps. Sentant mes jours décliner, privé d'héritier et indécis quant au successeur à désigner, j'ai préféré – vous me pardonnerez l'expression – «jouer au vivant». Les lettres que vous recevez, au Songe éveillé, ont été écrites peu avant ma mort, et ma postière automatique les envoie selon un calendrier que j'ai défini. Pourtant, je ne suis plus là.

Un jour ou l'autre, pourtant, les lettres cesseront : j'en avais prévu pour les dix années suivant ma mort, et j'ignore où vous en êtes aujourd'hui. Peu importe : l'essentiel, c'est que vous m'ayez, en quelque sorte, trouvé.

Et inversement.

Car si vous avez été assez astucieux pour percer à jour mon énigme, et si vous avez bravé ma fanfare mécanique, alors, vous avez probablement les qualités suffisantes et la détermination nécessaire pour prendre ma suite. Ce feuillet est accompagné d'un document visé par un notaire, par lequel je vous lègue tout ce que contient mon appartement du passage Choiseul – ainsi que ma fortune personnelle et l'appartement lui-même. Vous n'en avez certainement vu qu'une partie, il recèle bien des secrets que vous mettrez, je pense, des années à découvrir. Jean Eugène Robert-Houdin était un homme de paix, et mon héritage est avant tout le sien : faites-en bon usage.

Avec tout mon respect,

Guy de l'Escalopier.

« Alors ? » demanda Keren.
Cornelia laissa retomber son bras le long du lit et, après un long soupir, dit :
« Inutile d'appeler ton père, finalement. Je crois que je viens de trouver un travail. »

*

* *

Nathan, recroquevillé sur sa chaise, attendait que son père se réveillât, plongé dans les dernières pages des Mémoires de Frédéric Weiss.

Buda, le 17 juin 1871

L'hiver 1870-1871 s'est poursuivi dans le sang et la terreur. Après le départ des Allemands du Prieuré, nous dûmes affronter la rigueur de la disette, nous nourrissant, parfois, d'une simple poignée de riz. Malgré sa faiblesse, M. Robert-Houdin participa activement à l'effort collectif, mettant son ingéniosité au service de la communauté. Pour ma part, je décidai de rejoindre les francs-tireurs qui tendaient embuscade à l'ennemi dans la campagne alentour. Mais devant mon inexpérience, on me conseilla de me consacrer à des tâches plus à ma mesure : tirer sur quelqu'un n'est, décidément, pas mon fort.

L'occupation de Blois par les Allemands[1] dura jusqu'au 11 mars. Pendant cette période, le Maître et moi n'eûmes pas le loisir de travailler sur le Cogitomètre. Et quand le temps fut à nouveau venu, je sentis que le Maître, sans s'en être désintéressé, avait du mal à y consacrer l'énergie qui lui restait.

Aux premiers bourgeons de mai, nos travaux reprirent, et nous pûmes perfectionner plus encore le Cogitomètre.

Un soir, alors que nous pouvions de nouveau profiter du jardin et des journées plus longues, le Maître me dit : « Frédéric, mon ami, je crois que votre apprentissage touche à sa fin. J'ai mis à votre disposition une somme importante, qui vous permettra très largement de voir venir. De vous marier, qui sait ?

– Vous voulez que je quitte le Prieuré, Maître ?

– Il y a des choses que je dois accomplir seul, Frédéric. Ne m'en voulez pas. Un jour, peut-être, vous aurez l'occasion de revenir ici.

---

1. Frédéric parle ici de l'ensemble des troupes ennemies, qui comprenaient le royaume de Bavière, la Confédération de l'Allemagne du Nord, le royaume de Wurtemberg et le grand-duché de Bade.

– *J'ai très largement abusé de votre générosité. Je ferai comme bon vous semblera.*

– *Restez quelques jours, que nos adieux ne soient pas trop pénibles, voulez-vous ? Et puis, j'ai un service à vous demander.* »

Je tendis l'oreille.

« *Je vous écoute, Maître.*

– *Je veux que vous emportiez le Cogitomètre loin d'ici. Il est la source de trop de malheurs. Je ne peux me résoudre à le détruire, il s'agit d'une invention qui, un jour, aura peut-être un rôle à jouer dans la société. Mais pour l'heure, j'ai beau être fier de l'exploit scientifique, Frédéric, je ne lui vois que des usages funestes. Prenez-le, et cachez-le. Son temps viendra.* »

Je réfléchis un instant, puis déclarai :

« *Très bien. J'ai de la famille éloignée à Buda, en Hongrie. Mon oncle Mayer – enfin, je dis "oncle" pour faire simple – vient d'avoir un petit garçon : ce sera l'occasion de leur rendre visite… et d'éloigner le Cogitomètre de tous ceux qui ont pu en avoir vent. Puis, quand le moment sera venu, je reviendrai vous voir, Maître.*

– *En Hongrie… répéta M. Robert-Houdin. Comme il vous plaira, Frédéric. Je vous fais toute confiance.* »

Je partis comme prévu quelques jours plus tard, emportant avec moi le Cogitomètre démonté, et m'installai comme prévu chez mon oncle, qui se faisait une joie de recevoir son neveu français. Je cessai d'écrire dans ce journal, considérant que la raison pour laquelle je l'avais débuté s'était envolée.

Hier, j'ai appris le décès du Maître par une lettre de son épouse, Marguerite. Elle m'y racontait qu'au moment de sa mort toutes les horloges de la maison se mirent à carillonner, comme pour lui rendre un dernier hommage. La nouvelle m'a plongé dans la plus grande mélancolie ; il est douloureux de perdre un père, mais il est encore plus cruel de le perdre pour la seconde fois.

Nathan referma le livre. Il ignorait si son père était éveillé, car un épais bandage recouvrait ses yeux. Finalement, « monsieur Bouzille » tourna la tête dans sa direction.

« Nathan, c'est toi ? demanda-t-il.

– Oui, c'est moi, papa. Tu vas comment aujourd'hui ?

– Encore dur à dire. Ça va, je pense. La sensation de brûlure a disparu.

– Tu as eu pas mal de chance, tu sais. Les médecins disent que tu pourras retrouver une vue à peu près correcte d'ici quelques mois.

– Ah ah, c'est mon côté Michel Strogoff ! déclara le père de Nathan d'une voix triomphale.

– Oui, c'est ça, c'est ça. C'est surtout ton côté "je fais n'importe quoi et je passe à travers les gouttes".

– Tais-toi, Nathan, on dirait ta mère.

– Ma mère, qui vient te voir tout à l'heure, pour info. »

La nouvelle n'eut pas l'air de ravir le père de Nathan, qui s'agita sur son lit.

« Quoi ? Mais quand ?

– Je ne sais pas. Dans l'après-midi.

– Tu ne peux pas lui dire que je ne suis pas en état d…

– Non ! l'interrompit sèchement Nathan. Écoute, papa… Depuis un an, on n'a pratiquement pas eu l'occasion de parler.

– Je sais, fiston, mais j'ai été très occupé.

– Très occupé à quoi, au juste ? À traîner là où tu ne devrais pas être ? Tu as vu où ça nous a menés ? Où ça t'a mené ?

– Nathan, je pense que tu ne compr… »

Nathan frappa du poing l'accoudoir de sa chaise.

« Si, papa, je comprends très bien. Arrête un peu avec ces mystères qui n'en sont pas. Je sais que tu as fait deux choses à Sublutetia, dont tu ne veux pas me parler. J'ai su pour la première, et j'ai failli me retrouver pendu à une grande roue. La deuxième… tant mieux pour toi si tu ne veux pas en parler, je ne vais pas te forcer. Mais ici, on est… dans la vraie vie, papa. On n'est pas sous terre. On n'est pas à Sublutetia. On est à Paris, je vais à l'école, et je te vois quand tu le veux bien. C'est-à-dire pas souvent. J'en ai assez, franchement. »

Le père tendit une main vers le visage de son fils, qui la serra puis la repoussa calmement. Des larmes coulaient sur les joues de Nathan, mais il ne tenait pas à ce que son père le sût.

« Nathan, tu ne m'écoutes pas. J'ai toujours voulu être un modèle pour toi, tu sais.

– Un modèle ? Mais tu es un modèle ! Tu es tellement un modèle qu'une fois par an je suis tes traces et me retrouve jusqu'au cou dans une histoire qui me dépasse, et dont je ne peux parler à personne !

– À part à Keren.

– À part à Keren, oui. Mais tu sais, papa… je crois que j'aurais préféré passer deux jours à la campagne avec toi et Keren plutôt que de… d'affronter des gens qui veulent me tuer, et qui parlent de choses qui me dépassent. Je vais avoir treize ans dans pas longtemps. Tu te souviens de tes treize ans ? »

Le père de Nathan fit un signe de tête.

« Oui, je m'en souviens.

– Tu te battais contre des magiciens gangsters, à treize ans ? Non, hein ? Tu avais des parents qui t'emmenaient au cinéma, à la mer, et qui te grondaient quand tu avais des mauvaises notes. Je ne demande rien de plus, papa. »

Le père de Nathan demeura silencieux une longue minute. Puis il dit :

« Tu te rappelles, Nathan, quand je t'ai laissé tout seul dans le métro ?

– Évidemment, que je me le rappelle.

– Ah, bravo !

– Quoi ?

– Tu n'as pas dit "que je *m'en* rappelle". C'est une faute qu'on fait cour… »

Nathan tapa du pied.

« Tu vois, papa ? C'est toujours pareil. On parle de choses sérieuses, et tu reviens à des trucs pas importants. Dis-moi ce que tu voulais me dire, s'il te plaît.

– J… Je… bredouilla son père, je savais ce que je faisais en m'avançant dans ce tunnel. Je savais qu'au bout il y avait cette ville dont j'avais entendu parler. J'y suis allé parce que j'avais trop de peine, parce que je ne voulais pas subir – ah, comment te dire… je ne voulais pas subir la banalité d'un couple qui se sépare. Tu sais que ça n'allait plus très bien avec ta mère, et… Eh bien, je me suis cru au-dessus de ça. Et pour y échapper, je ne voyais qu'un endroit euh…

– En dessous ?

– Oui, ricana nerveusement le père de Nathan. En dessous, j'étais au-dessus de tout ça.

– Papa, déclara Nathan, tu n'étais pas seulement en dessous de Paris, tu étais en dessous… de tout. Je suis désolé de te dire ça, mais c'est la vérité. Arrête de parler de banalité : j'ai pas mal de copains dont les parents sont divorcés. La terre ne s'est pas arrêtée de tourner. Est-ce que tu réalises que j'en ai envie, de cette banalité ? Te voir une semaine sur deux, ou les week-ends, je ne sais pas, mais… quelque chose de stable, quoi. Une vie normale, mince ! C'est si compliqué ? »

Le père de Nathan respira bruyamment, puis répondit :

« Non. »

Il hésita, puis ajouta :

« Dans la famille, on dit toujours que tu n'es pas bavard… Quand tu te mets à parler, c'est quand même quelque chose ! »

Son visage se crispa et il poussa un léger cri de douleur.

« Ça va, papa ?

– Oui, ne t'inquiète pas. Ça pique encore un peu. »

Il tourna ses yeux bandés en direction de la voix de Nathan, et tendit à nouveau la main. Cette fois, le garçon ne la repoussa pas.

«Tu sais, Nathan, je crois que je ne t'ai jamais aussi bien vu.»

Nathan sourit.

«Fiston, approche-toi, reprit son père. Je vais te dire…

– Me dire quoi ?

– Ce que… enfin, ce qui s'est passé à Sublutetia. Comme ça, on repartira sur une base de confiance totale, toi et moi. Ça te va ?»

Nathan acquiesça et rapprocha sa chaise du lit.

Tout en lui tenant la main, son père commença alors son récit.

Postface au journal de Frédéric Weiss

Frédéric Weiss demeura en Hongrie jusqu'en 1878, où il exerça le métier d'horloger. En 1874, son «oncle» Mayer Weiss eut un nouveau fils du nom d'Ehrich. Frédéric, ayant décelé très tôt une grande habileté chez l'enfant, lui enseigna de nombreux tours, parfois fort complexes, que l'enfant de trois, puis quatre ans exécutait avec brio.

Quand Frédéric revint en France, il ne manqua pas d'aller présenter ses hommages à Marguerite Robert-Houdin après quoi il remonta à Paris, où il entra aux services d'un grand fabricant de machines-outils, auprès duquel son savoir-faire fit merveille. Il vécut assez vieux pour connaître deux guerres mondiales.

Quant au jeune Ehrich Weiss, il partit avec sa famille en 1878 pour les États-Unis. À neuf ans, il devint trapéziste, puis magicien professionnel. Le monde entier devait saluer en lui, peu de temps après, le plus grand illusionniste du XXᵉ siècle, sous le nom qu'il se choisit lui même en hommage à Jean Eugène Robert-Houdin : Harry Houdini.

Table des matières

*Il y a deux ans, on m'a ouvert en grand les portes du musée Grévin.
Et pas seulement celles par où passent les touristes : j'ai non
seulement découvert les divers ateliers du musée – que le public
essaie toujours de s'imaginer – mais aussi des couloirs secrets, des
passages souterrains... Une visite privilégiée, et une opportunité
incomparable pour mon récit. Un grand merci pour tout cela à
Véronique Berecz, l'âme de Grévin.*

*J'ai été tout aussi bien accueilli à la Maison de la Magie de Blois,
l'antre de Robert-Houdin. Un lieu extraordinaire qui justifie à lui
seul la visite de la ville. Mille mercis à Céline Noulin qui fut ma
guide à cette occasion, et dont les connaissances « houdinesques »
m'auront été précieuses.*

*Merci également à l'ami Antoine, mon « conseiller historique
personnel » depuis plus de dix ans, capable de me dire au débotté,
entre deux solos d'harmonica, combien d'hommes forment un
détachement de soldats prussiens (avec les grades, bien sûr).*

*Encore merci à tous mes relecteurs officiels et non-officiels – Aurélie,
Caroline, Claire, Dorothée, Michèle, Olivier, mon père, ma mère – qui
m'auront souvent remis sur les rails.*

*Merci à Emmanuel, mon alter-ego, pour m'avoir soufflé l'idée de la
grande roue. La plus belle manifestation de son imagination, c'est
qu'il est certain de ne pas en avoir.*

*Un salut respectueux à Charles-Armand Klein, dont l'ouvrage sur
Robert-Houdin m'a tiré de bien des mauvais pas biographiques.*

*Enfin, un remerciement particulier à Aladdin, mon camarade
à fourrure dont les ronronnements ont bercé toutes mes séances
d'écriture.* The king has gone but he's not forgotten.

E. S.

Né en 1973 en région parisienne, **Eric Senabre** est journaliste depuis plus de dix ans. Lorsqu'il n'écrit pas, il joue du rock, se passionne pour les arts martiaux, dévore les films de série B et aime surtout la littérature fantastique du XIXᵉ siècle. Dans sa bibliothèque, on peut trouver de grands romans d'aventure écrits par Robert Louis Stevenson ou Sir Arthur Conan Doyle, mais en cherchant bien, on trouvera aussi des Comics des X-Men et des Mickey Parade. Car ce qu'il apprécie par-dessus tout, ce sont les histoires pleines d'imagination, les mystères à résoudre et ce que l'on peut découvrir ou inventer derrière la surface des choses connues.

Sublutetia – La Révolte de Hutan est son premier roman.

SUBLUTETIA

Tome 1 : *La Révolte de Hutan*
Tome 3 à paraître en octobre 2013

Pour en savoir plus sur l'auteur,
les personnages et les lieux de Sublutetia,
la magie ou la guerre franco-prussienne,
rendez-vous sur :
http://www.sublutetia.com/blog

© Didier Jeunesse, Paris, 2012
8, rue d'Assas – 75006 Paris
www.didierjeunesse.com
Graphisme : Célestin Forestier
Composition, mise en pages et photogravure : IGS-CP (16)
ISBN : 978-2-278-05925-6 • Dépôt légal : 5925/02
N° d'impression : 124753
Loi n° 49-956 du 16 juillet 1949 sur les publications destinées à la jeunesse

Achevé d'imprimer en France en décembre 2012 chez Normandie Roto Impression s.a.s,
imprimeur labellisé Imprim'Vert, sur papier composé de fibres naturelles renouvelables,
recyclables, fabriquées à partir de bois issus de forêts gérées durablement.

PAPIER À BASE DE
FIBRES CERTIFIÉES

Didier Jeunesse s'engage pour
l'environnement en réduisant
l'empreinte carbone de ses livres.
Celle de cet exemplaire est de :
1 kg éq. CO$_2$
Rendez-vous sur
www.didierjeunesse-durable.fr